Le livre de chevet du parfait gentleman

Le livre de chevet du parfait gentleman

Tom Cutler

MARABOUT

Publié pour la première fois en Grande-Bretagne en 2010 par Constable,
du groupe Constable & Robinson Ltd.
www.constablerobinson.com

Copyright © Tom Cutler 2010
© Hachette Livre, Marabout, 2011
pour la traduction et l'adaptation françaises.

Texte traduit de l'anglais par Laurence Rico
Avec la collaboration d'Isabelle Yafil
Relecture : Clémentine Bougrat

Ce livre est dédié à Jed,
un gentleman prometteur.

Remerciements

J'aurais adoré me vautrer sur des coussins de soie en fumant un bon cigare et regarder mes esclaves rédiger ce livre pour moi pendant que des nymphettes sensuelles m'auraient gavé de grains de raisin juteux. La réalité est bien plus prosaïque, même si quelques personnes très sympathiques m'ont bien sûr aidé. Je vais d'ailleurs citer ici les noms des plus assidus. Tout d'abord, mes parents qui, comme l'avait prédit Philip Larkin, ont fait leur devoir et ont réussi à limiter les dégâts pendant mes années d'apprentissage : ils ont mis des pansements sur mes genoux écorchés, ils ont laissé traîner des livres partout dans la maison et ils m'ont acheté de temps en temps des fusées (ces fameuses glaces à l'eau à trois étages). Ensuite, je tire mon chapeau à mon éditeur, Leo Hollis, qui a fait de son mieux pour donner une forme présentable à cet ouvrage, même si j'ai bien conscience qu'il a failli se noyer dans un verre d'eau. D'ailleurs, j'ai l'impression qu'il s'est remis à boire, plus que jamais. Le travail de relecture de tout ce fatras a incombé à Howard Watson, maître en la matière, qui, avec courage et vaillance, tel le sherpa Tenzing plongé dans la nébuleuse éthérée du sommet de l'Everest, s'est amusé à entailler tout ce macramé finement ouvragé, cet entrelacs à la limite du nœud gordien, en examinant chaque recoin. En fait, son travail consistait à faire des coupes sombres dans ce genre de phrases. Comme d'habitude, je suis très reconnaissant à mon agent, Laura Morris, qui s'est toujours accrochée à la barre. Les beaux dessins que vous trouverez çà et là, en raison de mon incapacité primaire à décrire les choses simplement, sont l'œuvre de l'excellent Carlos Castro, le E.H. Shepard du XXIe siècle ; je l'en remercie vivement. Je remercie également toutes les personnes qui m'ont aidé dans mes recherches, notamment celles qui m'ont donné un coup de pouce dans le domaine des langues étrangères, mon *alter ego* Roberto García Blasco Guitérrez San José, ainsi que Lucy Cortey, Charles Neville-Smith, Fergus Anckorn et Elaine Rutledge. Martin Howells a fait des remarques utiles à propos de nombreux sujets, Douglas Stewart a apporté sa contribution en matière religieuse, Terry Burrows m'a initié au monde passionnant des guitaristes et Sarah Booker, Siobhan Collis, Rachel Cutler, Emma Hayward, Keri-Leigh Martin, Kadie Screech et Jo Uttley m'ont ouvert les portes des mystères féminins. Et pour finir, un grand merci à Marianne et Jed pour le thé, leur sympathie et tout le reste.

Table des matières

EN VILLE

Toilettage, habillage et panachage du parfait gentleman

Aux fourneaux

SPORT, ACTION, VITESSE ET AVENTURE

Un peu de gym

Quelques exercices musculaires isométriques

Les voitures

Les deux-roues

ARTS ET LITTÉRATURE

Lettres de noblesse

La peinture

Les étrangetés musicales et les nuisances sonores

ACTIVITÉS DU DIMANCHE

L'univers des bricolos

QUESTIONS DE DÉTAIL OU COMMENT BRILLER DANS LES DÎNERS

Les gros dossiers

Pots-pourris

Portraits d'excentriques

LE GENTLEMAN ET LES AUTRES

Amour, romantisme et plaisirs horizontaux

L'ÉCOLE DES ROUBLARDS

Introduction

Sur ma table de nuit, il y a des tas de bouquins, mais je dois avouer que je n'ai jamais réussi à aller très loin dans mes lectures. Le temps de prononcer le nom Stilnox, mes paupières sont déjà fermées et les *Œuvres complètes* de Simenon glissent de mes doigts gourds pour s'écraser sur la moquette. Il faut dire que les bras de Morphée ne sont pas les seuls à être en cause : trouver le bon livre de chevet est sacrément difficile car notre cerveau choisit généralement le moment du coucher pour se mettre en veille. Soyons francs : bien au chaud sous la couette, *Madame Bovary* c'est trop lourd, les magazines ça glisse et *Les Canons de Navarone* c'est trop long ! Et si j'ai parcouru une centaine de fois la première page des *Misérables*, je n'ai jamais réussi à aller plus loin. C'est fou comme ce bouquin peut être rebutant avec ses deux volumes...

De guerre lasse, j'ai arpenté les librairies pour trouver quelque chose de plus adapté. Après une fouille minutieuse digne d'un surhomme, je n'ai finalement rien trouvé à me mettre sous les lunettes. J'ai donc décidé d'écrire ce modeste recueil avec mes petites mains.

Nombreux sont les hommes qui rêvent d'un livre de chevet spécialement écrit pour qu'ils puissent profiter de leur position préférée : être allongé dans leur lit. Ce que nous cherchons, c'est un condensé d'informations dignes d'intérêt certes, mais suffisamment court pour que les ronflements ne commencent pas avant la fin du chapitre. *Le Livre de chevet du parfait gentleman* est la réponse que j'offre à ce sage désir : il est à la fois varié et concis, c'est l'empire des surprises, où la variété imprévisible domine, où la subtilité, le sérieux et le cocasse se tiennent compagnie, au chaud, dans votre lit. Chaque partie ne fait pas plus de deux ou trois pages, donc à moins de souffrir de narcolepsie, vous devriez arriver à bout des anecdotes les plus longues. J'ai tenté d'y ajouter un soupçon d'intrigue et de curiosité, et vous dégoterez pas mal de trouvailles, de perles qui vous obligeront à réveiller la personne qui sommeille à vos côtés.

Une bonne dose de réflexion a participé à l'agencement de ce bric-à-brac littéraire. Pour tout avouer, devant le tas d'informations que nous avions à notre portée, mon éditeur et moi nous sommes presque mis à pleurer. Mais après quelques bonnes bouteilles consolatrices de Vodka Balalaika et de mystérieuses petites pilules vertes qui, selon lui, faisaient de l'effet à tous les coups, nous avons, tous les deux, réussi à organiser ce bazar en différentes sections, afin de vous permettre (vœu pieux !) de trouver votre chemin dans ce labyrinthe.

Surtout, n'allez pas tenter de lire ce livre d'une traite comme vous pourriez le faire avec le *Guide des champignons comestibles de nos terroirs*. Cela reviendrait à essayer d'avaler la totalité d'un *smörgåsbord* en une seule bouchée. À la place, dégustez quelques morceaux choisis çà et là avant de vous laisser glisser dans les nimbes du sommeil. Vous verrez alors qu'à petites doses, toutes ces informations se digèrent très facilement après avoir bien mastiqué le tout.

J'ignore pourquoi il me paraît indispensable, tout à coup, de vous signaler qu'il n'y a aucune allusion pornographique dans cet ouvrage. Si vous êtes adepte de la masturbation (et pas seulement intellectuelle), rendez-vous dans le kiosque le plus proche, où vous trouverez certainement votre bonheur entre la section astrologie et celle du développement personnel.

Cependant, ce petit mélange de bravoure, d'humour et d'étrangeté brillante ne peut évidemment que susciter l'intérêt d'un vrai gentleman, si on sait encore ce que signifie « être un gentleman » de nos jours. D'après de récents sondages, pour une femme, un gentleman doit être capable de couper du bois, jouer de la guitare classique, préparer un soufflé et ensuite lui faire l'amour toute la nuit. Bon ! C'est sûrement possible en rêve, mais rares sont ceux, parmi nous, qui peuvent relever le défi. En vérité, nous ne sommes que de simples mortels dont les étagères fissurées de la bibliothèque s'écroulent, qui se blessent les doigts dès qu'ils jouent de la guitare, qui ne savent pas faire griller un toast et qui sont complètement à l'ouest au lit. Tout ce que nous savons bien faire, c'est être les premiers de la classe du ronflement. Je pense que je vais me contenter de la définition de Harold Macmillan, pour qui un gentleman, « c'est un homme qui sait jouer de l'accordéon, mais qui n'en joue pas ». Quoi qu'il en soit, vous allez découvrir dans ce guide tout ce que vous avez toujours voulu savoir sur les avaleurs de sabre ou sur les seins. Que demander de plus ?

J'espère que ce morceau de choix de curiosités inattendues offrira aux gentlemen (et aux autres) un peu de joie pour les quinze dernières minutes de la journée. En fait, si j'ai bien fait mon boulot, vous devriez avoir l'impression que je suis là, allongé à côté de vous. Bon, vous voyez ce que je veux dire... Et maintenant, si vous avez toujours les yeux ouverts, nous pouvons commencer.

SCIENCE

Un corps sain

1 Tout savoir sur les seins : les questions que vous n'avez jamais osé poser

Non, le platypus n'est pas une sorte de crustacé, comme son nom pourrait l'indiquer. C'est ce qu'on appelle un monotrème, une sorte de mammifère qui pond des œufs. Les marsupiaux, tels les kangourous, sont aussi des mammifères, comme les êtres humains et les dauphins. Pour donner un peu de sens à ces associations étranges, il suffit de se souvenir que le terme « mammifère » vient du latin *mamma* signifiant « mamelle », un peu comme la chanson d'ABBA *Mamma Mia*, que l'on pourrait traduire du suédois par « Ma poitrine ». Quand on regarde toutes ces Suédoises sautiller et rebondir dans tous les sens, on comprend d'où leur est venue cette idée. Les mamelles sont là pour permettre aux femmes de nourrir leur progéniture grâce au lait sécrété par la glande mammaire. C'est pourquoi les seins des femmes sont généralement plus gros que ceux des hommes ; la différence est parfois même de taille, comme vous avez sûrement pu le constater vous-même. Étonnamment, les hommes savent peu de choses sur ces glandes hypnotiques, si ce n'est d'un point de vue qu'on pourrait qualifier « d'artistique ». Voici donc quelques réponses aux questions que vous n'avez jamais osé poser sur ce sujet passionnant.

C'est quoi un sein ?

Le sein est une glande sudoripare modifiée qui produit du lait chez la femme mais aussi chez l'homme, même si c'est plus rare. Chaque sein a un canal de sortie aboutissant au téton, qui est entouré d'une aréole. La plupart du lait produit pendant l'allaitement est stocké à l'arrière du sein (et non dans le frigo) et sort grâce à la contraction des muscles internes de la glande mammaire sous l'effet de la succion. Le reste du sein n'est fait que de tissus adipeux, ligaments et autres lobules.

Pourquoi les seins de la fille de Châteauroux n'étaient pas de la même taille ?

Dans le règne animal, les pis ont des tailles et des formes variées selon les races. C'est la même chose chez les humains, où on a le plaisir de voir des tailles, des formes et des couleurs (politiques) différentes. Leur forme naturelle dépend surtout du soutien qu'offrent les ligaments pectinéaux de Cooper, qui permettent aux seins de s'accrocher à partir de la clavicule.

À la puberté, les hormones sexuelles féminines permettent à la poitrine des jeunes filles de commencer à s'épanouir. Il est très courant d'avoir un sein droit plus fort que le gauche, la démonstration est aisée si on s'appuie sur des faits précis.

Selon une étude originale mise au point par l'auteur de ce livre, les variations de taille sont assez remarquables. Ça va des œufs au plat les plus croustillants aux obus les plus puissants. Au top du palmarès des seins les plus gros, les noms de Marilyn Monroe, Jayne Mansfield ou Dolly Parton vous viennent tout de suite à l'esprit, mais sachez qu'en 2009, le Guinness des records a déclaré Norma Stitz (les gentlemen anglo-saxons entendent « enormous tits », les gros lolos), alors âgée de cinquante ans, la femme la mieux lotie sur la planète en matière de décolleté : avec son bon 102ZZZ, ses rivales n'ont qu'à bien se tenir. Les seins de Norma pèsent chacun plus de douze kilos, et ils sont tout à fait authentiques, contrairement à ce que son nom de scène pourrait faire croire.

Les seins n'ont-ils qu'une seule mission : nourrir bébé ?

Pendant la grossesse, les seins ont tendance à grossir et à devenir plus fermes. Les tétons gagnent du volume et sont plus foncés. Tout rentre dans l'ordre quelques mois après la naissance. Toutefois, même s'ils ont pour fonction de nourrir les bébés, les seins jouent un grand rôle dans la sexualité des humains. Sous l'effet de l'excitation, ils grossissent et les tétons durcissent. Ils peuvent même se bander en raison des contractions musculaires dues au toucher, au froid, ou si quelqu'un essaie de s'en servir comme bouton pour trouver la bonne radio. Vous savez, quand on les tourne pour qu'ils pointent à travers le tee-shirt mouillé...

Une étude allemande révolutionnaire a montré que regarder attentivement la poitrine d'une femme dix minutes par jour procure les mêmes bienfaits que faire du vélo pendant trente minutes. Cette attention particulière permet de gagner cinq ans de vie car elle active le cœur et améliore la circulation sanguine. Les auteurs de l'étude affirment que cette activité réduit les risques de crise cardiaque de manière significative. D'un autre côté, on peut aussi se demander combien d'hommes ayant passé dix minutes à fixer des seins ont été ensuite victimes d'une attaque cardiaque. Sûrement plus qu'on peut l'imaginer !

D'autres recherches récentes de l'université Victoria de Wellington en Nouvelle-Zélande révèlent un fait très peu surprenant : les hommes regardent plus longtemps et plus intensément les seins des femmes que toute autre partie de leur anatomie. Les chercheurs ont observé que « les hommes regardent peut-être davantage les seins parce qu'ils sont tout simplement agréables à regarder, quelle que soit leur taille ». Si c'est pas de la science appliquée ça ?

2 L'anatomie humaine expliquée à l'homme de base

James Weldon Johnson (1871-1938) était ce qu'on appelle un homme multicasquette. Soit il était capable de tout faire, soit il ne savait tout bonnement pas ce qu'il voulait faire dans la vie. Comment ça, vous n'avez jamais entendu parler de lui ? C'était un Afro-Américain : anthropologue, écrivain, défenseur des droits civiques, critique, diplomate, régionaliste, journaliste, avocat, poète, politicien, professeur à l'université de New York et parolier. Un jour où il ne devait sûrement pas être très occupé, il a écrit les paroles d'une chanson inspirée du verset d'Ézéchiel sur la vallée des Ossements secs. Selon le refrain, les orteils seraient connectés au pied, le pied au tibia et le tibia au genou. Avec ces lapalissades, pas étonnant qu'on soit nul en anatomie.

C'est sûrement pour cette raison que des recherches récentes du King's College de Londres ont montré que les Britanniques (et les autres) ne maîtrisent pas les bases du corps humain. La plupart ne savent pas situer les organes principaux. Moins de la moitié des sept cents personnes interrogées par les chercheurs savaient où se trouve le cœur – quand on pense qu'elles peuvent entendre battre le leur. Franchement, si vous ne sentez pas le vôtre tambouriner dans votre poitrine, c'est que vous devez être déjà mort et qu'il est grand temps d'appeler les pompiers. Moins d'un tiers pouvaient correctement placer les poumons, alors qu'on les sent quand on tousse ou que l'on respire de l'air froid. En revanche, pour une raison étrange, plus des trois quarts savaient situer les intestins, comme le montre ce tableau.

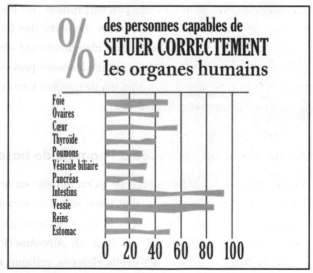

% des personnes capables de
SITUER CORRECTEMENT
les organes humains

Foie
Ovaires
Cœur
Thyroïde
Poumons
Vésicule biliaire
Pancréas
Intestins
Vessie
Reins
Estomac

0 20 40 60 80 100

1 Où se trouve le cœur ?

A   B   C   D

2 Où se trouvent les reins ?

A   B   C   D

3 Où se trouve le pancréas ?

A   B   C   D

Réponses : cœur C ; reins D ; pancréas B.

La plupart de ces ignares, je parle bien sûr des personnes interrogées, ne connaissaient même pas la forme de ces organes humains. On leur a demandé de repérer les poumons, le pancréas et tout le reste à partir de dessins représentés sur un corps. Cependant, alors même qu'ils étaient traités pour un problème concernant un organe précis, ils ont eu du mal à l'identifier. Plus de la moitié de ceux qui avaient des affections rénales, par exemple, n'ont pas réussi à reconnaître la forme de ces petits rognons.

Maintenant, à vous de jouer ! Les dessins pages 10-11 montrent quelques organes à différents endroits ; une seule place est correcte pour chaque organe. Il n'y a rien à gagner, si ce n'est un agréable sentiment d'autosatisfaction si vous trouvez la bonne place du premier coup.

3 L'effort comme remède au stress ou comment être heureux au jour le jour

Récemment, dans un coin reculé du cyberespace, je suis tombé sur un article intitulé : « Les dix secrets des gens heureux et dynamiques ». Il m'a révélé que l'argent ne fait pas le bonheur et qu'il vaut mieux que je me contente de ce que j'ai déjà et que j'apprécie la beauté de la nature plutôt que de succomber aux choses matérielles. Bon, c'est vrai ! Comme si regarder des pâquerottes toute la journée et sourire comme un benêt allait me rendre heureux. C'est étonnant, mais tous ces bons sentiments m'ont paru d'autant plus douteux qu'ils étaient entourés de publicités vantant les mérites de voitures outrageusement chères, mais aussi ceux d'une marque de yaourts censés vous faire perdre du poids. En plus, j'avoue que je préfère dormir sous un toit (que j'ai moi-même payé) que de squatter un bouge en regardant la pluie tomber.

Dans la liste des conseils inspirés des dix secrets de ces gens formidables, en voici un intéressant : « Peignez votre chambre avec des couleurs qui vous dérident, la plus adaptée étant le bleu car il est associé à la nature. » Attendez une minute ! Et le vert ? Et le marron ? Et toutes les couleurs de l'arc-en-ciel, on ne peut pas les associer à la nature ? Le conseil suivant n'était guère plus brillant : « Faites comme si c'était votre anniversaire tous les jours. » Vous imaginez ? Arrivé à 30 ans, vous auriez en fait 10 950 ans. Le problème avec ce genre de conseils, c'est que ceux qui les écrivent ne savent pas de quoi ils parlent. Un jour, j'en ai lu un intitulé « Vaincre sa timidité » qui disait à peu près ça : « Si être en société vous paraît difficile, présentez-vous directement à quelques inconnus lors de la prochaine fête où vous vous rendrez et vous remarquerez que votre confiance en vous fera un bond. » Vous en connaissez beaucoup, vous, des timides qui vont à des soirées ? Vous en connaissez beaucoup des complexés qui ont une estime de soi plus haute que l'aisselle d'un boa ?

Non, vraiment, ce n'est pas possible ! Voici donc quelques conseils à propos de choses simples que vous pouvez faire pour vous remonter le moral si votre boulot ou autre chose vous stresse. Ça ne soigne pas les dépressions chroniques ni les psychoses, mais ça marche. En plus, ce n'est pas fondé sur des théories fantaisistes, c'est scientifique !

Il n'y a pas si longtemps, des scientifiques de l'université de Nottigham Trent ont identifié une substance chimique produite naturellement par le corps, la phényléthylamine. Elle est liée à la régulation de l'énergie physique et de l'humeur. Elle jouerait, de ce fait, un rôle d'antidépresseur. Une enzyme dans le corps permet de transformer cette phényléthylamine en acide phénylacétique, dont la structure chimique est très proche de celle des amphétamines. Comme on produit beaucoup plus d'acide phénylacétique après avoir fait de l'exercice, les scientifiques ont pensé que ce composé chimique jouait un rôle dans le bien-être que procure le sport, que vous fassiez du jogging, de la natation, du VTT, de la course en sac, du vélo, que vous montiez les escaliers quatre à quatre, que vous coupiez du bois ou que vous laviez vigoureusement votre jolie voiture.

Ainsi, non seulement l'effort combat le stress, mais il semble que même un tout petit peu d'exercice physique suffise à libérer cet acide phénylacétique. Vous n'avez donc pas besoin de courir le marathon de Paris : une simple balade dans un parc ou un passage de tondeuse dans le jardin peut suffire à vous rendre heureux. Vous pouvez aussi toujours essayer de cirer des pompes, ça vous fera économiser un abonnement au club de gym de votre quartier.

Si toutefois vous n'êtes toujours pas convaincu par cette démonstration, ou que vous préférez céder à la déprime, vous serez content d'apprendre qu'une étude universitaire récente a montré que le Danemark était le pays le plus heureux du monde, sans pour autant fournir une explication sur son taux de suicides placé au deuxième rang en Europe. Probablement qu'un nombre insuffisant de Danois ont repeint leur chambre en bleu...

Les dessous cachés
de la science

4 Comment se la péter : le composé chimique le plus puant

Par une belle et chaude journée d'été, alors que je travaillais dans un bureau près de la cathédrale Saint-Paul de Londres, la plus grande bouche d'égout du quartier a subi une avarie. Le résultat ? Une odeur difficilement descriptible a commencé à envahir la zone autour de la Bank of England. Je me souviens surtout du visage de tous ces gentlemen à melon grimaçant sous l'effet des miasmes. Une seule issue pour échapper à ces effluves : enfouir la tête dans une poubelle pour respirer un peu d'air frais.

Les militaires ont, depuis longtemps, compris le potentiel des bombes puantes. Pendant la Seconde Guerre mondiale, ils ont développé un composé chimique d'une puanteur saisissante, quelque part dans des laboratoires bien cachés. Doublé d'un « C'est qui qu'a pété ? » lâché par un scientifique facétieux, ce composé particulièrement puant était aussi puissant qu'un pet foireux, entre l'odeur de l'œuf pourri et celle d'une carcasse en putréfaction. Il fut mis dans des aérosols dans le but d'être pulvérisé au nez des nazis mais n'a jamais servi. En effet, les quelques résistants français volontaires qui le testèrent en prirent plein la figure et dégageaient une odeur pestilentielle plutôt tenace.

L'histoire de la recherche puante continue dans les années 1960, quand les services de police décident de développer une arme de substitution au gourdin pour faire fuir les manifestants. La fameuse « bombe-casse-toi-tu-pues » en a fait pleurer plus d'un sur les barricades. Avec ce produit destiné à casser les manifs de féministes qui brûlaient leurs soutifs sur la place publique et de hippies qui fumaient des pétards toute la sainte journée, les autorités espéraient accentuer les vapeurs étourdissantes pour neutraliser les foules. Rien de bon n'en sortit, la boule puante fut finalement dépassée par les agents pleurnichants des bombes lacrymo utilisées dès 1915.

La reine de la recherche en la matière est sans aucun doute le docteur Pamela Dalton, experte incontestée dans le domaine des odeurs les plus nauséabondes, et psychologue chevronnée en la matière. Avec son équipe du Monell Center de Philadelphie, consacré aux sens et aux odeurs, elle a passé des années à développer un agent olfactif si puissant et malodorant qu'il pourrait paralyser de peur ceux qui le respirent. Étonnamment, ces recherches sont largement financées par l'armée à travers son programme de « développement d'armes non létales ».

Au début de leurs tentatives, Dalton et son équipe ont mené des expériences avec des substances comme l'acide butyrique, celui-là même qui fait que certains fromages et le vomi empestent. Ils ont utilisé du scatol, un composé chimique présent dans les excréments, et de la thriéthylamine, qui fait que le poisson sent le poisson, et ont finalement réussi à produire deux armes nauséabondes très efficaces.

1 Le Malodore, un répulsif concocté par le gouvernement américain, dégage une odeur d'excrément particulièrement forte, avec
   une touche « de rongeurs en décomposition ». L'industrie des détergents l'utilise pour faire des tests comparatifs et vérifier l'efficacité de ses produits d'entretien. Recrutés grâce à des publicités
   qui vantent les mérites du répulsif le plus nauséabond de la planète, différents cobayes sont testés selon leurs origines et leur
   pays. « On s'est fait insulter dans plusieurs langues », se souvient
   Pamela Dalton. Comme l'a fait remarquer une personne qui s'est
   retrouvée nez à nez avec le Malodore : « Ça sent la merde, mais
   c'est plus fort, beaucoup plus fort, *ça vous prend la tête.* »

2 La soupe puante : le chef-d'œuvre de Dalton, qui associe les relents délicats du Malodore et les effluves de la boule puante grâce au buthanethiol. Cette substance à l'odeur épouvantable est ajoutée au gaz naturel inodore afin de mieux détecter les fuites. Les relents de la soupe puante sont reconnus comme les odeurs les plus répugnantes créées par l'homme. Pour compléter la liste des parfums qui la composent, on peut ajouter de délicates petites touches de chair en décomposition et de champignon pourrissant. Elle est si répugnante que si on la respire, même une seconde, on est désorienté, on a envie de vomir, on a les yeux qui pleurent et on se retrouve dans un état de grande confusion mentale.

Pamela Dalton souligne que le pouvoir des odeurs utilisées comme arme réside dans leur propension à provoquer des réactions émotionnelles. Le système limbique est un groupe de structures du cerveau inhérent aux odeurs, aux émotions, à la mémoire et au comportement. C'est ce système qui déclenche les réactions dues aux odeurs. Plus l'odeur est répugnante, plus le système réagira et plus fortes seront les réactions de dégoût, de rejet et de peur. Le dégoût est la réaction provoquée par des choses qui nous rendent malades, tels que les aliments pourris, les égouts et les corps en décomposition. La force de la soupe puante, c'est qu'elle ne provoque aucun traumatisme physique, l'individu qui la sent a juste l'impression qu'il est sur le point d'être agressé. Si on ajoute à cela qu'il ne sait pas d'où vient la menace olfactive, il devient anxieux, il a peur et il perd ses repères. Il est donc plus vulnérable et n'a qu'une envie : prendre ses jambes à son cou.

5 Le monde étrange des tremblements de terre

La plupart des présentateurs de JT ont peur que les téléspectateurs se désintéressent de l'info et zappent s'ils n'utilisent pas assez de superlatifs dans chacune de leurs phrases. Ainsi, l'autre jour, un commentateur n'arrêtait pas d'insister sur le fait que Clichy était depuis longtemps l'épicentre des fabriques de stylos en France. Il pensait sûrement que le terme « épicentre » signifie le point le plus central du centre. Comme si un truc pareil pouvait exister. En fait, l'épicentre est le lieu de la surface terrestre situé exactement à la verticale du foyer ou hypocentre d'un séisme. Alors, à moins qu'on ait construit les usines Bic juste après un tremblement de terre, il était complètement à côté de la plaque.

Toutes ces réflexions m'ont conduit à me demander ce qui se passe quand un séisme se produit. Je suis donc allé jeter un coup d'œil dans mon livre sur les tremblements de terre. Un séisme résulte généralement d'une activité volcanique ou des errances des grosses masses rocheuses qui flottent à la surface de la Terre (les plaques tectoniques). Elles n'arrêtent pas de se rentrer dedans, de se frotter et de glisser les unes sous les autres. Elles s'efforcent généralement de se déplacer en douceur, mais il arrive que les gros cailloux déchiquetés sur les côtés s'accrochent, se retrouvent coincés et n'arrivent plus à bouger. Les plaques essaient toujours d'avancer, avec plus de force, mais restent complètement bloquées, jusqu'au jour (ou la nuit) où tout lâche sous une pression gigantesque et que toute l'énergie contenue explose. On appelle ce phénomène le *stick-slip*, « ça colle, ça glisse » ; le collage peut durer des années alors que le glissage, lui, aboutit en quelques secondes.

Quand, finalement, le séisme se produit, il provoque des ondulations qui traversent la surface (les ondes sismiques), secouent tout sur leur passage et mettent le monde sens dessus dessous. Lorsque l'onde est très forte et que la terre tremble beaucoup, les sédiments saturés en eau (comme le sable) peuvent passer de l'état solide à l'état liquide de manière temporaire. Cette liquéfaction du sol peut entraîner le glissement de certains bâtiments, comme la tour de Pise, ou leur ensevelissement.

On mesure la force des séismes grâce à un sismomètre ou un sismographe (c'est la même chose). Il y a bien longtemps, on évaluait la magnitude d'un tremblement de terre en lui donnant un chiffre sur l'échelle de Richter permettant d'estimer l'énergie libérée au niveau du foyer. Cette échelle, maintenant dépassée, a été supplantée par une autre qui mesure la magnitude du moment, même si c'est toujours un logarithme comme celui de Richter. Cela signifie qu'un degré supplémentaire sur l'échelle correspond à un séisme dont l'énergie est 31,6 fois plus forte que le degré précédent. De ce fait, une augmentation de deux degrés indique une décharge d'énergie mille fois plus forte. Donc, alors que vous ne risquez pas de ressentir les effets d'un séisme d'une magnitude inférieure à 3, une secousse de magnitude 7 cassera toutes les baraques et flanquera tout par terre. L'intensité d'une secousse dépend de la qualité du sol aussi bien que de la résistance des bâtiments. Pour ça, il existe une autre échelle de mesure, dont on ne va pas parler aujourd'hui.

Quand l'épicentre d'un fort séisme se situe sous la mer, il peut provoquer des mouvements susceptibles de former un tsunami. Les tsunamis peuvent se déplacer à une vitesse de 800 km/h, selon la profondeur de l'eau. En revanche, les gens en mer ne les remarquent pas tout de suite, car la hauteur des vagues n'augmente dans un premier temps pas de plus de trente centimètres. La distance entre chaque vague peut dépasser cent kilomètres et la formation des vagues peut se faire toutes les heures. À partir du moment où le tsunami s'approche de la terre ferme, tous ces facteurs s'accumulent, si bien que la vague grossit, sa force décuple et se concentre. Le 1er avril 1946, un violent séisme près des îles Aléoutiennes, là où la plaque de l'océan Pacifique se glisse sous l'Alaska, a généré un tsunami qui a submergé Hilo, une ville sur la plus grande île d'Hawaï, avec une vague de quatorze mètres. La force gigantesque de toute cette eau, et c'est sacrément lourd, qui arrive vers vous plus vite qu'un cheval au galop, risque, si elle vous tombe dessus, de vous écraser plutôt que de vous noyer.

Le tremblement de terre le plus célèbre du xxe siècle reste celui de San Francisco en 1906, qui commença peu après 5 heures du matin le mercredi 18 avril. Il a atteint une magnitude 7,8 sur l'échelle de magnitude du moment, mais certains pensent que son degré était plus élevé. L'épicentre se trouvait à environ trois kilomètres au large, près de Mussel Rock. Une longue rupture sismique sépara la faille de San Andreas du nord au sud sur une longueur de quatre cent soixante-dix-sept kilomètres et on ressentit la secousse jusque dans le Nevada. Avec leurs trois mille morts, le tremblement de terre de 1906 et les incendies qui en résultèrent sont considérés comme la pire catastrophe naturelle enregistrée aux États-Unis. Il semble aujourd'hui que les Japonais ont battu ce triste record avec Fukushima.

6 Les boules de feu

On se souvient tous des épisodes de *La Petite Maison dans la prairie*, de la famille Ingalls, de Laura et ses couettes, Marie et ses lunettes, Charles et ses rouflaquettes. À l'origine, c'est un roman dans lequel Marie Ingalls Wilder raconte son enfance au temps des pionniers de l'Ouest américain. Elle évoque notamment les blizzards terrifiants qui soufflaient sur le Minnesota avant l'avènement du chauffage central et de l'air conditionné et se souvient d'un jour où, pendant une tempête, alors que toute la famille, à l'abri du froid mordant, était calfeutrée dans la petite ferme bringuebalée par les rafales de vent, le fourneau se mit à faire un raffut de tous les diables. C'est alors que surgit une boule de feu du foyer, « une boule plus grosse que la boule de fil à tricoter de maman », qui traversa toute la pièce. Quand la boule lécha le sol, Caroline Ingalls, soulevant courageusement ses jupons, essaya de l'écraser de toutes ses forces. C'est alors que la boule remonta sur son pied ; d'un coup sec, elle tenta de l'envoyer au diable, mais la boule rebondit, franchement attirée par les aiguilles à tricoter de madame Ingalls. D'autres boules s'échappèrent du fourneau et encerclèrent son ouvrage avant de disparaître.

Même si cette histoire vous paraît totalement invraisemblable, c'est une description classique du phénomène des boules de feu, qui n'a rien à voir avec un régime alimentaire pour des gentlemen aux lourds attributs testiculaires. Même si ce genre d'événements électroatmosphériques est rarement signalé, les scientifiques reconnaissent les « boules de plasma » comme de vrais phénomènes malgré des explications insuffisantes. Pour pallier ces manques, le Symposium international des boules de feu se réunit régulièrement. Sûrement pas un boulot qui vous laisse de glace.

Bien qu'elles soient rares, suffisamment de témoins en ont vu pour qu'on retrouve des vidéos sur YouTube. D'ailleurs, 5 % des Américains disent en avoir aperçu au moins une. Mais parmi eux, 22 % déclarent aussi avoir rencontré des fantômes, ce qui n'aide pas à garantir la véracité du phénomène. Le premier témoignage évoquant une boule de feu remonte au 21 octobre 1638. Lors d'un gigantesque orage, une boule de feu s'abattit sur l'église de Widecombe-in-the-Moor dans le Devon. Elle pénétra dans le lieu saint, se sépara en deux et une fumée nauséabonde envahit l'édifice. Une des boules sortit en faisant voler une fenêtre en éclats. De gros morceaux des murs du sanctuaire s'écrasèrent sur le sol, des bancs de l'église explosèrent littéralement. Près de soixante personnes furent blessées et quatre rejoignirent le royaume des cieux.

Un autre cas mortel se produisit en 1809, quand trois boules de feu s'en prirent à l'équipage du *HMS Warren Hastings*. La première tua un matelot sur le pont et mit le feu au mât principal. Un marin qui se précipita sur le corps de son compagnon d'infortune pour lui venir en aide fut atteint par une deuxième boule ; elle ne le toucha que sur le côté et il n'eut que quelques brûlures insignifiantes. La dernière fit mouche et envoya sa cible brûler en enfer.

Pendant la Seconde Guerre mondiale, d'autres incidents nautiques de ce type auraient eu lieu. Une fois, l'équipage d'un sous-marin signala les apparitions fréquentes de boulettes explosives qui flottaient dans les quartiers confinés de leur vaisseau. Venant de marins, il n'est pas sûr que ces allégations de boules de feu qui flottaient devant leurs yeux furent prises au sérieux par l'amirauté.

Nikola Tesla, ingénieur en électricité et inventeur austro-américain, essaya d'expliquer le phénomène de ces boules de lumière en 1904. Cependant, les scientifiques n'ont jamais réussi à se mettre d'accord sur son origine. On émet plusieurs hypothèses, notamment celle de vapeurs de silicone ou alors celle de nanobatteries, qui suggère que les boules de feu seraient pleines de petites piles (!), ou celle du trou noir. À vous de faire votre choix !

Pour ceux qui seraient encore dubitatifs, la manifestation la plus récente confirmée par des scientifiques date d'août 1994, lors de l'apparition d'une boule de feu devant les yeux ébahis de quelques habitants d'Uppsala en Suède, qui est passée à travers une fenêtre fermée et n'a laissé qu'un trou de cinq centimètres de diamètre derrière elle. Cette manifestation étrange mérite d'être prise davantage au sérieux car elle a été enregistrée par un système de traçage de lumière à l'université d'Uppsala. Pas étonnant alors que, pour madame Ingalls, « ce fut la chose la plus étrange qu'elle ait jamais vue ». En même temps, elle n'a pas non plus assisté à l'élection de Ronald Reagan ni à celle d'Arnold Schwarzenegger.

7 Les canaux de Mars

Percival Lowell (1855-1916), astronome et homme d'affaires américain, a passé l'essentiel de sa vie à essayer de prouver l'existence d'une forme de vie intelligente sur Mars. Il s'intéressait particulièrement aux canaux sur la surface de la planète. Il en avait vu des descriptions détaillées représentant des lignes entrecroisées, dessinées sur des cartes de Mars par le directeur de l'observatoire de Milan, Giovanni Schiaparelli (1835-1910). En 1877, Schiaparelli observa d'abord un réseau de ce qu'il considérait comme des lignes droites et les baptisa *canali*, ce qui signifie « canaux » ou « gorges ». Ensuite, il leur donna des noms de rivières réelles ou imaginaires. Son travail eut une grande influence pendant des années et les noms qu'il choisit pour définir des morceaux de l'astre sont encore utilisés aujourd'hui. Schiaparelli s'attacha à expliquer l'origine et la formation de ces canaux. Il tendait à penser qu'ils procédaient de l'évolution naturelle de la planète, mais il admettait aussi que leur étrange « précision géométrique » pouvait être l'œuvre d'êtres doués d'intelligence.

La traduction du terme *canali* n'est visiblement pas tout à fait adaptée. En effet, les canaux en français font trop vite penser à une intervention humaine et à des travaux pharaoniques dignes de ceux de Suez. Rapidement donc, les idées fusèrent pour interpréter ce phénomène. Que pouvaient bien faire les Martiens avec leurs canaux ?

En 1894, Percival Lowell fit construire un observatoire à plus de deux mille cent mètres d'altitude, à Flagstaff, en Arizona, là où les nuages se font rares et où le ciel est particulièrement bleu. Pendant quinze ans, il étudia Mars de très près, il établit un recueil de dessins détaillés et publia plusieurs ouvrages sur la question, notamment *Mars et ses canaux* en 1906. Lowell soutenait qu'une race de Martiens intelligents avait construit ces canaux dans l'espoir de puiser de l'eau à partir de calottes glaciaires, parce que la planète était totalement asséchée. Cette théorie reprenait des faits avérés et d'autres assez improbables.

Beaucoup d'astronomes demeurèrent très sceptiques quant à l'idée d'intelligence martienne, surtout parce qu'ils n'arrivaient pas à voir, avec leurs télescopes, quoi que ce soit qui ressemblât peu ou prou à ce que Lowel avait dessiné sur ses cartes. En 1909, le télescope de un mètre cinquante de l'observatoire de Mount Wilson, en Californie du Sud, permit d'observer bien mieux et de plus près les prétendus canaux rectilignes. On s'aperçut alors qu'il s'agissait de méandres naturels. Les scientifiques en conclurent que Lowell avait eu des hallucinations, ou alors que ses interprétations de la forme floue de ces surfaces étaient particulièrement optimistes. Il pensait vraiment ou il avait imaginé que c'était des canaux, comme d'autres voient le « visage de Jésus » sur leur biscuit au chocolat.

Malgré le scepticisme des scientifiques, l'idée des canaux martiens ébranla l'imagination fertile du public tout au long du xxᵉ siècle et fut à l'origine d'une production fantastique d'œuvres de science-fiction, de *La Guerre des mondes* de H.G. Wells, sans oublier celle d'Orson Welles, aux *Rencontres du troisième type* de Steven Spielberg. Les fantasmes du grand public se calmèrent seulement en 1965, quand le vaisseau spatial *Mariner 4* put s'approcher suffisamment près de Mars pour prendre des photos de sa surface avec des caméras de télévision. On n'y vit que sable et rochers. Aucun canal.

Mais si vous avez la nostalgie martienne, vous aimerez sûrement l'idée que, comme le soleil tend à se réchauffer vers la fin de sa vie, la glace sur Mars risque de fondre et de permettre aux humains de vivre sur cette planète. En revanche, il ne faut pas oublier que la gravité sur Mars représente 3,8 % de la gravité terrestre. Donc, si vous pesez soixante-cinq kilos, vous n'en ferez que vingt-quatre sur cette planète (super, vous allez pouvoir vous gaver de Mars !) et vous pourrez faire des bonds trois fois plus hauts que ceux que vous êtes capable de faire sur le plancher des vaches.

Le monde des nombres

8 Explication des ordres de grandeur

Les grands chiffres sont parfois un peu flippants. Prenez l'éternité par exemple : vous vous voyez attendre une éternité ? Imaginez une seconde une planète de fer, dont le diamètre est aussi grand que notre galaxie, où une mouche ne se pose que tous les mille ans, y fait son petit tour et puis s'en va. Le temps qu'il faut à cette mouche pour éroder la planète avec ses petites pattes n'est qu'un clin d'œil au regard de l'éternité. En fait, pour utiliser des nombres qui vous sont plus familiers, demandez-vous à combien correspondent un million de secondes ? À peu près onze jours, plus ou moins. C'est pas mal, alors maintenant, si je vous dis un milliard de secondes, ça fait combien de jours ? Ne trichez pas, essayez de deviner tout seul ! Ça tourne autour de trente-et-un ans et demi. Ça vous surprend ? Et un trillion de secondes ? Ça fait en gros 31 000 années ou pour être très précis : 31 709,791 983 années. Si vraiment vous êtes un littéraire : 3 myriades, 7 siècles, 1 lustre, 1 olympiade, 41 semaines, 2 jours, 46 minutes et 12 secondes. Ces différences, toutes relatives, entre les millions, les milliards et les trillions sont importantes, et elles me mènent au sujet de la leçon du jour : les ordres de grandeur. Toutes proportions gardées, ils sont très utiles pour comprendre la notion d'échelle.

Le terme « grandeur » signifie ici « taille ». L'ordre de grandeur sert à comparer deux objets ou plus de la même catégorie. La plupart du temps, les différences d'ordre de grandeur sont mesurées sur une échelle logarithmique en « facteur » ou en « puissance » de dix, ce qu'on appelle des décades. Deux nombres d'un même ordre de grandeur ont à peu près la même taille, le nombre le plus grand ne peut pas être plus de dix fois plus grand que le plus petit. Avec une différence d'un ordre de grandeur, la chose la plus grande est environ dix fois plus grande que la plus petite. Si les nombres diffèrent de deux ordres de grandeur, la différence est d'un facteur de cent. Il suffit de compter les zéros.

Voici un tableau qui montre les différents moyens de décrire les ordres de grandeur, de –24 à 24. Je parie que vous ne saviez pas que le mot billiardième existait.

Nom	Échelle courte	Préfixe	Symbole	Décimaux	Puissance	Orde de grandeur
Quadrilliardième	Septillonnième	Yocto	y	0,000000000000000000000001	10^{-24}	-24
Trilliardième	Sextillonnième	Zepto	z	0,000000000000000000001	10^{-21}	-21
Trillionnième	Quintillonnième	Atto	a	0,000000000000000001	10^{-18}	-18
Billiardième	Quadrillonnième	Femto	f	0,000000000000001	10^{-15}	-15
Billionnième	Trillionnième	Pico	p	0,000000000001	10^{-12}	-12
Milliardième	Billionnième	Nano	n	0,000000001	10^{-9}	-9
Millionème	Millionème	Micro	μ	0,000001	10^{-6}	-6
Millième	Millième	Milli	m	0,001	10^{-3}	-3
Centième	Centième	Centi	c	0,01	10^{-2}	-2
Dixième	Dixième	Déci	d	0,1	10^{-1}	-1
Un	Un	-	-	1	10^{0}	0
Dix	Dix	Déca	da	10	10^{1}	1
Cent	Cent	Hecto	h	100	10^{2}	2
Mille	Mille	Kilo	k	1 000	10^{3}	3
Un million	Un million	Méga	M	1 000 000	10^{6}	6
Un milliard	Un billion	Giga	G	1 000 000 000	10^{9}	9
Un billion	Un trillion	Téra	T	1 000 000 000 000	10^{12}	12
Un billiard	Un quadrillion	Péta	P	1 000 000 000 000 000	10^{15}	15
Un trillion	Un quintillion	Exa	E	1 000 000 000 000 000 000	10^{18}	18
Un trilliard	Un sextillion	Zeta	Z	1 000 000 000 000 000 000 000	10^{21}	21
Un quadrillion	Un septillion	Yotta	Y	1 000 000 000 000 000 000 000 000	10^{24}	24

9 Une petite dose de pi

π (ou pi) est un nombre infini ; sa valeur représente le rapport entre la circonférence d'un cercle et son diamètre. La première personne à avoir utilisé la lettre grecque ϖ pour définir ce rapport est le mathématicien gallois William Jones en 1706. Leonhard Euler (ça se prononce Oyeler) la reprend en 1737 et c'est à partir de cette époque qu'elle devient un symbole reconnu.

En 1897, T.I. Record présente, devant la chambre des représentants de l'Indiana, une loi, la House Bill n° 246, fondée sur le travail d'un mathématicien amateur, Edward J. Goodwin. Il suggère trois estimations de pi, il ajoute même le chiffre 4, hérésie ! La vraie valeur de pi est environ 3,141 593 ou si l'on veut être plus précis :

3,141 592 653 589 793 238 462 643 383 279 502 884 197 169 399 375 105
820 974 944 592 307 816 406 286 208 998 628 034 825 342 117 067 982
148 086 513 282 306 647 093 844 609 550 582 231 725 359 408 128 481
117 450 284 102 701 938 521 105 559 644 622 948 954 930 381 964 428
810 975 665 933 446 128 475 648 233 786 783 165 271 201 909 145 648
566 923 460 348 610 454 326 648 213 393 607 260 249 141 273 724 587
006 606 315 588 174 881 520 920 962 829 254 091 715 364 367 892 590
360 011 330 530 548 820 466 521 384 146 951 941 511 609 433 057 270
365 759 591 953 092 186 117 381 932 611 793 105 118 548 074 462 379
962 749 567 351 885 752 724 891 227 938 183 011 949 129 833 673 362
440 656 643 086 021 394 946 395 224 737 190 702 179 860 943 702 770
539 217 176 293 176 752 384 674 818 467 669 405 132 000 568 127 145
263 560 827 785 771 342 757 789 609 173 637 178 721 468 440 901 224
953 430 146 549 585 371 050 792 279 689 258 923 542 019 956 112 129
021 960 864 034 418 159 813 629 774 771 309 960 518 707 211 349 999

Et ainsi de suite. Je me suis arrêté là parce que j'aime bien cette série de 9, à laquelle on s'attend dans une série de nombres infinis. Pi ne se répète jamais.

26

Vous pouvez vous-même estimer la valeur de pi en dessinant un cercle puis en mesurant son diamètre et sa circonférence avec soin. Ensuite, il ne vous reste qu'à diviser la circonférence par le diamètre et vous obtiendrez pi. Vous n'avez pas besoin de dizaines de décimales pour vous rapprocher du nombre exact. Une valeur de pi avec seulement trente-neuf décimales est bien suffisante pour évaluer la circonférence de n'importe quel cercle observable dans tout l'univers. Vous pouvez même vous amuser à déterminer le rayon d'un atome d'hydrogène si ça vous chante.

Un grand nombre de formules mathématiques et physiques utilisent le nombre pi. Il a longtemps asservi les mathématiciens qui s'efforçaient d'ajouter des chiffres à la fin de la série. Les Grecs anciens, les Indiens, les Égyptiens et les Babyloniens savaient déjà tous qu'il y en avait plus de trois et, aux environs de 1900 av. J.-C., les Babyloniens et les Égyptiens réussirent à obtenir le nombre exact avec une marge d'erreur de 1 % par rapport à sa valeur actuelle. Ptolémée découvrit les quatre décimales (3,141 6) aux environs de 150 av. J.-C. Et pour ceux qui pensent que la Bible est parole d'évangile, ça vaut la peine de préciser que, dans le Livre des rois (600 av. J.-C.) au chapitre 7, verset 33, on estime la valeur de pi à 3, ce qui reste un peu moins précis que les autres estimations anciennes. Aujourd'hui, la compétition continue ; la dernière médaille en date revenant au professeur Yasumasa Kanada de l'université de Tokyo, qui, aidé d'un ordinateur, a réussi à calculer pi avec 1,241 1 trillion de chiffres après la virgule. Que de sushi à se faire ! Dire qu'il va falloir apprendre tout ça pour le prochain exam de maths.

10 « Panique à la banque » de Stephen Leacock

Stephen Leacock (1869-1944) était un humoriste et écrivain canadien célèbre dans le monde entier. En 1911, sa renommée était telle que beaucoup reconnaissaient avoir plus entendu parler de lui que du Canada. Les plus grands humoristes l'admiraient. John Cleese se définit comme un de ses héritiers et Groucho Marx était parmi ses plus grands fans. Voici un de ses sketchs les plus caractéristiques.

« Dès que j'entre dans une banque, je perds mon sang-froid. Les employés me terrorisent ; les guichets me terrorisent ; la vue de l'argent me terrorise ; tout me terrorise.

Au moment même où je franchis le seuil d'une banque pour tenter d'y effectuer une opération, je deviens un idiot qui ne répond plus de ses actes.

Malgré tout, mon salaire étant passé à cinquante dollars par mois, je m'étais dit que la banque était le seul endroit sûr pour mettre à l'abri une pareille somme.

Si bien que j'entrai en traînant les pieds et en jetant des regards timides aux employés. J'avais dans l'idée qu'une personne désireuse de se faire ouvrir un compte devait obligatoirement consulter le directeur.

Je m'approchai donc d'un guichet marqué "Comptable". Le comptable était un grand diable glacial. Rien que de le voir, j'en fus terrorisé. Ma voix était sépulcrale.

– Puis-je voir le directeur ? demandai-je, avant d'ajouter, solennel : *Seul.*

Je ne sais pas pourquoi j'avais dit : "Seul."

– Certainement, répondit le comptable, et il alla le chercher.

Le directeur était un homme grave et calme. J'aggripais fermement mes cinquante-six dollars roulés en boule au fond de ma poche.

– Êtes-vous le directeur ? demandai-je (Dieu sait pourtant que je n'en doutais pas).

– Oui, me dit-il.

– Puis-je vous voir, lui demandai-je, seul ?

Je n'avais pas l'intention de répéter "seul", mais sans cette précision ma demande semblait banale.

Le directeur me regarda, quelque peu inquiet. Il pensa sans doute que j'avais un terrible secret à lui confier.

– Entrez ici, me dit-il en me conduisant dans son bureau privé.

Il ferma la porte à clé.

– Comme ça, nous ne serons pas dérangés, reprit-il. Asseyez-vous.

Tous deux, nous nous assîmes et nous regardâmes l'un l'autre. Je restai un moment sans voix.

– C'est l'agence Pinkerton qui vous envoie, je présume ? dit-il.

Il avait déduit de mes façons mystérieuses que j'étais un détective privé. Sa méprise ne fit qu'aggraver mon état.

– Non, pas Pinkerton, dis-je, semblant indiquer par là que j'appartenais à une agence rivale. Pour tout vous avouer, ajoutai-je (comme si on m'avait poussé à mentir), je ne suis pas détective du tout. Je suis venu ouvrir un compte. J'ai l'intention de déposer tout mon argent dans votre banque.

Le directeur parut soulagé, mais il garda un air grave. Il devait penser à présent que j'étais un héritier des Rothschild ou des Gould.

– Un compte important, je suppose ?

– Assez important, murmurai-je. J'ai l'intention de déposer cinquante-six dollars aujourd'hui, et cinquante dollars régulièrement tous les mois.

Le directeur se leva et ouvrit la porte. Il appela le comptable.

– Monsieur Montgomery ! cria-t-il regrettablement fort. Ce gentleman ouvre un compte chez nous, il va déposer cinquante-six dollars. Au revoir, monsieur.

Je me levai.

Une grande porte de fer était ouverte d'un côté du bureau.

– Au revoir, dis-je, et je pénétrai dans le coffre-fort.

– Sortez d'ici, dit sèchement le directeur, et il me montra l'autre porte.

Je gagnai le guichet du comptable à qui je tendis ma boule de billets d'un geste rapide et convulsif, tel un prestidigitateur.

Mon visage était d'une pâleur spectrale.

– Voilà, lui dis-je. Mettez ça sur mon compte.

Mon ton semblait signifier : "Règlons cette affaire pénible avant que

29

nous n'en ayons plus le courage."

Il prit l'argent qu'il tendit à un autre employé.

Il me fit noter la somme sur un récépissé et signer de mon nom dans un registre. Je ne savais plus ce que j'étais en train de faire. La banque semblait flotter autour de moi.

– C'est enregistré ? demandai-je d'une voix blanche, vibrante.

– Oui, répondit le comptable.

– Alors, je voudrais tirer un chèque.

Mon intention était de retirer six dollars pour mon usage immédiat. Quelqu'un me tendit un carnet de chèques à travers un guichet et quelqu'un d'autre se mit à m'expliquer comment remplir le chèque. Les gens de la banque avaient l'impression que j'étais un millionnaire impotent. J'écrivis quelque chose sur le chèque que je tendis à l'employé. Il le regarda.

– Quoi ! Vous retirez tout ? demanda-t-il, surpris.

Je me rendis alors compte que j'avais écrit cinquante-six dollars au lieu de six. Mais les choses étaient allées trop loin pour me permettre de raisonner. J'eus l'impression qu'il me serait impossible de m'expliquer. Tous les employés s'étaient arrêtés d'écrire pour me regarder.

Pour en finir au plus vite avec ce supplice, je me jetai à l'eau.

– Oui, la somme entière.

– Vous retirez votre argent de la banque ?

– Jusqu'au dernier sou.

– Et vous n'allez plus en déposer ? demanda l'employé, frappé de stupeur.

– Plus jamais.

L'espoir idiot m'envahit qu'ils pourraient croire que quelque chose m'avait vexé pendant que je remplissais mon chèque et m'avait fait changer d'avis. J'essayai sans beaucoup de succès de jouer le monsieur au caractère très emporté.

Impavide, l'employé se mit en devoir de me verser l'argent.

– Comment les voulez-vous ? demanda-t-il.

– Quoi ?

– Comment les voulez-vous ?

– Oh ! (Je finis par comprendre ce qu'il voulait me dire et répondis sans même essayer de réfléchir :) En billets de cinquante.

Il me donna un billet de cinquante dollars.

– Et les six ? demanda-t-il sèchement.

– En six, dis-je.

Il me donna six billets de un dollar et je me précipitai à l'extérieur. Lorsque la grande porte d'entrée se referma derrière moi, j'entendis distinctement l'écho des éclats de rire qui se répercutaient dans toute la banque. Depuis, je n'ai plus de compte en banque. Je garde mon argent courant en cash dans mes poches de pantalon, et mes économies en pièces d'or dans une chaussette. »

11 La suite de Fibonacci et le nombre d'or

Bertrand Russell considérait que les nombres dominent les flux de la vie et on se demande qui pourrait le contredire. Où que vous soyez, si vous regardez les proportions d'un immeuble haussmannien ou celles de l'imposant Parthénon, si vous vous intéressez au réseau sanguin ou au tourbillon d'une lointaine galaxie, les nombres sont omniprésents.

Mais certains nombres ont plus de valeur que d'autres. C'est le cas de la suite de Fibonacci. Cette série de chiffres majestueuse regorge de surprises et d'étonnement. Les nombres de Fibonacci représentent une suite commençant par 0, puis 1. Il suffit d'ajouter au nombre de la série qu'elle produit celui qui le précède, le procédé est donc très simple. Voici à quoi ressemble la suite de Fibonacci : 0, 1, 1, 2, 3, 5, 8, 13, 21, 34, 55, 89, 144, 233, 377…

La suite de Fibonacci tient son nom d'un mathématicien italien Léonard de Pise (v. 1170–v. 1250), aussi connu sous les noms de Leonardo Pisano, Leonardo Pisano Bogollo, Leonardo Bonacci et Leonardo Fibonacci (« fils de Bonacci »). Fibonacci était l'un des plus grands mathématiciens en Occident au Moyen-Âge. C'est lui qui a rendu le système numérique indo-arabe populaire dans son livre *Liber abaci* (1202), et c'est dans cet ouvrage qu'il évoque pour la première fois la suite de nombres qui porte son nom. Il s'en servait pour calculer la vitesse maximale de fornication des lapins.

Cette suite fait sa loi dans la nature depuis bien longtemps. Par exemple, beaucoup de fleurs ont un nombre de pétales qui correspond à la suite de Fibonacci. Les lys en ont trois, les boutons-d'or cinq, certains pieds-d'alouette huit, et ainsi de suite. Ainsi, certaines marguerites ont 34, 55 ou 89 pétales.

Le dessin caractéristique des graines de tournesol résulte également d'une série de Fibonacci. C'est une constante mathématique qu'on l'appelle le nombre d'or. Voici comment ça marche.

Si vous divisez le nombre le plus grand de deux nombres de la suite qui se suivent par le plus petit, vous obtenez cette séquence :

$1 \div 1 = 1$; $2 \div 1 = 2$; $2 \div 3 = 1,5$; $5 \div 3 = 1,666...$; $8 \div 5 = 1,6$; $13 \div 8 = 1,625$; $21 \div 13 = 1,615\,38...$

À la longue, le rapport s'établit autour d'une valeur approximative de 1,615 803 4. C'est le nombre d'or. Son symbole mathématique est la lettre grecque phi (ϕ).

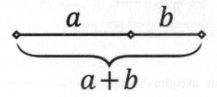

a + *b* est à *a* ce que *a* est à *b*

La section d'or (en latin : sectio aurea) est le point sur un segment divisé selon le nombre d'or. La longueur totale a + b *est à la part la plus longue* a *ce que* a *est à* b.

Afin de montrer comment ces nombres créent des modèles que nous avons l'habitude de voir, voici une manière de dessiner la spirale d'un nautile grâce à la suite de Fibonacci.

Commencez par dessiner deux carrés adjacents de une unité. Sous ces carrés, tracez un carré de deux unités (voir diagramme). Maintenant, faites-en un de trois unités comme sur le dessin. Ensuite, un de cinq, suivi d'un de huit. Le diagramme comprend un carré qui va jusqu'à cinquante-cinq unités. Vous pouvez vous amuser à dessiner comme ça longtemps. Mais on peut s'arrêter à huit. Le côté le plus long de chaque rectangle (de Fibonacci) dans ce groupe de carrés correspond à la longueur de deux suites de Fibonacci successives. La longueur de chaque côté des carrés est définie par des nombres de Fibonacci.

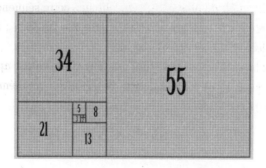

Maintenant, avec un compas, dessinez dans les carrés un quart de cercle. Le centre de ces cercles est le coin de chaque carré, leur rayon correspond à la longueur d'un côté du carré (comme le montre le schéma de la page suivante). Vous obtenez ainsi une spirale facilement reconnaissable dans la nature, comme pour les coquillages ; c'est la même chose en ce qui concerne la disposition des fleurettes de brocoli.

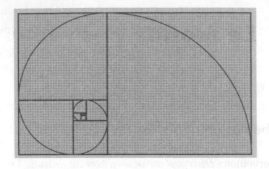

À l'époque de la Renaissance, les architectes et les peintres utilisèrent beaucoup le nombre d'or ou divine proportion. Les artistes s'en servaient souvent dans leurs compositions. Les peintres utilisaient et utilisent encore les rectangles de Fibonacci pour préparer leurs toiles.

On retrouve le nombre d'or dans la conception des livres. Selon Jan Tschichold, un célèbre typographe, les proportions 2÷3, 1√3 et le nombre d'or étaient parfaits pour les livres. Une majorité d'ouvrages parus entre 1550 et 1770 respecte précisément ces proportions. De nos jours, la rationalisation des formats de papier a malheureusement bousculé ce genre d'impératifs esthétiques.

Le monde des rêves

12 Les thèmes oniriques les plus fréquents

Dans le merveilleux *Diary of a Nobody* (1892), Charles Pooter raconte un de ses rêves à sa femme et à son meilleur ami Gowing : « J'ai rêvé que je voyais d'énormes blocs de glace dans un magasin, il y avait un truc lumineux derrière eux. Je suis entré dans le magasin et la chaleur était insoutenable. En fait, les blocs de glace étaient en feu [...] Gowing a alors déclaré qu'il n'y avait rien de plus ennuyeux que les rêves des autres [...] Carrie, qui, jusque-là, n'avait rien dit, a lancé : "Il me raconte ces rêves ridicules tous les matins, vraiment." » C'est comme ça avec les rêves. Les rêveurs y voient des tas de significations alors que tout le monde s'en fiche. Peut-être que les rêves des autres qui nous interpellent le plus sont ceux qui ressemblent à nos propres songes. Ce ne sont pas les sujets récurrents qui manquent. Que l'on croie au symbolisme des rêves ou pas, il est toujours intéressant de voir combien leurs thèmes sont familiers.

1   *La chute* : c'est l'un des thèmes oniriques les plus communs. Souvent, il réveille le rêveur dans un tressaillement. N'y voyez aucun rapport avec les sensations épidermiques que peut éventuellement vous procurer la personne qui dort à côté de vous. Je veux juste dire que le réveil est un sursaut, et aussi une joie car, non ! vous n'êtes pas en train de tomber à pic, droit dans la mort.

2   *La poursuite* : ça aussi, c'est un rêve perturbant qui fout les jetons. Souvent, on est pourchassé par un molosse, une sorte de cerbère monstrueux, un visage masqué ou un sbire du fisc.

3   *Les dents qui cassent, qui se déchaussent ou qui tombent* : ces rêves sont censés révéler un sentiment de vulnérabilité dans la vraie vie. Qui sait ?

4   *L'impossibilité de courir* : on a tous rêvé qu'on se trouvait dans l'incapacité de courir. Parfois, ça fait partie du scénario de la poursuite, ou alors c'est juste une impression de vivre au ralenti. Pas très sympa.

5   *Voler* : quelquefois, le dormeur rêve qu'il est dans un avion, dans un hélicoptère ou en Deltaplane, il a l'impression de survoler toute la planète comme dans *Superman 1*. Ça donne le tournis.

6   *Son ex* : ça, c'est pire que tout. Parfois, ce rêve est associé au rêve crapuleux (voir n° 23). Bon on se calme !

7   *Trouver quelque chose* : on pense toujours que, si l'on voit une pièce de monnaie sous un fer à cheval, c'est notre jour de chance, alors on ramasse tous les sous qui traînent par terre. Dans les rêves, il ne s'agit que d'un fer à cheval que l'on ramasse. Pas d'histoire de jour de chance. Un jour, j'ai rêvé d'une jambe de bois. J'ai fait ce rêve quand j'étais ouvreur dans un théâtre londonien (ça n'a pas duré longtemps). C'est fou tous les trucs que l'on dégotait entre les spectacles : un sac en toile rempli de grappes de raisin, plusieurs trousseaux de clés, des briquets, quelques perruques, et une fois, on a même découvert un micro-ondes.

8   *Les parties du corps* : les grands pieds, les petites mains, les peaux boutonneuses, les ongles, le nombril (généralement le vôtre) sont des sujets plutôt courants dans le monde onirique.

9   *Se perdre* : encore un rêve qui dévoile nos propres sentiments d'insécurité, s'il en est.

10 *Rater son train* : encore une expérience très agréable !

11 *Être nu ou à moitié vêtu en public* : on s'est tous retrouvés à se balader sur la place du village en veste de pyjama, pas vrai ? Dans nos rêves, bien sûr !

12 *Avoir l'air ridicule* : c'est un peu comme dans la vraie vie. En

tout cas, en ce qui me concerne.

13 *Ne pas se sentir prêt pour faire face à un public* : vous devez faire un discours, vous devez participer à un défilé ou serrer la main du Premier ministre. Et vous ne vous sentez pas vraiment prêt ? Vous n'êtes pas le seul.

14 *Être incapable de conduire sa voiture ou de faire décoller un avion* : je faisais souvent ce rêve étrange et pénétrant. Je devais être aux commandes d'un gros jet. Mais je n'arrivais pas à atteindre le manche.

15 *Les morts (membres de la famille ou amis)* : il est grand temps de consulter quelqu'un pour vous aider à régler vos « problèmes psy ».

16 *Les serpents* : si c'est pas un symbole phallique à peine déguisé, ça ?

17 *Des armes* : même chose.

18 *Des couteaux* : encore un symbole phallique. Ça vous arrive souvent de rêver de pénis ? Y aurait pas quelque chose de louche là-dessous ?

19 *La chute de cheveux* : un retour brutal à la réalité.

20 *Examens ou concours* : c'est fou le nombre de rêves de ce genre, beaucoup plus fréquents que des n° 23, ce qui est bien dommage !

21 *Des personnes que vous n'avez pas vues ou à qui vous n'avez pas pensé depuis une éternité*. Ce genre de rêves peut vous obséder toute la journée : vraiment très étrange.

22 *La rentrée des classes* : ah, quelle horreur !

23 *Coucher* : c'est mon préféré, mais c'est si rare. Un jour j'ai rêvé que j'étais entouré de jeunes femmes vêtues de simples impers transparents, elles me bousculaient gentiment sous une pluie d'été. C'est dingue, je n'ai jamais vécu ça dans la vraie vie. En plus, je me suis réveillé alors que je n'avais encore rien entrepris. Quelle poisse !

24 *Les ascenseurs* : là, je sèche.

25 *Des appareils qui ne marchent pas* : ça c'est encore la vraie vie.

26 *De grandes quantités d'eau* : ça, ça peut être vraiment flippant, des cascades rugissantes, une mer d'huile sur laquelle vous dérivez, d'immenses vagues sur le point de vous écraser.

27 *Des tornades gigantesques* : souvent, on a tendance à regarder le centre du tourbillon.

Beurk !

13 Freud et ses complexes

Alors que le physicien américain Richard Feynman (1918-1988) n'était encore qu'un simple étudiant, un de ses amis lui raconta qu'il existait une théorie sur l'interprétation de la symbolique des rêves et qu'ils pouvaient avoir une signification psychologique. Feynman resta dubitatif.

La même nuit, il rêva qu'il jouait à un jeu qu'il avait appelé « nénés bouboules » avec trois boules de billard. Dans son rêve, alors qu'il lui était facile de faire entrer la boule verte et la boule blanche dans les trous de la table, il n'arrivait jamais à introduire la grise.

À son réveil, il comprit immédiatement que les boules représentaient, pour lui, la gent féminine (on s'en serait douté rien qu'au nom de son jeu). La boule blanche représentait, à son avis, une jeune femme qu'il fréquentait et qui portait un uniforme blanc. La boule verte symbolisait une jeune femme en uniforme vert qu'il venait de quitter. En revanche, il n'arrivait pas à reconnaître la boule grise. Un peu plus tard, Feynman se souvint d'avoir fait ses adieux à une femme qu'il appréciait beaucoup et qui venait de quitter le pays. C'est alors qu'il comprit qu'elle était représentée par la boule grise de son rêve.

Quand il raconta à son ami qu'il s'était laissé convaincre et qu'il avait réussi à psychanalyser son rêve, ce dernier conclut que son interprétation ne valait pas grand-chose car elle était « trop parfaite, trop précise et trop carrée sur les côtés ». C'est ça avec la psychanalyse, on essaie de vous persuader que tout a un sens, mais en même temps c'est plein de trous et de méandres.

Né en 1856, Sigmund Freud était un neurologue juif autrichien. Il invente la psychanalyse psychiatrique dans l'intention initiale de soigner les névroses. Freud élabore un certain nombre de théories sur l'inconscient. Il estime que le désir sexuel est la première motivation des êtres humains (pas besoin d'aller fouiller dans la tête des gens pour comprendre ça). Il développe aussi l'idée que l'interprétation des rêves peut permettre de débloquer les désirs inconscients chez les humains.

Il est intéressant de noter que Freud lui-même souffre de quelques désordres psychosomatiques et d'une peur névrotique de mourir, ainsi que d'autres comportements addictifs plutôt classiques. Dans son auto-analyse, il parle de son enfance en ces mots : « J'ai trouvé en moi comme partout ailleurs des sentiments d'amour envers ma mère et de jalousie envers mon père, sentiments qui sont, je pense, communs à tous les jeunes enfants. » Comme beaucoup de ses déclarations, l'idée que les expériences de sa propre enfance peuvent avoir un caractère généralement acquis pour tous les enfants est discutable, cependant Freud semble avoir construit sa théorie du complexe d'Œdipe sur ce postulat.

Le père de Freud était un travailleur acharné, un trait de caractère qu'il a légué au jeune Sigmund. Sa mère, elle, était plutôt du genre mère poule. Enfant très intelligent, il a la nette préférence de ses parents dans la fratrie et comme tous les chouchous, il a tendance à se prendre pour le centre du monde.

Interne à l'hôpital universitaire de Vienne, il a accès à toute l'armoire à pharmacie et devient vite accro à la cocaïne. Sa principale addiction, cependant, reste la nicotine. Il fume le cigare et en a toujours un gros dans la bouche. Un jour, alors qu'il fait une présentation sur les fixations orales, un petit malin lui demande s'il a conscience de la connotation explicitement phallique de la chose qu'il n'arrête pas de sucer. Il lui répond tout simplement : « Quelquefois, un cigare est juste un cigare. » Voilà encore un de ces trous et méandres freudiens…

Freud passe toute sa vie à rationaliser ses addictions. Il fume du matin au soir, se couche souvent à des heures indues. Ceux qui travaillent avec lui sont censés se mettre à la fumette s'ils ne touchent pas déjà aux cigares. Hans Sachs, un collègue très proche, se souvient que Freud était souvent agacé si les hommes dans son entourage ne fumaient pas.

En 1923, après quarante ans passés à tirer sur ses havanes, il panique quand un cancer de la bouche se déclare et que ses médecins lui intiment l'ordre d'arrêter. Il écrit à son médecin : « Cela fait sept semaines que je n'ai pas fumé, depuis que vous m'en avez donné l'ordre… Je me suis senti, et il ne fallait pas en douter, très mal. Des symptômes cardiaques ajoutés à une petite dépression ainsi que cette horrible sensation misérable d'abstinence. » En gros, ce n'est pas le cigare qui le rend malade, mais c'est l'*interdiction de fumer*. En termes non freudiens, c'est juste de « l'enfantillage ». En tant que psychologue clinicien, Evan J. Elkin considère, dans un charmant essai sur Freud et le cigare, qu'en « matière de cigare, la capacité d'autoréflexion de Freud se réduit à néant ». À un moment, il commence même à considérer son addiction comme un moyen de se soulager de ses sensations de manque nées de pratiques masturbatoires addictives dans son enfance. Il dit : « Je dois au cigare ma grande capacité de travail et ma *facilité à me contrôler*. » On se demande bien ce qu'il avait à l'esprit quand il parlait de se contrôler. Il ne s'est pas étalé sur le sujet.

En septembre 1939, après avoir lutté contre la maladie pendant seize ans et subi plus de trente opérations, Freud demande à son médecin et ami Max Schur de forcer sur la dose de morphine. Il meurt le 23 septembre et lègue ses cigares à son frère.

14 Rêves célèbres

Même après l'essor du féminisme et l'avènement de l'homme nouvelle génération (j'en passe et des meilleures), je vous mets au défi de me convaincre que les hommes sont tous aujourd'hui bien meilleurs en couture que jadis. C'est faux. Les femmes ont toujours été les plus brillantes dans ce domaine : c'est aussi évident que le ciel est bleu, que les montagnes sont hautes, que les oiseaux chantent et que l'eau mouille. Et ce ne sont pas les machines à coudre qui ont incité les hommes à se mettre à la couture.

La machine à coudre est inventée en 1845 par un bonhomme à barbe du nom d'Elias Howe (Elias Howe, c'est son nom à lui, pas celui de sa barbe, faut suivre). Howe a déjà eu l'idée d'une machine avec une aiguille avant de définir un projet plus abouti, mais ses premières expérimentations sont des échecs. Il fait une tentative avec une aiguille pointue des deux côtés et un chas au milieu. L'idée tombe à l'eau pour des raisons évidentes. Et puis, un jour, il rêve qu'il est prisonnier de sauvages armés de lances vénéneuses (c'était bien avant qu'on considère ce genre de caricatures comme infamant). Alors que ces Zoulous dansent autour de lui, il remarque que leurs lances ont une sorte d'œil près de la pointe. À son réveil, il déplace le chas vers l'extrémité de l'aiguille. C'est à ce moment-là que monsieur Singer entre, lui aussi, dans la danse. Comme le remarquait Léonard de Vinci : « L'œil voit les choses de façon plus certaine dans les rêves qu'il ne les voit par l'imagination durant la veille. » On le pense aussi. Voici d'autres rêves célèbres qui ont permis la réalisation d'événements réels, artistiques ou scientifiques.

En 1816, la jeune Mary Shelley (1797-1851), âgée de seulement 19 ans, séjourne à la villa du poète sybarite Lord Byron, au bord du lac de Genève. Elle est là avec son futur époux, un autre poète, Percy Bysshe Shelley (on peut donc affirmer qu'à l'époque, elle s'appelait encore Mary Wollstonecraft Godwin, mais cela n'a pas tant d'importance). Un soir, comme ils ne pouvaient évidemment pas regarder la télé, Byron leur lance un défi : écrire chacun une histoire de fantômes. Mary va se coucher et se souvient de cette anecdote : « J'ai vu la forme hideuse d'un homme allongé, raccordé à une machine puissante. Il semble revenir à la vie, s'éveille puis se déplace alors avec des gestes lents. » Elle couche son rêve sur le papier et c'est ainsi que le roman gothique *Frankenstein* voit le jour. En fait, elle ne s'était pas totalement endormie, ce n'était donc pas vraiment un rêve, mais comme Mary Shelley le considérait elle-même comme un conte à dormir debout, disons que ça compte.

Un peu plus tard, Robert Louis Stevenson (1850-1894) imagine un classique de la littérature gothique terrifiant : *L'Étrange Cas du Dʳ Jekyll et de Mr Hyde*, en 1886. Il explique comment « le petit théâtre de notre cerveau qu'on laisse allumé toute la nuit » est un formidable pourvoyeur d'intrigues. Il se souvient comment il a imaginé la tournure de ce qu'il appelait le « râtelier à sous ». « Pendant trois jours, je me suis creusé la cervelle pour trouver une histoire, n'importe quelle histoire, et la deuxième nuit, j'ai rêvé de la scène de la fenêtre. La scène suivante se sépare en deux : Hyde, que l'on pourchassait pour un crime, avale la potion et se transforme en Jekyll sous les yeux de ses poursuivants. » L'histoire est non seulement devenue un véritable best-seller, mais l'expression « être Dʳ Jekyll et Mr Hyde » désigne communément des personnalités qui passent d'un extrême à l'autre.

On raconte que le président Abraham Lincoln, qui était aussi célèbre pour ses discours express que pour son mauvais caractère, avait parlé à sa femme d'un rêve prémonitoire avant son assassinat dramatique dans un théâtre. Voici ce qu'il lui raconta : « Cela ne faisait pas très longtemps que j'étais couché que je sombrai dans le sommeil, car j'étais très las […] Un catafalque se trouvait devant moi, un corps était allongé dans des habits funéraires […] "Qui est mort à la Maison Blanche ?", demandai-je à un des soldats. "Le président, répondit-il. Il a été assassiné !" C'est alors qu'on entendit des cris de douleur dans la foule, c'est ce qui me réveilla de mon rêve. »

Srinivasa Ramanujan (1887-1920) était un prodige indien, autodidacte en mathématiques, doué d'une incroyable capacité créative. Il travaillait avec G.H. Hardy à l'université de Cambridge. Il a apporté une contribution significative à la théorie des nombres et à l'analyse mathématique, entre autres. Ramanujan avait une approche particulière des mathématiques, ancrée dans les traditions religieuses indiennes. « Une équation ne veut rien dire pour moi, affirmait-il, à moins qu'elle n'exprime la pensée de Dieu. » Ses théories lui apparaissaient en rêve et voici comment il les décrivait : « Alors que je dormais, je ressentis une expérience inhabituelle. Je voyais un écran rouge formé par des ruissellements de sang. J'observais tout ça et soudain une main commença à écrire sur l'écran. Je fus plus attentif. Cette main traça un certain nombre de résultats en intégrales elliptiques. Je les gardai en mémoire. Dès mon réveil, je les notai sur un papier. »

On rêve aussi bien de nombres que de couleurs, d'odeurs, de sensations tactiles ou de musique. En 1965, pendant que les Beatles étaient en train d'enregistrer *Help !,* Paul McCartney rêva de la chanson *Yesterday*. Il dormait sous les toits d'une maison de Wimpole Street et il se rappelle : « Je me suis réveillé avec une jolie mélodie dans la tête ». Il sortit de son lit, se mit au piano (dans le grenier, quelle idée !) et composa le morceau. « J'aimais beaucoup cet air, disait-il, mais comme je l'avais rêvé, je n'arrivais pas à croire que c'était moi qui l'avais écrit. »

Les songes semblent être l'antichambre de nos idées. L'écrivain Stephen King considère qu'ils sont le miroir qui reflète notre subconscient, alors qu'Henry Thoreau croit qu'ils sont « la pierre de touche de la personnalité ». Pour moi, ils sont juste la conséquence inévitable d'un abus de raclette avant d'aller se coucher.

Drogues et poisons

15 Arsenic et vieilles dentelles

Clare Boothe Luce (1903-1987) était écrivain, éditrice et membre du Congrès américain doublée d'une mondaine à l'accent très distingué. Elle a mené une vie particulièrement intéressante. Née Ann Boothe, elle est la deuxième fille illégitime d'une danseuse et d'un visiteur médical déjà marié. Ses parents se séparent en 1912 et pour survivre, elle devient call-girl. En 1935, elle épouse Henry Luce, l'éditeur des magazines *Time* et *Life*. Pendant l'élection présidentielle de 1952, elle fait campagne pour le républicain Dwight Eisenhower, ce qui lui vaut de devenir ambassadrice des États-Unis en Italie en mars 1953.

À son arrivée, elle n'est pas vraiment en odeur de sainteté. Elle s'installe dans un pays avec un parti communiste fort, peu habitué à se faire dicter sa loi par une représentante d'une Amérique plutôt républicaine et franchement anticommuniste.

La Villa Taverna, résidence officielle de l'ambassade des États-Unis, est un bel endroit, célèbre pour ses jardins et son magnifique intérieur Renaissance. Clare Boothe Luce ne perd pas une minute pour réorganiser ses appartements. Elle commence par transformer un bureau au premier en chambre-bureau. Cette pièce est célèbre pour ses splendides plafonds en stuc, décorés avec des roses blanches et peints en un vert apaisant. Elle dirige tout son petit monde à la baguette, et vu la vitesse à laquelle elle se débarrasse de son attaché de presse, les membres du personnel de l'ambassade commencent à s'inquiéter pour leur avenir.

Clare Boothe Luce démarre toujours la journée par un petit déjeuner au lit à 8 heures. Le traitement des affaires courantes de l'ambassade démarre à 10 heures. Ensuite, vient le déjeuner et les réunions à la résidence à partir de 13 h 30. Puis elle se rend à l'ambassade dans l'après-midi et ne rentre au palais qu'à 19 heures pour se changer et participer aux sympathiques sauteries diplomatiques.

Rarement au lit avant minuit, elle se plaint souvent d'être réveillée, tous les matins à l'aube, par le bruit de la machine à laver dans la buanderie au-dessus de sa chambre. Malgré un sens du devoir et un travail acharné, elle hérisse le poil de plus d'un de ses employés.

Elle tape tout autant sur les nerfs des Italiens et n'hésite pas à comparer, dans un discours, le communisme à une tumeur cancéreuse qui gangrène l'appareil politique du pays, ce qui déclenche les foudres de tous les côtés. On commence à se demander si elle ne va pas se faire des ennemis dans tout le pays.

À cette époque, les hommes politiques italiens sont sur la défensive. Après des élections estivales incertaines, le gouvernement de coalition perd pied, laissant le cas de madame l'ambassadrice en suspens. Mais c'est là son moindre souci, car décidément, la dame commence à se sentir mal. Elle souffre de douleurs abdominales chroniques. Ses nausées occasionnelles l'empêchent de goûter les joies de nombreux dîners diplomatiques. Elle a aussi des difficultés à avaler la nourriture provenant de son palais. Elle se plaint du goût étrangement amer de son café matinal.

Quand il arrive en Italie pour rendre visite à sa femme, Henry Luce est frappé de la voir si squelettique après seulement trois mois en poste. Il l'emmène tout de suite en vacances. Alors qu'elle reprend un peu du poil de la bête, elle doit rentrer à Rome à cause de la crise de Trieste, un incident sérieux entre la Yougoslavie, l'Italie, le Royaume-Uni et les États-Unis. Elle tente d'intervenir de son mieux mais elle échoue. Elle recommence à se sentir terriblement fatiguée et nauséeuse. À ce moment-là, se déclare un nouveau symptôme : elle n'a plus aucune sensation dans une jambe, qu'elle doit traîner.

Elle décide donc de se retirer longuement aux États-Unis, où là encore, elle se refait une santé.

À son retour à Rome, la crise de Trieste a finalement trouvé une issue, en partie grâce à son travail acharné. Mais, déjà, des symptômes plus vachards l'affaiblissent. Ses ongles se cassent, ses dents se déchaussent, son comportement est de plus en plus bizarre pendant les réceptions. Elle se plaint même, un jour, des vols incessants de soucoupes volantes au-dessus du toit. Elle finit par se rendre à l'hôpital naval des États-Unis ; sur les conseils des médecins, elle est rapatriée pour les vacances de Noël.

Après les fêtes, elle reçoit une lettre manuscrite urgente qui l'informe de la découverte de traces d'arsenic dans ses échantillons d'urine. La CIA lui explique qu'on a dû lui en administrer de petites doses pendant une longue période. Il semble donc qu'elle ait été régulièrement empoisonnée à Rome, peut-être à l'ambassade ou au palais, ou lors des réceptions auxquelles elle assistait. Qui mettait de l'arsenic dans son café ? Tant de gens sont susceptibles de lui en vouloir...

Tout le monde maintenant, à l'ambassade ou chez elle, se sent sous haute surveillance en raison de l'immense opération mise en place pour découvrir les coupables à l'intérieur ou à l'extérieur de l'entourage diplomatique. Clare Boothe doit rester aux États-Unis en raison de travaux dans les locaux où des techniciens font des tests. Des agents de la CIA se rendent à Rome et commencent à enquêter sur le personnel de l'ambassade.

Incolore et inodore, l'arsenic est le poison idéal utilisable dans la nourriture et les boissons. Les enquêteurs se disent que l'empoisonneur doit avoir facilement accès aux repas de l'ambassadrice. On met les chefs et les serviteurs sous haute surveillance. Mais comme elle n'est plus sur place pour se faire empoisonner, les enquêteurs restent bredouilles, jusqu'au jour où un agent plus observateur que les autres remarque une poussière grise sur un disque Linguaphone. Il trouve d'autres résidus sur les rideaux, les surfaces des meubles et dans le maquillage de la diplomate. Les analyses montrent que la poussière prélevée contient de minuscules particules d'arséniate de plomb. On examine plus attentivement le plafond décoré agité par les remous de la machine à laver qui se trouve au-dessus. Un décorateur qui avait travaillé dans cette pièce déclare qu'il n'a pas touché au plafond car il avait été repeint plusieurs années auparavant avec une peinture verte riche en arsenic. Cette peinture écaillée, secouée par la machine à laver remuante, tombait, depuis des lustres, dans les mets et les cocktails de Clare Boothe Luce.

On arrache et refait le plafond, mais, à bout de force, l'ambassadrice décide de se retirer des affaires. De retour en terre américaine, elle recouvre bientôt la santé, se remet à la tâche et continue à harceler ses congénères. Elle meurt à Washington en 1987, à l'âge de 84 ans.

16 L'histoire de l'héroïne

Ce n'est pas le commissaire Maigret, célèbre personnage de Georges Simenon, qui me contredira : un verre de blanc et une petite pipe n'ont jamais fait de mal à personne. On ne peut pas en dire autant de l'héroïne. Pourtant, il faut savoir que c'est une drogue thérapeutique très utile : les médecins s'en servent tous les jours pour apaiser les pires douleurs. Ils ont rebaptisé ce dérivé de la graine de pavot à base de morphine « diamorphine » ou « diacétylmorphine ».

En tant que narcotique à « usage privé et personnel », on présente souvent, dans la presse notamment, l'héroïne comme une menace fatale. Il est bien évident qu'elle fait plus de ravages dans les rues que parmi les patients qu'elle soulage dans les hôpitaux. Le grand danger est surtout qu'elle rend très vite accro si on en prend régulièrement. On devient alors assujetti à son dealer. De plus, la plupart des utilisateurs souffrent d'un vrai manque d'hygiène. Les nombreuses images de films qui montrent un junkie en train de se faire un shoot avec une seringue usagée, allongé sur un matelas crasseux, n'ont rien d'un scénario de fiction.

Bien que le pavot ait été cultivé en Mésopotamie (Irak) dès 3 400 av. J.-C., ce n'est qu'en 1874 qu'un chimiste anglais, C.R. Alder Wright, synthétise l'héroïne. Elle prend son envol quelques années plus tard, lorsque Felix Hoffmann, un chimiste qui travaille pour une entreprise pharmaceutique allemande, la future maison Bayer, en fabrique par erreur.

Les hommes de Bayer, ravis de leur nouvelle drogue, la baptisent « héroïne ». Elle est commercialisée comme produit contre la toux et pour soigner les addictions à la morphine. Or, ils découvrent rapidement que leur produit miracle vendu sans ordonnance se métabolise vite *en morphine* ! Et les gens se rendent compte tout aussi vite que, d'un point de vue narcotique, l'héroïne surpasse la morphine dont elle est dérivée. Avant même de pouvoir prononcer le mot « piquouse », la poudreuse a déjà envahi le marché.

La neige procure une sensation de bien-être euphorique, le fameux plateau que l'on atteint lors de la prise d'héroïne. Dans cet état, certains sont capables d'écrire sur leur blog (comme j'ai pu le lire) : « Ça plane sur Marsssssss, mec ! »

L'injection illégale en intraveineuse s'appelle le *shoot* ou *slamming*. On trouve aussi cette substance sous forme de cristaux solubles. Il faut alors la diluer soi-même avec un liquide acide comme du jus de citron ou de l'acide citrique en poudre. On fait ensuite chauffer son mélange avant de se l'injecter.

On peut aussi la sniffer ou l'inhaler dans une roulée. « Chasser le dragon », une autre manière de fumer la came, consiste à transformer la poudre en liquide en la chauffant dans un morceau de papier d'alu. La fumée produite est inhalée à travers un tube. L'injection en intraveineuse produit après huit secondes le « flash » le plus rapide et le plus intense. La piqûre intramusculaire est plus lente à agir et met à peu près huit minutes. Le sniff et la fumée font effet en deux fois moins de temps. On peut aussi la chiquer : la montée est alors plus lente (environ une demi-heure).

On compte, parmi les effets indésirables à court terme de la consommation d'héroïne, une baisse de la pression artérielle, des vomissements, des nausées, un assèchement des larmes, des signes de constipation, des chatouilles et des gratouilles, des pupilles en tête d'épingle, un ralentissement de la respiration. Les consommateurs réguliers et fréquents d'héroïne développent une tolérance qui se transforme rapidement en dépendance physique et surtout psychologique. J'ai un ami en Californie qui est devenu complètement accro, il foutait sérieusement sa vie en l'air, jusqu'à ce qu'il s'en sorte. « J'étais dans ce bureau, me dit-il, et je hurlais à mon dealer qui me terrifiait : "Donne-moi à bouffer, donne-moi à bouffer !" » Flippant.

L'overdose d'héroïne est un risque très courant, elle entraîne une insuffisance respiratoire. Les décès provoqués par des mélanges d'héroïne, d'alcool et d'autres calmants comme les benzodiazépines ne sont pas rares. L'usage de cette drogue est fréquent dans des cas de suicides ou de meurtres. En Grande-Bretagne, le docteur John Bodkin Adams s'en servait comme arme fatale, comme le faisait d'ailleurs le charmant docteur Harold Shipman.

Lâcher l'héroïne n'est pas une mince affaire. Le syndrome de manque commence dès le lendemain. Le sevrage cause différents symptômes : sueurs, anxiété, nausées, vomissements, diarrhées, bâillements, éternuements, larmes, nez qui coule, insomnie, douleurs aiguës, crampes persistantes, fièvre et priapisme (érection permanente du pénis, c'est pas drôle et c'est même une urgence médicale).

Je reprendrais bien un gin-Coca, moi !

17 La découverte de l'insuline

En 2009, un Américain du nom de Gerald Cleveland décède à l'âge de 93 ans. De nos jours, mourir aussi vieux n'est pas très inhabituel. Son cas devient nettement plus remarquable quand on sait que Gerald Cleveland était un diabétique chronique qui se faisait des injections quotidiennes d'insuline depuis soixante-dix-sept ans. Le plus surprenant, c'est que Bob, le plus jeune frère de Gerald, prenait, lui, de l'insuline depuis quatre-vingts ans. Il fut un des premiers patients à recevoir cette hormone miracle découverte en 1921.

Les diabètes sévères de type 1 sont le plus souvent des maladies infantiles. Dans ces cas-là, le pancréas perd soudainement sa capacité à réguler l'assimilation des sucres. Résultat : une accumulation de glucose dans le sang, qui est renvoyé dans les urines, au point que le corps commence à s'autoconsumer pour trouver de l'énergie.

Les Grecs anciens connaissaient les symptômes du diabète : une grande soif, l'envie continuelle d'uriner, une fatigue épuisante, la perte de poids et pour finir, le coma et la mort. Ils croyaient que le corps des jeunes enfants atteints de la maladie allait se transformer en urine. À partir du xviie siècle, le diagnostic de cette terrible maladie se concluait forcément par une sentence de mort, sans remise de peine. Les parents impuissants n'avaient plus qu'à regarder leurs petiots se liquéfier.

Ce n'est qu'à partir de 1869 que l'on peut entrevoir une lueur d'espoir, quand Paul Langerhans, un étudiant en médecine allemand, identifie des « îlots de cellules saines » autour du pancréas, que personne n'avait remarqués auparavant. Et si la fonction de ces « îlots de Langerhans » était de produire les sécrétions régulant la digestion ?

Il faudra attendre encore vingt ans avant d'établir une corrélation directe entre le pancréas et le diabète, quand le Germano-Polonais Oskar Minkowski et l'Allemand Joseph von Mering retirent le pancréas d'un chien en bonne santé. Quelques jours plus tard, des mouches virevoltent autour des flaques d'urine du chien ; les tests montrent qu'elles contiennent du sucre.

Pendant les vingt années suivantes, les travaux pour développer un traitement contre le diabète sont longs et laborieux. Nicolae Paulescu, un professeur roumain de l'université de médecine et de pharmacie de Bucarest, est le premier à isoler une substance active à partir des îlots de Langerhans, celle qui permet de réguler le taux de sucre dans le sang. Il nomme sa découverte la pancréine, il publie les résultats de ses recherches sur des animaux en 1921 et fait breveter sa méthode. Toutefois, la pancréine se sera pas administrée à des humains ; le Roumain se fait doubler par un jeune médecin canadien, Frederick Banting.

Banting estime que les chercheurs contaminent les échantillons d'îlots avec des éléments digestifs. Il pense que le pancréas peut être purifié si l'on retire sa queue. Il note alors : « Essayer d'isoler les sécrétions internes et soulager *glycosurea* (présence de sucre dans les urines). » Banting a toujours eu des problèmes en orthographe, il aurait dû écrire « glycosurie ». Il avait aussi du mal avec le mot « diabète », qu'il écrivait *diabetus*. Cependant, son idée d'isoler les sécrétions des îlots qui empêchent le bon fonctionnement du reste du pancréas, puis de les purifier et ainsi traiter le diabète est totalement nouvelle.

Banting explique sa théorie à un professeur de physiologie à l'université de Toronto, J.J.R. Macleod (rien à voir avec l'immortel incarné par Christophe Lambert dans *Highlander*). Ce dernier met à sa disposition son laboratoire. Deux jeunes chercheurs, Charles Best et Clark Noble, tirent à la courte paille pour obtenir le poste d'assistant. Best est l'heureux gagnant, c'est d'ailleurs grâce à ce petit coup de chance qu'il deviendra une célébrité mondiale.

Pendant plusieurs semaines, Banting et Best ligaturent des parties du pancréas des chiens testés jusqu'à ce que les cellules meurent, isolant des milliers d'îlots. Ils extraient quelques éléments rudimentaires de ces îlots et les baptisent « isletin », qui deviendra plus tard « insuline » (le langage des diabètes est insulaire). Les deux chercheurs injectent ensuite le produit à des chiens à qui on a ôté le pancréas pour les rendre diabétiques.

Même s'ils travaillent dur, Banting et Best ne sont pas toujours très rigoureux et sont même parfois négligents. Leurs notes ne sont pas à jour, certains chiens meurent d'infection. Par ailleurs, Banting, au caractère de chien enragé, en vient même presque aux mains avec son assistant.

Toutefois, après de nombreux échecs, ils réussissent finalement à garder en vie un chien « dépancréatisé » en réduisant le taux de sucre dans son sang grâce à des injections d'insuline.

Le professeur Macleod les aide à améliorer leur méthode de travail en leur donnant des conseils judicieux. Comme les résultats se révèlent positifs, il se sert de son influence pour les faire publier à Toronto. Mais Banting, qui nourrit une hostilité mal placée envers Macleod, pense que le professeur veut influencer ses idées et s'en plaint sans arrêt auprès de qui veut l'entendre.

Les prélèvements du pancréas contiennent toujours des résidus impurs, avec beaucoup de matière indésirable. C'est alors qu'en décembre 1921, Macleod demande au biochimiste James Collip de se joindre à l'équipe pour travailler sur la purification des échantillons. Collip se met à la tâche pour raffiner ce qu'il appelle « cette chose mystérieuse » afin de pouvoir l'utiliser sur des patients humains.

Finalement, il arrive à produire un extrait propre et annonce ses résultats à Banting. Ce dernier est si soupe au lait et grossier qu'il a réussi à se faire des ennemis un peu partout. Quand Collip lui suggère qu'il veut faire breveter sa découverte, Banting menace de lui exploser la tête.

À cette époque, peu d'enfants diabétiques vivent plus d'une année, même en suivant un régime draconien sans sucres, à la limite de la tambouille à l'eau et au pain sec. Aux derniers stades de la maladie, la plupart des patients sont dans le coma et finissent leurs jours dans des pavillons spécialisés de l'hôpital, auprès de leurs parents qui doivent se préparer à l'inévitable. Cette situation désespérée pousse les chercheurs à produire un extrait qui se doit d'être efficace le plus rapidement possible. Le 11 janvier 1922, l'équipe décide d'injecter un prélèvement encore impur de bovin à un jeune diabétique de 14 ans, Leonard Thompson, à l'agonie au General Hospital de Toronto, qui devient le premier être humain à recevoir de l'insuline.

C'est d'abord un échec : Thompson réagit très mal aux impuretés de la dose. Le traitement est arrêté. Pendant les deux semaines suivantes, Collip s'acharne comme un fou pour purifier suffisamment l'hormone et le 23 janvier, Thompson reçoit sa deuxième injection. Alors que toute l'équipe est aux aguets, les urines du jeune garçon se clarifient et il ne semble pas souffrir d'effets secondaires.

Comprenant la portée incroyable de ce résultat, Banting, Best et Collip font le tour du bâtiment des diabétiques avec leur nouveau produit et piquent tous les petits patients comateux. Déjà les premiers enfants se réveillent de leur lit de mort. Les parents étonnés et débordants de joie se mettent à verser des larmes de gratitude.

Les chercheurs améliorent rapidement leurs techniques, à tel point que l'on produit de grandes quantités d'insuline à partir de pancréas de bœuf prélevés dans les abattoirs. On confie à l'entreprise pharmaceutique, Eli Lilly and Company, la tâche de fabriquer en masse cette hormone très raffinée. Elle se met rapidement à l'ouvrage. Le produit, maintenant officiellement baptisé « insuline », se retrouve très vite sur le marché, permettant à Eli Lilly de devenir un acteur central de l'industrie pharmaceutique.

Pendant une cinquantaine d'années, les diabétiques du monde entier ont réussi à s'injecter eux-mêmes quotidiennement leur dose d'insuline à base de cochon et/ou de vache. C'est en 1977 que la première insuline biosynthétique « humaine » fabriquée par génie génétique voit le jour ; elle est commercialisée en 1982.

Banting et Macleod reçoivent le prix Nobel en 1923 pour leurs travaux sur l'insuline mais, bien sûr, Banting explose, furieux de constater que Macleod a supplanté son assistant, Best. Banting partage l'argent avec Best et Macleod en fait de même avec Collip. Avec toutes ces fortes personnalités en présence, il n'est pas surprenant d'apprendre que certains chercheurs surnommaient Banting « le connard à l'aiguille ».

EN VILLE

Toilettage, habillage et panachage du parfait gentleman

18 Comment repasser une chemise

J'ai connu un homme qui repassait ses chaussettes. Il prétendait aussi repasser ses sous-vêtements, mais je n'ai jamais eu la possibilité de vérifier cette affirmation étonnante. Dieu merci ! Si les hommes sont bien incapables de confectionner de jolis napperons en crochet pour cacher le rouleau de papier toilette comme peuvent le faire certaines femmes, ils semblent savoir repasser aussi bien qu'elles. Le problème, c'est que ça ne les intéresse pas vraiment. C'est sûr qu'aucun mec normalement constitué n'a envie de repasser son pantalon. Il y a pourtant des moments dans la vie où l'on se doit d'être présentable (mariages, entretiens, premier rendez-vous Meetic...) car c'est là qu'une belle chemise bien repassée fait toujours son plus bel effet. Mais personne ne remarquera vos chaussures bien cirées ni votre manucure si votre chemise a l'air de sortir du panier à linge.

Ce n'est vraiment pas compliqué. Voici la marche à suivre.

D'abord, il vous faut une planche à repasser. Remontez-la au niveau de votre taille, ce qui est déjà tout un programme en soi. Ne vous mettez pas à repasser près de pots de peinture ouverts ou de la gamelle du chien, car vos manches risqueraient d'y faire trempette (c'est aussi sûr que deux et deux font quatre). N'allez pas non plus essayer de repasser à même table de la cuisine, vos vêtements risquent de se tacher avec les restes du dîner de la veille. Faites en sorte que la pointe de la table se trouve du côté où vous êtes le plus à l'aise et qu'il y ait une prise de courant dans les parages.

Supposons que votre chemise soit en coton (c'est la même démarche pour les chemises en soie ou en polyester, seule la température change). Avec un pulvérisateur ou une petite brosse à ongles, aspergez légèrement toute la chemise avec de l'eau. Servez-vous un café ou un verre en attendant que le tissu absorbe l'eau. Si vous avez un fer à vapeur, c'est le moment de le remplir (ça ne devrait pas vous prendre plus d'une demi-heure pour trouver l'orifice où verser l'eau).

Branchez le fer et ajustez la température grâce à la molette. Le coton ne craint rien à très haute température mais faites bien attention si votre chemise est en Nylon, vous risquez l'effet fromage fondu quand vous enlèverez le fer. Pendant qu'il chauffe, laissez votre appareil sur le reposoir qui se trouve à l'extrémité la plus large de la planche. Vous pouvez vous servir de cette partie métallique pour déposer votre fer quand vous aurez besoin de faire une petite pause.

Ensuite, faites le test du doigt mouillé. C'est un truc que j'ai appris de ma grand-mère : elle mettait toujours son doigt sur la plaque chauffante pour vérifier si le fer était à bonne température (j'ai toujours trouvé ma grand-mère un peu étrange). Quand il est suffisamment chaud, attrapez votre chemise par le col et étendez-la sur la table. Vous remarquerez alors la tendance agaçante de votre vêtement à glisser de la table. C'est une question de gravité, et la seule chose à faire, c'est de bien s'accrocher. Repassez le col des extrémités vers l'intérieur, retournez-le et recommencez sur l'envers.

Puis vous devez tirer sur la chemise afin que la pointe de la planche étire la largeur des manches ; le reste de votre chemise se retrouve normalement par-dessus votre épaule. Repassez cette partie et recommencez de l'autre côté.

L'autre jour, je discutais avec un ami de la nécessité de repasser les bras en premier ou en dernier. En fait, je pense que c'est une question de goût personnel. En fait, si vous ne risquez pas de tomber la veste, vous n'avez pas besoin de le faire parfaitement. En revanche, si vous avez des chances de vous montrer en bras de chemise, là ça devient plus délicat. Premièrement, concentrez-vous sur une des manchettes et repassez-la soigneusement. Si c'est une manche mousquetaire, dépliez-la et repassez-la ouverte. Attention, c'est à ce moment précis que votre chemise fera une nouvelle tentative pour glisser de la table. On se demande bien ce qu'elle a envie de faire sur le sol…

Ensuite, étalez la manche complètement sur la table : les plis doivent être à l'opposé. Commencez par l'épaule et redescendez vers le poignet. Allez savoir pourquoi, mais c'est souvent à ce moment-là qu'on se brûle les doigts. Quand vous aurez arrêté de jurer comme un charretier, retournez la manche et entamez l'autre côté. Malheureusement, vous n'y couperez pas : si vous avez réussi cette étape, il vous faudra tout recommencer avec l'autre manche.

Bon, maintenant, il est temps de s'attaquer au devant ! Allez, c'est bientôt fini. Enfilez le col de la chemise dans la partie pointue de la table et étendez le côté boutonné de la chemise sur la planche. Tirez sur la chemise pour qu'elle soit bien tendue et repassez-la. C'est un peu pénible de passer entre les boutons, alors allez-y franco en passant et repassant la pointe du fer tout autour. Pour vous faciliter le travail, vous pouvez faire tourner le vêtement, surtout au niveau de l'épaule. Vous pouvez maintenant vous attaquer aux coutures et au dos. Repassez cette partie de la même manière que le devant. Les boutons risquent encore de vous gêner, refaites passer la pointe du fer. Si vous êtes du genre pataud, les injures doivent fuser à présent et tout le voisinage est prêt à appeler la police. Mais vous savez quoi ? C'est fini ! Alors empressez-vous de pendre votre chemise sur un cintre avant que votre petit neveu ne rapplique et décide de s'en servir comme mouchoir.

Si vous utilisez un fer à vapeur, n'oubliez pas de le vider. Faites-le quand l'eau est encore chaude, comme ça, il ne dégoulinera pas quand vous rangerez votre appareil. Au fait, ne laissez jamais votre fer sur le vêtement pendant que vous vous enfilez une bière ou que vous répondez à vos textos, sinon vous allez vous retrouver avec un trou dans votre belle chemise. À moins d'être vraiment très pressé, ne repassez jamais la chemise que vous avez sur le dos. D'ailleurs, élément tout aussi important : ne répondez jamais au téléphone quand vous faites votre repassage, il est très facile de confondre les deux appareils et de vous repasser l'oreille !

19 Rasage : les meilleurs conseils des pros

Je me souviens d'un vieux schnock qui estimait que les hommes ne doivent pas porter les cheveux longs parce qu'il trouvait ça « anormal ». Je lui fis remarquer qu'en fait, c'était plutôt sa coupe militaire qui n'était pas très naturelle. J'essayai de changer de conversation, mais il ajouta que la barbe non plus, ce n'était pas normal. Je lui rappelai que le rasage n'était peut-être pas aussi indispensable qu'il le croyait. Difficile de se mettre d'accord avec un interlocuteur qui assimile ce qui est « normal » à ce qu'il aime.

Il est vrai qu'une barbe et une moustache bien entretenues sont le signe d'une bonne éducation (il suffit de voir les membres du gotha) et que, bien évidemment, une moustache pleine de miettes et une barbe au goulasch n'ont rien d'élégant. Vous pouvez vous permettre une petite barbe de trois jours si vous êtes jeune et beau, autrement vous risquez de donner l'impression que votre infirmière à domicile a oublié de passer pour vous raser.

Le rasage quotidien est essentiel pour un gentleman, et même si les rasoirs électriques ont des avantages, après vérification au microscope, le résultat est souvent digne de l'agriculture sur brûlis. Le traditionnel rasage humide reste le meilleur moyen de vous raser de près. Il existe aussi des crèmes dépilatoires qui anéantissent vos follicules, mais aucun homme n'a envie de s'étaler ce genre de mixtures sur le visage.

On trouve deux sortes de rasoirs manuels : le coupe-choux, ouvert avec sa lame aiguisée en acier trempé, et le rasoir classique à tête pivotante que la plupart des hommes utilisent ! Les hommes de goût et les barbiers apprécient toujours les rasoirs droits, mais ceux-ci exigent une sacrée dextérité. C'est un peu comme avec le thé en vrac négligé au profit du thé en sachet : le charme a laissé place au sens pratique. Le coupe-choux est donc victime des inconvénients de sa lame fixe.

L'avantage du rasoir de sécurité, c'est qu'on n'a pas besoin de passer tout son temps à l'aiguiser sur un morceau de cuir, grâce aux avancées technologiques en matière de lames interchangeables et jetables. Un de mes amis, ancien prisonnier de guerre, m'a raconté qu'à l'époque, il s'était servi pendant trois ans de la même lame, qu'il affûtait tous les jours à l'aide d'une pierre. Sachez qu' aujourd'hui les lames sont de meilleure qualité encore.

Il existe une grande variété de manches, tous plus sympa les uns que les autres, qui conviennent à ces lames interchangeables nouvelle génération, mais n'allez surtout pas choisir un de ces rasoirs jetables en plastique ! Ils ne sont pas assez tranchants et sont surtout tellement laids. Vous n'allez tout de même pas vous raser avec un rabot !

Avant de vous raser, il faut mouiller vos poils pour les attendrir. La mousse à raser permet à l'eau de s'accrocher assez longtemps pour que les poils s'adoucissent et s'élargissent. Elle lubrifie aussi la peau et atténue le feu du rasoir. Sans compter que grâce à elle, vous pouvez voir les endroits que vous avez oubliés.

La meilleure façon d'obtenir assez de mousse pour votre visage est d'utiliser un bon vieux blaireau. Évitez les mousses en bombe : elles peuvent paraître plus pratiques mais ne sont pas aussi efficaces. Certes, il ne faut que deux minutes pour les étaler sur le visage, mais rien ne vous garantit que vous obtiendrez un rasage de très près. Préférez le savon à barbe, qui peut être vendu sous la forme d'un pain ou conditionné dans des petits pots prêts à l'emploi.

Certains blaireaux coûtent les yeux de la tête. Même si vous n'êtes pas obligé de dépenser des mille et des cents, il vaut mieux investir dans du bon matériel. C'est comme pour une bonne poêle ou un bon fauteuil : on s'en sert tous les jours, donc autant s'offrir la meilleure qualité possible. La texture des poils des blaireaux est classée en trois catégories : les « pure » ont les poils noirs et courts, les « best » ont les poils doux et longs avec une pointe plus claire, les « super » ont les poils longs et une pointe blanche. Les brosses « super » sont les plus chères car elles sont fabriquées à la main avec du poil de blaireau véritable.

Si vous souhaitez utiliser un coupe-choux, je vous recommande de vous rendre avant chez un barbier pour une petite leçon de rasage. Rien de mieux qu'un cours particulier ! Mais je vais plutôt partir du principe que vous allez vous raser avec un rasoir de sécurité.

Le rasage humide peut se faire d'un coup, en passant la lame dans le sens du poil, ou en deux temps, d'abord dans le sens de la pousse puis dans l'autre sens. Si vous agissez ainsi, prenez garde au feu du rasoir, cette légère irritation si désagréable. Il est important de se préparer : un bain ou une douche avant de passer à l'acte aident à détendre la peau. Une bonne dose de mousse et beaucoup d'eau sont essentielles pour la manœuvre.

Commencez où vous voulez, tendez la peau avec votre main libre et faites glisser légèrement le rasoir sur la peau. Faites attention à ce petit bout rose qui dépasse : c'est votre nez. Rincez régulièrement la lame pour éviter de l'encrasser. Passez-la sous l'eau à chaque fois si vous préférez. On n'utilise jamais assez d'eau ; si vous avez enlevé trop de savon, remettez-en.

Quand vous avez fini de vous raser, aspergez votre visage d'eau froide. Je sais, ça va vous faire sauter au plafond, mais c'est ce qui permet de reboucher les pores. Tapotez votre visage, surtout ne frottez pas. Pour les coupures, si vous en avez, soignez-les avec un stylo antiseptique à la pierre d'Alun. Certains hommes aiment mettre de la crème après-rasage : il vaut mieux éviter les after-shaves à base d'alcool ou les parfums, qui peuvent irriter la peau.

Rincez puis secouez votre brosse et votre rasoir pour les débarrasser du surplus d'eau. Il faut laisser le blaireau dans un endroit assez chaud et sec pour que l'eau s'évapore. Faites-le sécher au soleil, ça marche. Posez-le sur un reposoir, les poils vers le bas, ainsi l'eau ne mouillera pas la base de l'objet. L'air a son importance, il permet de stopper net la prolifération des champignons.

Maintenant, allez vous mettre sur votre trente et un, c'est l'heure de retrouver votre dulcinée !

20 Le revers de la médaille

Dans ma jeunesse, j'ai travaillé chez un tailleur, et un jour, j'ai vendu un pantalon au Captain Igloo. Ce pantalon n'avait pas de revers, d'après mes souvenirs. Alors revers ou pas revers ? On se le demande. Eh oui, on risque un revers funeste si on arrive à une réception sans revers galonnés. D'un revers de main, le majordome vous signifiera votre revers de fortune en moins de deux. Mais tout revers a sa médaille, et bientôt, un revers de situation vous ouvrira les portes de Roland-Garros. L'affront oublié d'un revers de la main, vous lancerez la mode du revers réversible. Maintenant, vous allez avoir droit à un petit cours d'histoire du pantalon pour savoir quelles règles observer en matière de revers.

La version actuelle du pantalon n'est pas très ancienne. Ce n'est qu'au XVIe siècle que le personnage loufoque Pantalone, de la commedia dell'arte, le rend à la mode (le mot « pantalon » vient donc de là). Collant rouge à la base, le pantalon désigne alors toutes sortes de culottes.

À la fin du XIXe siècle, les gentilshommes un peu rustres du Nord de l'Europe prennent l'habitude de retourner le bas de leur pantalon pour éviter de se coller de la boue partout quand ils vont patauger dans les marécages, mais ce n'est qu'en 1890 que le prince de Galles (le futur roi Georges VII) a la brillante idée de retrousser le bas de son pantalon. Et si c'est bon pour l'héritier de la couronne, n'importe quel monsieur Dufroc peut se le permettre. À la fin du siècle, le tournant du revers est bien entamé. Le pli ou revers commence alors sa marche ascendante à travers le royaume et ses colonies. Les tailleurs, qui n'ont pas les yeux dans leur poche, regardent de près la hausse des ventes et se mettent à coudre des revers permanents sur les bas de pantalon. Ce rajout met un temps à se trouver un nom, on parle de « retroussis », de pantalon « retroussé », « relevé ». On use même d'expressions plus savoureuses comme « il pleut à Londres ». C'est à partir des années 1930 que le terme « revers » est adopté.

Pendant la Seconde Guerre mondiale, le gouvernement britannique interdit les revers pour économiser le tissu. Les bas de soie et de Nylon subissent le même sort ; on les transforme en parachutes, tentes et autres pneus. C'est alors que le pantalon sans revers reprend ses droits. L'homme de goût se remet à en porter, et ce, jusqu'à nos jours. Les pantalons à revers ont gardé leur charme désuet, même si on en voit de plus en plus rarement au bas des gambettes masculines (d'ailleurs, aucun bon costume bien taillé ne subit de revers).

Tous ceux qui en ont porté vous le diront, ces choses-là attrapent tout, de la simple pièce aux moutons de poussière. Mais il leur reste quelques avantages. Ils donnent du poids à la jambe du pantalon, ce qui lui permet de bien tomber, avec un joli pli bien net. À moins d'être un artiste ou un joueur de tennis, je vous déconseille d'attirer l'attention sur vos chaussettes, et c'est grâce à un revers que vous pourrez cacher vos chevilles quand vous vous promenez en ville.

21 Le bon roi Dagobert a mis sa culotte à l'envers

Qui se souvient du roi Dagobert ? Qui sait qu'il a amélioré le système judiciaire du royaume ? Qui sait qu'il a été un grand mécène ? Personne. On se rappelle seulement qu'il a mis sa culotte à l'envers. Les refrains des vieilles chansons populaires se moquent des défauts et enseignent aux enfants et aux étourdis une petite dose de bon sens. On ne met pas sa culotte à l'envers, même si le ridicule ne tue pas.

Les gens font très attention à l'apparence vestimentaire et il existe des règles tacites très strictes. Qui prendrait au sérieux une nonne en minijupe, un éboueur en jaquette, le président en jogging au conseil des ministres ? Un jour, un de mes amis s'est présenté à une réunion dans sa banque en costume noir. Comble de l'horreur, il portait des richelieus marron ! « Je revenais d'un week-end de chasse, il faisait noir, et ce n'est qu'en sortant du taxi que j'ai compris que j'allais faire un faux pas, me dit-il. Même si personne n'a rien dit, je me suis vraiment senti à côté de mes pompes. »

Un jour, un jaloux dit de Sir Anthony Eden, un Premier ministre connu pour son élégance toute britannique : « Ce n'est pas un gentleman : il s'habille trop bien. » Le négligé est devenu une règle générale, surtout de nos jours où l'on se préoccupe de moins en moins de ce que l'on porte et où il est communément admis que les hommes ne portent plus la cravate au bureau. Il fut un temps où c'était considéré comme un crime de lèse-majesté. Bien sûr, un homme urbain doit se méfier des tourbillons de la mode. Voici donc quelques conseils vestimentaires pour les hommes de goût. Si vous devez enfreindre une de ces règles, faites-le avec panache.

- *Les matières* : toujours naturelles, à part pour certaines chaussures qui doivent résister à l'eau et pour les parapluies. Essayez d'acheter la meilleure qualité à l'aune de vos moyens.

- *En ville* : des costumes droits sobres avec une chemise blanche ou claire. Ne portez de costumes croisés que si vous avez la personnalité qui va avec. Il en va de même pour les costumes à rayures. La veste doit être toujours plus foncée que la chemise, et la cravate plus foncée que la veste. Évitez les complets noirs pour ne pas effrayer votre chef ou vos clients. Le noir est la couleur de l'autorité, elle est réservée à la prêtrise et aux soirées de gala (ceux qui fréquentent les soirées de gala me comprendront). Dans des situations professionnelles, vous devez donner l'impression à votre client que vous êtes mieux habillé que lui. C'est la même chose si vous passez un entretien d'embauche : préférez les vêtements classiques. Vos clients peuvent s'habiller comme des ploucs si ça leur chante, et c'est souvent le cas. Peut-être est-ce simplement pour vous rappeler qui commande. Pas de costume marron, non, non, non, décidément non !

- *Les pantalons* : le velours côtelé et le tweed sont très tendance. L'écossais seulement si vous êtes écossais. Le jean ? Surtout pas. Revers ou pas revers ? Consultez le chapitre sur la question p. 62.
- *Les pulls* : en laine évidemment. Allez-y mollo sur les motifs. Bon, si vous faites un tour en Irlande, vous pouvez investir dans un bon gros pull, mais vous n'êtes pas obligé de porter ceux tricotés main par votre vieille tata.
- *Les chaussettes* : foncées quand vous les portez en ville. Toujours basses. Aucun homme de goût ne met de chaussettes au-dessus du mollet, sauf s'il est très vieux et qu'il arbore des knickers – vous savez, ces vieilles culottes de golf à papa. Quand vous séjournez à la campagne, une variété de couleurs s'offre à vous, vous ne risquez pas de vous tromper avec du marron ou du vert, mais les règles en matière de hauteur de chaussettes sont trop complexes pour s'y attarder. N'achetez pas de chaussettes fantaisie avec des slogans ou des personnages de BD, à moins de vouloir passer pour un abruti. Il faut être particulièrement prudent avec les chaussettes colorées. Si vous n'êtes pas un dandy, abstenez-vous. Les chaussettes blanches ? Vous voulez me faire perdre mon temps ?
- *Les cravates* : forcément en soie. Au bureau, les motifs doivent être petits et discrets, géométriques et répétitifs. Les cravates poilues de votre tartan ? Eh bien, vous les gardez pour vos week-ends à la campagne. On peut porter des cravates militaires à des moments particuliers. On peut parfois se permettre les nœuds papillons pour

de grandes occasions mais méfiez-vous des lavallières. Et on laisse les cravates de clown à paillettes aux gens dont c'est le métier. S'il vous plaît, nouez votre bout de tissu correctement. Je vous rappelle qu'aucun vrai gentleman ne porte de cravate faite maison.

- *Les ceintures et les bretelles* : jamais ensemble. Une ceinture doit absolument aller avec la couleur des chaussures, c'est d'une importance cruciale. En cuir, ça va de soi. Gardez les grosses bretelles pour la campagne, seuls les dandys urbains et les entrepreneurs culottés peuvent en porter en ville. C'est juste une question de vulgarité.

- *Les chapeaux* : doivent forcément avoir un bord qui fait totalement le tour de la tête, sauf si c'est un ouchanka en fourrure ou une casquette en tweed. Vous ferez en sorte de mettre toutes vos casquettes de base-ball plus ou moins clinquantes et autres bandanas au placard. Les bérets sont encore de rigueur et feront plaisir aux touristes quand ils vous croiseront avec votre baguette et votre journal sous le bras.

- *Les écharpes* : toujours et encore de qualité, en laine ou en coton. Essayez de ne pas faire de nœuds trop élaborés qui n'ont l'air de rien. Une écharpe, ça se porte droite, détachée, on peut l'enrouler autour du cou comme un serpent ou faire un simple nœud devant.

- *Les mouchoirs de poche* : noirs en ville. À la campagne, les grands mouchoirs colorés sont utiles et sympa. Les mouchoirs à pois sont les plus cool.

- *Les pochettes* : comme d'habitude en soie, unies ou à motifs. Il est recommandé de ne pas en mettre au bureau, à moins que vous ne soyez du genre flamboyant.

- *Les boutons de manchette* : préférables s'ils sont en or fin ou en argent. Comme toujours, ce n'est pas la peine de se faire remarquer.

- *Les bagues* : vraiment si vous ne pouvez pas faire autrement. En or ou en argent, et fines.

- *Les renforts pour coudes en cuir* : impossible, même si vous êtes instit'. Désolé. Cela dit, vous pouvez en coudre sur votre veste élimée préférée si vous la portez à la maison ou dans le jardin.

- *Les montres* : à nouveau, il convient d'acheter la plus belle que vous puissiez vous offrir, mais évitez le côté bling-bling, c'est trop vulgaire. Il n'y a rien qui s'oppose au bracelet en cuir.
- *Les chaussures* : du cuir de qualité, comme vous pouviez vous en douter. Des boots ou des chaussures noires au bureau. À la campagne, vous avez les bottes en caoutchouc, les bottes de pêcheur d'écrevisses, les derbys et tout le tintouin. Ne mettez jamais, jamais, je dis bien jamais, de chaussettes dans des sandales. Vos souliers doivent briller suffisamment pour refléter la petite culotte de la fille qui danse dans vos bras.

22 Comment se faire pousser une belle glorieuse

Si on vous demande qui, de Staline ou d'Hitler, avait le plus de style, vous choisirez sûrement Staline à cause de sa moustache. Cela ne signifie pas que vous aimeriez dîner avec lui, mais c'est vrai que ses belles bacchantes font un certain effet. La « brosse à dents » d'Hitler avait autant de panache qu'une herniectomie et on avait l'impression qu'il avait simplement coupé les extrémités d'une vraie moustache. En fait, c'est comme ça qu'il faisait : en tant que simple soldat poilu du *kaiser*, on lui avait intimé l'ordre de couper les longues pointes de sa moustache en croc pour réussir à enfiler un masque à gaz de la Première Guerre mondiale.

Il n'y a rien de tel que de se faire pousser les poils, si, bien sûr, on en a les gènes. Certains hommes ont quelques difficultés à cultiver leur pilosité labiale sur la zone qui s'appelle d'ailleurs le *philtrum* (entre la lèvre supérieure et le nez). À la place, ils arborent de jolis favoris. Mais si vous avez la chance d'avoir un système pileux bien développé et que l'idée de vous tailler une belle moustache vous chatouille, voici quelques conseils de pro.

La première chose à faire, c'est de se laisser pousser une vraie barbe (temporaire). Vous pourriez seulement vous concentrer sur la moustache, mais cette méthode a plusieurs avantages ; avant tout, elle vous permettra de connaître votre type de pilosité, sa vitesse de pousse, la qualité du poil, et de vérifier sa couleur. Chez certains, les poils de la moustache et/ou de la barbe n'ont pas la même couleur que les cheveux, d'autres vont se rendre compte qu'ils ont des zones franches où aucun poil n'apparaît, parfois même des touffes blanches aberrantes envahissent leur forêt noire. Qui plus est, une moustache seule risque d'effrayer votre petite amie, elle vous quittera alors avec dégoût et les loulous du quartier se mettront à vous lancer des tomates pourries à la figure quand vous sortirez de chez vous.

Les poils humains poussent d'environ quinze centimètres par an, soit à peu près 0,000 000 002 kilomètres à l'heure. Quand vous atteignez la longueur convenable, qui approche de celle que vous souhaitez pour votre moustache, vous pouvez commencer à couper, tailler et raser le surplus indésirable pour laisser la place à votre nouvelle bacchante. La crayon s'obtient en un rien de temps, alors que la morse exige un peu plus de patience. Il vous suffit ensuite de l'entretenir pour maintenir le style choisi. Les clubs de moustachus, notamment ceux des moustaches en croc, vous donneront de très bons conseils sur la pousse et l'utilisation de la cire.

Moi-même propriétaire d'une ramasse-miettes, je reste persuadé qu'on n'a pas une moustache ; c'est elle qui vous possède. Mais il faut savoir que, si vous ne souhaitez pas vous retrouver avec une broussaille mal dégrossie, il va falloir y mettre du vôtre et entretenir vos poils. Quand le Front de libération des barbus a commencé à critiquer le Club des moustaches en croc, Michael « Atters » Attree, le comique britannique le plus éclatant que je connaisse, a déclaré afin d'encourager l'entretien pileux : « Je préférerais être abattu par un fasciste à moustache que mourir d'ennui à cause du FLB. »

La naturelle

L'anglaise

La hongroise ou la chevauchée sauvage

La Dalì

L'impériale

La free style

La free style

La chevron

La crayon

La brosse à dents   La morse   La Zapata

- *La chevron* : Tom Selleck la portait pour le rôle de Magnum.
- *La moustache en croc* : elle regroupe plusieurs catégories, de Salvador Dalì aux cow-boys du Grand Ouest américain. Reportez-vous aux illustrations ci-dessus.
- *La crayon* : simple et stylée. Errol Flynn, Tino Rossi, Maurice Chevalier, Zorro, Clark Gable l'ont fièrement portée.
- *La brosse à dents* : Hitler, Charlie Chaplin et Oliver Hardy l'arboraient. Elle n'a pas beaucoup d'éclat. Désolé ! Je me demande bien pourquoi je l'ai mentionnée.
- *La morse* : Friedrich Nietzsche avait la plus grosse. Pas facile à porter. Elle requiert énormément d'entretien si vous voulez éviter d'avoir l'air d'un clochard. Arrêtez la soupe.
- *La Zapata* : les extrémités tombent vers le menton. Elle me fait toujours penser à la moustache du sergent Garcia, d'ailleurs ça fait des lustres que je n'ai pas regardé un épisode du cavalier qui signe son nom à la pointe de l'épée.

Bon courage !

Aux fourneaux

23 Comment tuer le cochon et le saigner

Vous n'avez jamais saigné un porc ? Vraiment ? Il est donc grand temps de vous familiariser avec cette pratique. Comment ça, « beurk ! » ? Vous êtes un homme ou quoi ? Si vous l'avez déjà fait, je vous dispense de ce chapitre, sinon les autres, au boulot, allez m'enfiler ce bon vieux tablier en plastique. C'est parti !

Premièrement, choisissez votre cochon. On peut l'abattre à tout âge, du cochonnet au porcelet, entre 4 mois et 1 an. Plus il est âgé, plus gros seront les côtelettes et les jarrets. Les porcs plus vieux sont parfaits pour les saucisses. Généralement, on enlève les testicules des verrats, les mâles non castrés, un mois avant de les mener à l'abattoir. J'espère avoir une retraite plus agréable.

Jadis, on affamait les porcs un jour avant l'abattage et ensuite on leur servait un petit déjeuner à base de charbon pour nettoyer leurs intestins, dont on se sert pour faire des tripes (à la mode de Caen) et pour les boyaux des saucisses. Ensuite, on les accrochait à l'envers et avec un couteau très pointu, on tranchait les jugulaires et la carotide. De nos jours, on doit d'abord endormir l'animal. Pour cela, vous pouvez lui passer un épisode de *Derrick*, mais habituellement, il reçoit un choc électrique qui le met KO, à l'aide d'un « pistolet à projectile captif », une sorte d'arme à air comprimé qui envoie une décharge au niveau du front. Sinon, on peut aussi lui faire respirer du gaz carbonique (CO_2).

- *L'électronarcose* : le courant doit être d'au moins 1,3 ampère pour une tension de 260 volts ; l'impédance de la charge doit être équivalente au poids de la tête du porc. Faites des essais sur votre belle-mère. Maintenez les électrodes entre un œil et une oreille afin d'enserrer le cerveau. Tenez-les bien et appuyez sur le bouton pendant trois secondes. Votre goret ou votre belle-mère devrait alors s'évanouir et se rigidifier avant de se détendre.

- *Le pistolet à projectile captif* : toutes les autres méthodes sont préférables à celle-ci, mais voici quand même la marche à suivre. Placez le pistolet à 2,5 centimètres au-dessus des yeux du cochon, visez la queue. Tirez et l'animal s'effondre immédiatement, arrête de respirer en rythme et a l'air tout droit sorti d'une soirée d'enterrement de vie de garçon.

- *L'asphyxie* : enfermez le porc dans un endroit clos (du genre : une caravane) plein de CO_2 concentré de 70 à 90 %. Surtout, n'allez pas en respirer. La charge de CO_2 affecte la chimie du sang, et le cochon expire. Laissez-le là deux minutes et vérifiez s'il est mort en enfonçant une aiguille dans son groin. S'il réagit, recommencez la procédure.

Il est essentiel de saigner votre goret dans les quinze secondes qui suivent la mise à mort, afin que le sang ne circule plus. Si vous attendez qu'il bourre sa pipe ou qu'il enfile ses godasses pour aller faire ses courses, c'est foutu. La saignée permet également de préserver la viande. Allez donc chercher un bon gros couteau pointu et enfoncez-le bien dans la carotide et les veines jugulaires. Ne le faites pas dans votre salon. Des personnes placées sous l'animal peuvent collecter le sang dans des casseroles et autres baquets. On s'en sert pour faire du boudin noir.

Quand il est saigné, mettez la carcasse dans une sorte de bac, trempez-la dans de l'eau bouillante et vous aurez un escargot tout chaud (mais non, c'est juste pour permettre d'enlever les poils plus facilement).

Un bain devrait suffire à mon avis. Épilez le porc et lavez-le à nouveau dans de l'eau bouillante. S'il reste des soies, grillez-les au chalumeau.

Éviscérez l'animal en suivant les conseils avisés des guides pratiques du parfait boucher que vous trouverez sans doute sur Internet. Ensuite, découpez la tête, séparez la carcasse en deux et lavez. Si vous avez l'impression que ça va vous donner trop de boulot, rendez-vous chez votre boucher et achetez-lui un demi-cochon.

Mettez les morceaux au frigo (vous risquez peut-être de devoir investir dans un réfrigérateur plus grand) ; en effet, ça facilite le processus de découpage à venir.

Si vous le souhaitez, vous pouvez saler votre goret en le plongeant dans un baril rempli de sel ; stockez-le dans un cellier pendant dix jours. À ce moment-là, retirez le surplus sanguin. Ensuite, remettez-le au placard pour plusieurs mois. Vous pouvez faire de la charcuterie (des jambons), du pâté ou des saucisses en fourrant la viande hachée dans les boyaux. Tout est bon dans le cochon ! Vous pouvez vous servir de la tête pour faire du fromage de tête (rien à voir avec le Port-Salut). On utilise même les yeux dans ce plat fameux, mais personnellement, je n'aime pas trop qu'on me regarde quand je mange.

24 Le parfait hamburger en un simple tour de main

Les petits en-cas allemands, comme la saucisse de Francfort, la fameuse *Frankfurter*, sont souvent baptisés selon leur lieu de création. L'origine du nom « hamburger » est donc facile à deviner : Hambourg, ville où l'on servait traditionnellement de la viande hachée sur un petit pain appelé *Brötchen*.

Toutefois, aujourd'hui, les citoyens du Connecticut, du Texas et du Missouri revendiquent aussi la paternité du hamburger. La date de l'introduction supposée du sandwich varie à peu près entre la fin du XIXe siècle et le début du XXe siècle.

De nos jours, les hamburgers sont un produit de base de

l'alimentation occidentale, même si ceux que vous achetez dans un fast-food n'ont pas grand-chose à voir avec ceux que vous faites griller, l'été, pour vos barbecues. Il paraît que, dans les burgers d'une marque très présente sur le marché, on trouve, en plus de la viande, ces délicieux ingrédients : du lactate de calcium, de l'acide benzoïque, de la dextrose, des esters d'acides mono- et diacétyltartriques des glycérides d'acides gras, de l'eau, du soja, du saccharose, du stéaroyl-2-lactylate de sodium, du sulfate de calcium, de l'acide ascorbique, de l'acétate de sodium, du diacétate de sodium, des dents et des os en poudre, et du sel. Si, au final, vous préférez concocter votre sandwich vous-même, ceci est mon dernier mot, Jean-Pierre.

1. Choisissez la viande qui convient. Il vous faut de la viande hachée grossièrement : si elle est hachée trop finement, elle est plus difficile à travailler car elle se transforme très vite en bouillie. La clé du goût, c'est le gras (mais ce n'est pas forcément très bon pour les artères). La viande maigre, comme le steak d'aloyau, rendra votre hamburger tout sec. Plus c'est gras, meilleur c'est. Cependant, plus vous cuisez la viande, plus elle réduit. Ainsi, 30 % de gras diminuent de 25 %. Essayez avec de la viande hachée à 20 %, mais faites des steaks plus larges que les petits pains pour pallier cette perte.

2. Mélangez la viande avec du poivre noir et du poivre blanc, un peu d'huile d'olive et de l'ail écrasé. N'ajoutez pas encore de sel, à cause de son effet absorbant : il va boire toute l'humidité de la viande et vous aurez des burgers secs comme un coup de trique. En fait, il faut mettre une grosse pincée de sel juste avant de les placer sur le gril. Tant pis pour votre tension artérielle.

3. Donnez-leur une forme de burger, appuyez votre pouce au centre pour faire un creux et former un disque (un peu comme une cellule sanguine). C'est pour éviter que votre pâté ne ressemble à une sphère. Vous n'êtes pas en train de faire des boulettes, n'est-ce pas ?

4. Faites chauffer la grille huilée de votre barbecue, vérifiez si c'est assez chaud en passant votre main au-dessus. Positionnez les burgers sur la grille, salez et fermez doucement le couvercle (si vous en avez un).

5. Attendez deux minutes.

6. Essayez de soulever la viande avec une spatule. Si elle colle, laissez-la cuire jusqu'à ce qu'elle se détache facilement et retournez-la.

7. Fermez le couvercle et laissez cuire pendant deux minutes.

8. Vérifiez la cuisson et dès que les burgers se décollent de la grille, retournez-les encore une fois.

9. Cuisez jusqu'à ce que le jus soit bien clair et que les pâtés soient bien fermes.

10. Retirez-les du barbecue et vérifiez s'ils sont prêts avec une fourchette. S'ils sont encore trop saignants à votre goût, laissez-les cuire encore une minute ou deux.

11. Servez-les sur de bons petits pains, avec des oignons frits, de la sauce et des cornichons ou ce que vous préférez.

25 Comment sabrer une bouteille de champagne

Un jour, j'assistais à une réception très chic quand un petit homme gras avec un nœud papillon improvisé a proposé d'ouvrir une bouteille de champagne devant notre hôtesse hésitante. Il a déchiré le papier, a retiré le muselet et a commencé à forcer sur le bouchon avec son pouce. Ensuite, il a calé la bouteille entre ses jambes et s'est alors retrouvé dans une position peu élégante. Il avait l'air à l'agonie. À la longue, manquant de toute dignité, il s'est mis à jurer dans sa barbe, provoquant la fuite des invités médusés. Dans un accès de rage, il a secoué violemment la bouteille tout en voulant lui tordre le cou. Tout à coup, on a entendu une détonation, comme un coup de fusil, suivie d'un tintement écœurant dû au choc du bouchon explosant le cadran d'une horloge posée sur une cheminée. Notre homme, projeté en arrière par le jet de mousse, a renversé un pot d'orchidées et s'est cogné la tête contre le buste en bronze d'un illustre chevalier. Un gentleman très distingué, cintré dans son smoking, a alors murmuré : « Quel homme étrange ! »

Ce n'est pourtant pas si difficile que cela et pour vous le prouver, j'ai inclus, ici, une merveilleuse démonstration très visuelle qui vous permettra de faire sortir le bouchon en moins de deux, mais qui surtout fera de vous le cosaque du magnum.

En France, on appelle ça le *sabrage*. Les hussards de Napoléon n'arrêtaient pas de sabrer le champagne, au lieu d'aller décapiter leurs ennemis. C'est sûrement pour ça qu'ils se sont pris une tannée à Waterloo et que Napoléon s'est fait crever le bidon à Sainte-Hélène.

En soi, pour *sabrer une bouteille*, il faut utiliser le dos de votre sabre (la partie émoussée de la lame) pour briser le goulot de la bouteille. Décapiter une bouteille avec ostentation n'est pas très dur mais requiert une certaine dextérité et le sacrifice d'une caisse de champagne bon marché. Vous devez être prêt à investir une vingtaine d'euros dans un mousseux de base (disons, en gros, une douzaine de bouteilles).

La méthode

1. Avec une serviette en lin, essuyez une bouteille de champagne frappé sans la secouer, puis retirez le papier et le muselet.
2. Localisez la bordure arrondie du col qui marque la jointure verticale formée lors de la fabrication du flacon. C'est ce qu'on appelle le pli d'une bouteille. Repérez le point le plus fragile où le pli rencontre la bague (la partie épaisse que vous trouvez si vous passez vos doigts le long du col du goulot). C'est ici qu'il faut frapper.
3. Tenez la bouteille avec fermeté et dirigez-la vers le haut (évitez de viser tout être vivant dans les parages) pour former un angle de quarante-cinq degrés.
4. Placez votre sabre contre le flacon, le dos de la lame face au

bouchon. En même temps, je ne sais vraiment pas où vous allez dénicher un sabre de hussard. Ne comptez pas sur moi pour vous aider, j'ai aussi mes problèmes existentiels. (Vous trouverez bien des spécialistes ès sabres sur Internet !)

5. Dans un mouvement sec, ferme et masculin, faites glisser la lame sur le col vers la bague (ce geste impressionnant s'apparente à celui d'un revers lent au tennis). Maintenez une vitesse adaptée et frappez avec suffisamment de force, la bague devrait sauter de la bouteille, emportant le bouchon avec elle ; elle devrait s'envoler et créer son petit effet.

Précautions à prendre

1. À moins de savoir vraiment ce que vous faites avec un sabre aiguisé, utilisez une règle métallique à la place.

2. Le bord du col va être coupant, alors mettez des mitaines en cuir, un masque d'escrimeur et une cotte de mailles.

3. N'allez pas vous entraîner dans votre salon. Le jardin est l'endroit idéal, mais faites attention à bien ramasser tous les bouchons avant d'aller tondre la pelouse.

4. Videz les bouteilles ratées et surtout ne buvez rien qui ne sorte pas d'un flacon correctement sabré.

5. Vous pouvez aussi simplement décapsuler une bière.

26 Casse-croûte éponymes : donner son nom à un plat

Si un jour, vous déambulez sur les quais de Melbourne, vous verrez sûrement la statue hideuse d'une femme dont la chevelure sculptée ressemble à la torche de la statue de la Liberté. C'est censé être la représentation de la chanteuse et *prima donna* Nellie Melba (1861-1931), qui avait choisi son nom d'artiste en hommage à sa ville et qui, ensuite, l'a donné à plusieurs mets. On trouve un nappage Melba - sorte de purée de framboises et groseilles, le toast Melba et la tomate Melba

– c'est une tomate farcie au poulet avec une sauce blanche, des truffes, des champignons et du bouillon de poulet. Tout ça m'a l'air bien lourd, comme son homonyme. C'est un peu comme Ronald McDonald, il faut être connu pour avoir un plat à son nom. En voici quelques-uns.

- *Le filet de bœuf prince Albert* : le prince consort de la reine Victoria a donné son nom à plusieurs plats, dont celui-ci, à base de bœuf, mais aussi une sauce blanche, une soupe avec des choux de Bruxelles et du bacon fumé (mince alors !), ainsi que le pudding Albert, un nom digne d'un roman de Dickens.

- *Le gâteau Alexandra* : la femme d'Édouard VII, Alexandra du Danemark (1844-1925), était princesse de Galles avant son couronnement. S'ajoutent à ce gâteau au chocolat un consommé et divers plats de poisson, de poulet, de cailles et autres viandes.

- *Le consommé princesse Alice* : ne voulant pas s'avouer vaincue, la princesse Alice (1883-1981), petite-fille de la reine Victoria, avait également son consommé. Il contient des cœurs d'artichaut et de la laitue. Un nom de fada pour une soupe de fada !

- *Le dessert d'Amundsen* : des amis américains inventèrent ce dessert pour un explorateur norvégien. Je me demande s'il y a de la glace dans la recette.

- *Le cake Battenberg* : ce cake rectangulaire est enveloppé de pâte d'amande et, quand on le découpe, on découvre des carreaux jaunes et roses. Il tient son nom des Battenberg, qui ont transformé leur patronyme en Mountbatten durant la Première Guerre mondiale – traduction littérale de Battenberg.

- *Les œufs Benedict* : l'agent de change new-yorkais Lemuel Benedict raconta qu'un jour de 1894, il souffrait d'une sévère gueule de bois. Il se rendit au Waldorf et commanda un petit déjeuner léger qui ne lui donnerait pas la nausée : du bacon, des œufs pochés, des toasts et de la sauce hollandaise. Personnellement, j'appellerais plutôt ça des œufs émétiques.

- *L'omelette de Bizet* : Georges Bizet (1838-1875), le compositeur de *Carmen*, donna son nom à ce plat qui consiste à mettre des œufs dans un moule, à les recouvrir de langue hachée macérée dans du vinaigre et à les servir sur des cœurs d'artichaut. Ça m'a l'air encore plus lourd que les œufs Benedict.

- *La salade Caesar* : elle tient son nom du chef qui la créa, Caesar Cardini (1896-1956). Elle contient des œufs, des croûtons et de la sauce Worcestershire, parmi d'autres ingrédients plus loufoques.

- *Le chateaubriand* : cette recette de viande de bœuf doit son nom au vicomte François René de Chateaubriand (1768-1848), auteur romantique s'il en est, ambassadeur de France à Londres.

- *La clémentine* : le père Clément Rodier, moine français, créa cet hybride de la mandarine et des oranges de Séville au XXe siècle. Ou alors, il l'a juste trouvée sur un arbre. L'histoire n'est pas très claire. Si la deuxième version est juste, on aurait alors pu la baptiser « la n'importe-qui ».

- *Le veuve-clicquot* : ce champagne tient son nom de Barbe Nicole Ponsardin, la veuve de François Clicquot. Je me demande si elle n'était pas trop barbante.

- *La reine-claude* : cette prune verte tirant sur le jaune a été baptisée en l'honneur de la reine Claude (1499-1524), ancienne duchesse de Bretagne et épouse de François Ier (1494-1547).

- *La tourte de veau à la Dickens* : Charles Ranhofer, cuisinier français installé à New York, créa cette délicieuse recette totalement improbable pour profiter commercialement des visites de l'auteur britannique aux États-Unis. Il inventa aussi une salade pour Alexandre Dumas père et une recette pour la célèbre actrice Sarah Bernhardt, les « patates à la Sarah » – pas vraiment en son honneur, ce nom-là.

- *Le thé Earl Grey* : d'après le comte Grey (*earl* veut dire comte en anglais). Vous pensiez que c'était qui d'autre ? Charles Grey, deuxième comte de Grey, vicomte de Howick et Premier ministre de Sa

Majesté la reine Victoria entre 1830 et 1834. Avec tous ces titres, on se demande quand il trouvait le temps de déguster une tasse de thé.

- *Le jésus* : il fallait bien baptiser un plat d'un nom aussi divin. C'est un plat à base de saucisse de Morteau en brioche fabriqué en Franche-Comté.

- *Le lamington* : un gâteau de Savoie qui tient son nom de Charles Cochrane-Baillie, le deuxième baron de Lamington, gouverneur du Queensland entre 1896 et 1901. Une des recettes traditionnelles d'Australie.

- *Le Leibniz-Keks* : ce délicieux biscuit au chocolat allemand est sûrement le seul mets qui reprend le nom d'un philosophe, Gottfried Leibniz (1646-1716).

- *La pizza Margherita* : c'est l'histoire d'une pizza patriotique, aux couleurs du drapeau italien, qui fut présentée à la reine Marguerite de Savoie (1851-1926) lors d'une visite à Naples. C'est comme si Pizza Hut se mettait à faire une pizza pour la reine d'Angleterre figurant l'Union Jack.

- *La pêche Melba* : j'ai déjà parlé de Nellie Melba tout à l'heure. On raconte qu'Auguste Escoffier, le très célèbre chef du Savoy à Londres, l'avait entendue chanter à Covent Garden. Il décida donc de créer un dessert à son nom. Pourquoi pas ?

- *La fine Napoléon* : un cognac au nom de Napoléon. Une évidence, non ?

- *La Jouvence de l'abbé Soury* : cette cure pour le traitement des jambes lourdes est née en Normandie de l'association de l'abbé Soury et de l'abbé Delarue. La « tisane des deux abbés » inventée en 1745 contient pas moins de onze extraits de plantes médicinales.

- *La pavlova* : ce dessert à base de fruits et de meringue doit son nom à la ballerine russe Anna Pavlova (1881-1931).

- *Le dom pérignon* : Dom Pérignon (1638-1715) était un moine bénédictin aveugle qui avait beaucoup de temps pour réfléchir. Il est à l'origine du développement de la fabrication du premier champagne.

- *Le gâteau de la reine mère* : Elizabeth, la reine mère (1901-2002), prenait le thé avec son ami, le pianiste polonais Jan Smeterlin (1892-1967), quand il lui servit ce gâteau au chocolat. Elle en devint fan immédiatement.

- *Le salisbury* : un hamburger sans petit pain, encore une invention d'un Américain accro aux régimes, le Dr James H. Salisbury (1823-1905). Ça pourrait ressembler un peu à un plat du régime Dukan.

- *Le sandwich* : John Montagu, le quatrième comte de Sandwich (1718-1792), souhaitait souvent dîner pendant ses parties de cartes. Son cuisinier lui concocta un plat qui ne nécessitait ni fourchette ni couteau. C'est ainsi que le sandwich a commencé sa carrière de star.

- *Le bœuf Stroganov* : c'est un Russe celui-là, on l'aurait deviné ! Cette recette de bœuf sauté à la crème fraîche date du xixe siècle. Son nom vient du comte Pavel Alexandrovitch Stroganov, ou alors du comte Grigori Dmitriyevitch Stroganov. Ces histoires de plats baptisés me paraissent sûres à 85 %, le reste étant de la popote.

- *La crêpe Suzette* : en 1896, le prince de Galles se trouvait, avec sa cocotte, Suzette Quelque-Chose, au Café de Paris à Monte-Carlo. Au dessert, on leur servit des crêpes flambées avec une sauce caramélisée au Cointreau et un zeste d'orange. Apparemment, le prince dédia la recette à sa princesse. Je comprends pourquoi la reine préfère les pancakes.

- *Le gâteau Victoria* : il tient son nom d'un pharaon d'Égypte. Mais non, je plaisante, c'est encore la reine d'Angleterre. C'est étrange, il n'y a pas de gâteau Marie-Antoinette. Elle préférait sûrement la brioche.

- *Le hachis Parmentier* : ce plat à base de purée et de viande de bœuf hachée doit son nom au pharmacien Antoine Augustin Parmentier (1737-1813), qui était convaincu que la pomme de terre pouvait être un remède efficace contre la famine. Il la proposa à Louis XVI après avoir découvert ses vertus médicinales en Irlande, le pays de la patate s'il en est.

27 Recettes originales pour estomacs blasés

Parmi les délicieuses recettes concoctées par Prosper Montagné dans son *Larousse gastronomique*, on peut trouver une « entrecôte à la bordelaise ». Ça a l'air appétissant dit comme ça, mais quand on se rend compte qu'il s'agit de « rats grillés façon bordelaise », c'est un peu plus effrayant. Cette spécialité nécessite la capture de quelques rats alcooliques du genre de ceux qui errent dans les caves de la région de Bordeaux, leur dépeçage et leur éviscération (je vous jure que je n'invente rien). Les rongeurs avinés sont ensuite badigeonnés d'huile d'olive et recouverts d'oignons nouveaux écrasés, avant d'être placés sur le gril au-dessus d'un feu de bois de fût de chêne.

Les Parisiens affamés appréciaient tout autant les rats des villes que les rats des champs, alors que les Romains fourraient des loirs avec une farce à base de poisson et de noix qu'ils cuisinaient au four. On retrouve, à travers les âges, des recettes tout aussi extravagantes avec du cheval, des larves de sorcière, des groins de cochon, de la cervelle écrasée mais aussi, plus communément, des grenouilles et des escargots.

Souris à la crème

C'est plutôt sympathique de commencer avec ces petits rongeurs. Ils sont servis avec une salade intéressante et suivis d'un dessert original. Voilà qui peut donc être prétexte à un vrai dîner. Vous pouvez aussi prévoir un cocktail de pâté Hénaff et d'anchois liquéfiés en guise de mise en bouche. Voici ce qu'il vous faut en ce qui concerne les petites souris.

- quelques grosses souris
- un morceau de panse de porc salée
- 1 bouteille de vodka extra-forte
- 1,5 litre de Grand Marnier

- quelques clous de girofle
- 250 g de farine
- du sel et du poivre

1. Dépecez, éviscérez et lavez les souris, mais ne retirez pas les têtes. Si vous n'appréciez pas leur regard noir, cachez leurs yeux avec une chaussette que vous enfilerez sur leur tête.
2. Marinez dans la vodka pendant deux heures (*les souris*, pas vous !).
3. En attendant, coupez la panse de porc en dés et, pour en récupérer le gras, faites-la cuire lentement à feu doux.
4. Égouttez les souris (attention, la vodka est un liquide inflammable).
5. Recouvrez-les de farine, assaisonnez-les bien avec du sel et du poivre.
6. Chauffez la graisse de porc pendant cinq minutes.
7. Ajoutez les souris, 10 cl de vodka, le Grand Marnier et des clous de girofle.
8. Laissez mijoter avec le couvercle pendant quinze minutes.
9. Préparez une béchamel (votre livre de bonnes recettes vous expliquera comment faire) et placez vos souris orangées, chaudes et succulentes dans la sauce.
10. Faites chauffer pendant environ dix minutes.
11. Servez.

Salade d'araignées

Vous devriez essayer de trouver différentes espèces d'araignées. Les plus grosses sont les meilleures.

1. Ébouillantez vos araignées comme vous le feriez avec un crabe pour qu'elles gardent leur croquant.
2. Enlevez les pattes des spécimens les plus gros et coupez-les en quartiers.

3. Faites un lit de salade romaine, de persil, de champignons émincés, de radis et d'oignons nouveaux. Ajoutez 150 g d'araignées, une bonne dose d'huile d'olive, du vinaigre, du jus de citron et du poivre fraîchement moulu. Vous pouvez mettre des piments pour corser le tout. Maintenant, accrochez-vous, vous allez déguster.

Éclairs aux pis de vache

- 12 pis de vache frais
- ½ litre de crème fraîche épaisse
- 1 boîte de cœurs d'artichaut
- 1 éperlan taillé en filets
- 170 g de sucre roux
- 50 g de beurre
- un mixeur
- une poêle
- un tube de crème dépilatoire

1. Trempez les pis dans la crème dépilatoire pour retirer les poils. Recommencez l'opération jusqu'à ce qu'ils soient complètement chauves (pas la peine de vous faire des cheveux, ça part tout seul). Le rasage n'est pas aussi efficace, il laisse pas mal de petits poils.

2. Pour retirer tout le lait des mamelles, trempez-les dans de l'eau tiède pendant deux à quatre heures, ça vous laissera tout le temps pour aller fabriquer un périscope ou un autre truc dans le genre.

3. Rincez-les.

4. Faites fondre le beurre dans la poêle et ajoutez les pis. Faites-les dorer.

5. Émincez les artichauts et le poisson.

6. Dans un mixeur, battez doucement la crème fraîche, le sucre, les artichauts et l'éperlan. Retirez les pis de la poêle quand ils sont

crémeux et entaillez un de leurs côtés. Tartinez l'intérieur avec le mélange et servez froid. Un dessert majestueux.

28 Un chili qui arrache

Il existe deux sortes de plats, ceux que les mecs peuvent faire et ceux qu'ils ne peuvent pas faire. Les cheveux d'anges, les petites roses décoratives en pâte d'amande ou les soufflés sont des plats qui ont tendance à s'effondrer ou à brûler si un homme met les mains à la pâte. Alors que faire cuire un bon steak, un hamburger ou un hot dog est du ressort de n'importe quel homme de base. Vous pouvez même ajouter le chili à cette liste, et ça, c'est tout bénef, car c'est un plat typiquement masculin.

En 1892, J.C. Clopper remarque que les habitants de San Antonio hachent le peu de viande qu'ils ont et la font mijoter avec la même quantité de piments (les chilis) pour allonger la sauce. Il est vrai que le chili permet d'attendrir et de dissimuler une viande de moindre qualité. Il semble que c'est seulement au XXe siècle qu'on ajoute de l'ail et des haricots. De nos jours, on choisit des morceaux de choix et des piments plus ou moins forts. Il en existe de tout petits qui vous explosent le palais et qui vous liquéfient sur place. Achetez ceux qui vous conviennent le mieux, mais n'oubliez pas que vous ne serez pas le seul à déguster votre tambouille.

Cette recette est faite pour contenter l'appétit de seize personnes, vous pouvez donc inviter tous les membres de votre équipe de rugby. Si, tout à coup, vous voyez qu'il n'y en aura pas assez pour nourrir tout ce petit monde, ajoutez des piments forts, ça les calmera un peu. Ou alors, si vous êtes seul, prenez-en une part et congelez le reste ; vous pouvez en manger tous les jours pendant deux semaines.

- 4 cuillerées à soupe d'huile d'olive
- 4 oignons moyens (hachés)
- 2 poivrons verts moyens (hachés)

- 3,5 kg de viande hachée
- environ 150 g de purée de tomates
- 2 boîtes de tomates pelées
- 2 cuillerées à soupe de sauce tomate
- 6 gousses d'ail (écrasées)
- 150 g de piment en poudre
- 4 piments forts (épépinés, émondés et hachés ; surtout ne touchez pas vos yeux avec vos mains sales !)
- 2 cuillerées à soupe de sel
- 1 cuillerée à soupe d'origan
- 2 cuillerées à soupe d'ail en poudre (ou davantage, si vos amis peuvent tenir le choc)
- 1 cuillerée à soupe de poivre noir

1. Faites revenir la viande dans une grande marmite. Il y aura beaucoup de chili, vous risquez donc d'avoir besoin de deux marmites. Quand elle est bien dorée, retirez le jus.
2. Faites chauffer l'huile dans une grande casserole, à feu moyen. Faites sauter les oignons, les poivrons et l'ail écrasé jusqu'à ce que tout soit fondant. N'allez pas tout faire cramer !
3. Ajoutez la viande, la purée de tomates, les tomates pelées et la sauce tomate. (Ce n'est pas une recette pour vous si vous êtes allergique à la tomate.)
4. Mélangez avec l'ail en poudre, le sel, le poivre, l'origan, le piment en poudre et le piment fort.
5. Baissez le feu et laissez mijoter pendant trois heures. Touillez toutes les quinze minutes. Je sais, c'est pénible.
6. Au milieu de la cuisson (au bout du sixième touillage), assaisonnez avec du sel et du poivre. Ajoutez du piment si ce n'est pas assez fort à votre goût. Ça peut vraiment devenir un chili très épicé selon la qualité de vos piments. Servez-le avec du fromage râpé, des oignons et des chips mexicaines.

Chili végétarien

On se demande pourquoi un végétarien voudrait manger un *chili con carne* sans la *carne*. En effet, à la base c'est un plat de viande. Mais un de mes amis prétend qu'il est végétarien non pas par respect pour les animaux, mais parce qu'il est en guerre contre les légumes. Pour des gens comme lui, remplacez la viande par des haricots rouges, ajoutez davantage d'oignons et de purée de tomates (à proportions égales). Mettez du beurre pour remplacer le jus de la viande. C'est vraiment délicieux et même les carnivores apprécieront.

SPORT, ACTION, VITESSE ET AVENTURE

Un peu de gym

29 Comment traverser les chutes du Niagara en barrique

Nous avons tous eu le sentiment de devenir chèvre devant le lot de tâches inconsistantes de la semaine. Le week-end s'annonce souvent tout aussi pénible et morose : courses le samedi après-midi, lavage de la voiture le dimanche matin et comptes le dimanche soir. Ça vous rappelle quelque chose ? Cette triste situation se résume en un mot : l'ennui. Assez ! Il faut trouver une solution pour chasser ce que John Travolta aurait pu appeler le *Saturday night spleen.* Il est urgent de réagir, de se rebeller contre cette monotonie qui nous oppresse et de retrouver les moments d'excitation et de frisson qui nous sont dus. Oui ! Il est grand temps de traverser les chutes du Niagara en barrique.

La première personne à avoir effectué cette traversée dans un tonneau est une femme : Annie Edson Taylor, une institutrice retraitée de 63 ans qui voulait faire croire (mais elle n'y arrivait pas) qu'elle n'en avait que 43. Cela se passe en 1901 : Annie, qui est un peu fauchée, s'imagine que sa cascade va la rendre riche et célèbre. Elle dégote alors un long fût et se sert d'une enclume pour le lester. Le 24 octobre, jour de son anniversaire, une ceinture d'oreillers enroulée autour de la taille, elle grimpe dans la barrique (avec son chat) et, sous les yeux d'une foule sceptique, se lance dans les chutes.

Annie est repêchée quelques minutes plus tard ; elle ne souffre que d'une petite coupure au front. Elle n'a jamais réussi à rentabiliser son exploit, mais elle reste l'initiatrice de cette idée saugrenue. Dix ans plus tard, un gars du nom de Bobby Leach tente une traversée dans un baril ; il s'en sort indemne et meurt d'une façon tout à fait banale, des années plus tard, en glissant sur une peau d'orange.

En revanche, il faut aussi mentionner quelques échecs cuisants. En 1920, Charles G. Stephens, un Anglais, se ligote à une enclume, à l'intérieur de son tonneau. Tout ce qui reste de lui après son plongeon, ce sont quelques planches et son bras droit couvert de tatouages. En 1930, un serveur grec nommé George L. Statakis reste coincé et suffoque derrière les chutes pendant des heures. Cependant, ses provisions d'air de trois heures sont suffisantes pour maintenir sa tortue porte-bonheur en vie. En 1995, adoptant une approche résolument plus moderne, un certain Robert Overacker (il porte bien son nom, ce M. Lagonie, NDT) enfile son parachute et lance son jet-ski à toute vitesse pour protester contre les conditions de vie des sans-abri. Malheureusement, son parachute ne s'ouvre pas et, alors qu'il vogue vers une mort certaine, il se transforme en porte-parole de la cause des parachutes sécurisés.

Instructions

Si vous ne voulez pas échouer dans votre tentative, il est nécessaire que vous compreniez d'abord quelques points essentiels. Les chutes du Niagara se composent de trois chutes d'eau et la seule où l'on peut survivre à une telle épreuve s'appelle le Fer à cheval (Horseshoe Falls). Le plongeon en soi, qui s'apparente à « une chute libre d'un gratte-ciel » ou à « un lâcher de cabine d'ascenseur », est en fait la partie la plus sûre de l'exercice. C'est l'amerrissage qui est plus dangereux. La rivière Niagara déverse, par-dessus le Fer à cheval, des tonnes d'eau à la seconde qui chutent d'une hauteur de cinquante-deux mètres.

Même si plus de la moitié des casse-cou qui ont traversé les chutes du Niagara ont survécu, vous avez de gros risques de vous blesser. Par exemple, vous pouvez être certain d'avoir un traumatisme crânien dû à la décélération rapide au moment de l'impact. Il existe évidemment d'autres risques, comme se fracasser lourdement sur des rochers ou être réduit en miettes sous le poids des remous. On peut bien sûr se noyer ou suffoquer si l'on se retrouve prisonnier du tonneau derrière les chutes. Alors que faire pour survivre ?

Plusieurs théories, dont certaines tiennent du bon sens, préconisent d'avoir un baril solide résistant à l'eau, qui absorbe l'énergie au lieu de vous l'envoyer directement en pleine face. Certains ont utilisé des contenants en forme de boule, d'autres ont protégé leur barrique avec de la mousse. En résumé, il faut retenir quatre idées essentielles de survie, mais je ne suis pas sûr de leur viabilité.

1. Visez un « cône d'eau » : ce « coussin protecteur » est censé se trouver au pied des chutes et il paraît qu'il atténue votre propre chute. Hmmm !

2. Faites du *body surf*. Ça, c'est pour ceux qui désirent s'entraîner avant, sans tonneau. *Rider* sur l'eau comme un surfeur permet de « glisser » le long de la chute plutôt que de tomber tout droit et de s'écraser comme une masse sur la surface de l'eau dure comme de la pierre. Vous me direz comment vous arrivez à vous débrouiller !

3. Rapprochez-vous du bord. L'idée derrière tout ça, c'est que si votre baril remonte en amont, vous accélériez quand vous arrivez près du bord, mais ça rend la manœuvre plus périlleuse. Je n'ai rien trouvé pour étayer cette théorie. Je vous laisse le soin d'essayer.

4. La fortune sourit aux audacieux. C'est, à mon avis, leur meilleur adage. On dit aussi que prier, croiser les doigts et être sympa avec les animaux porte bonheur.

Pour finir, je dois vous signaler que vous rendre aux chutes du Niagara avec l'intention de vous jeter dans le vide risque certes de vous rappeler aux bons soins de notre Créateur, mais c'est surtout illégal. Alors n'allez pas tenter le diable. Comme si c'était dans vos intentions ?

30 Se sortir avec panache d'une bagarre d'ivrognes

Je me souviens d'une virée, un soir, avec des collègues de la fac. Alors que nous étions en train de bavarder, la porte s'est ouverte avec fracas, un colosse chauve, tout en gencives, a fait son apparition. Il a pointé du doigt un nabot qui portait fièrement une araignée tatouée sur le visage et lui a hurlé dessus : « Putain, j'vais t'exploser la gueule ! » « Oh non ! a murmuré un de mes compagnons, je crois bien qu'il a perdu le sens de la mesure. » Mes amis ont alors commencé à disserter sur le sens de la mesure, alors que quatre barmen extra-larges invitaient notre molosse obéissant à débarrasser le plancher.

Si ça avait dû se terminer en vraie bataille rangée, je ne suis pas certain que j'aurais su me défendre ; j'ai donc décidé de prendre les devants et de savoir comment on se sort d'une baston générale.

Tout le monde peut réussir en mordant méchamment une oreille ou en tirant un coup de feu, mais un vrai gentleman se doit de respecter les règles et les bonnes manières. J'ai donc d'abord jeté un coup d'œil aux règles du marquis de Queensberry, qui semblent constituer un excellent guide en matière d'autoprotection chevaleresque. Elles tiennent leur nom de John Douglas, neuvième marquis de Queensberry, un Écossais excentrique qui, dit-on, avait demandé à ses bourreaux de l'enterrer verticalement : ce qu'ils ont fait apparemment, mais pour s'amuser un peu, ils lui ont mis la tête à l'envers. Toutefois, avant de passer l'arme à gauche, il instaura les règles du marquis de Queensberry. Les voici, avec mes propres commentaires entre parenthèses.

Les règles de l'art de la boxe anglaise de Queensberry

1. Les matchs de boxe dignes de ce nom doivent se dérouler sur un ring de 7,32 mètres (24 pieds). *(La plupart des bars ou des pubs sont plus petits que ça. Mais, vous ferez avec !)*
2. On ne doit ni lutter ni s'enlacer. *(En revanche, vous pouvez toujours assommer vos assaillants avec une chaise.)*
3. Les rounds durent trois minutes, avec une minute d'intervalle entre chaque round. *(Cette règle est difficilement applicable.)*
4. Si un homme tombe, soit par faiblesse, soit pour une autre raison, il a dix secondes pour se lever sans assistance. L'adversaire,

pendant ce temps, doit retourner dans son coin. Quand son concurrent se relève, le combat peut reprendre jusqu'à ce que les trois minutes soient épuisées. S'il ne se relève pas au bout de ces dix secondes, l'arbitre a le pouvoir de déclarer l'adversaire vainqueur. *(C'est pas tout à fait ça : si un homme est à terre, vous devez vous empresser de l'achever. Il ferait la même chose si c'était vous.)*

5. Si un homme est acculé à la corde dans un état lamentable, avec les pieds au-dessus du sol, on le considère comme KO *(ou bourré)*.

6. Aucun assistant ni aucune autre personne n'est autorisé à se trouver sur le ring pendant les rounds. *(Toutefois, les petites amies qui hurlent des phrases comme « Arrête, chéri, tu vas l'tuer ! » sont acceptées.)*

7. Si le match est arrêté en raison d'un incident imprévisible *(comme l'arrivée de la police)*, l'arbitre indique le lieu et l'heure d'une prochaine rencontre pour finir le combat le plus tôt possible, afin qu'il puisse y avoir un vainqueur, à moins que les parieurs des deux combattants n'acceptent de partager les enjeux.

8. Les gants doivent être de bonne qualité et neufs. *(Pas de temps à perdre avec des chichis, allez-y les poings nus.)*

9. Si un gant se déchire ou tombe, il doit être remplacé à l'appréciation de l'arbitre. *(Pas dur d'oublier cette règle !)*

10. Un homme sur un genou est considéré comme tombé et s'il est frappé, c'est à lui que reviennent les montants des paris. *(N'importe quoi, allez-y, foutez-lui sur la gueule !)*

11. Les chaussures, les bottes à clous ou autres pointes sont interdites. *(Ce sont les meilleures.)*

12. Toutes les compétitions, à d'autres égards, doivent être modifiées par une société patentée de boxe anglaise. *(C'est cela, oui.)*

Tout compte fait, vous avez plus de chances de vous en sortir si vous vous taillez au plus vite.

31 Comment casser des briques à main nue

Il y a tant de choses dans la vie qui paraissent impossibles à faire, par exemple : obtenir un simple oui ou non de la bouche d'un politicien, ou bien manger des spaghettis bolognaise quand on porte une chemise blanche sans avoir l'air d'une victime d'un attentat à la bombe. La chose qui a l'air, peut-être, la plus difficile à réaliser est celle que les vraies ceintures noires de ce que ma grand-mère appelait les « arts martiaux » arrivent à faire avec des parpaings. À savoir, les exploser d'un simple coup de poing. Leurs os sont-ils vraiment plus solides que le ciment ? La réponse est oui et non, comme je vais vous le démontrer maintenant.

Si vous n'avez jamais assisté à une telle performance, voici un petit rappel. Un certain nombre de briques de béton ou de parpaings – entre un et six, voire plus – sont disposés à plat, les briques étant soutenues de chaque côté par deux gros parpaings. Ensuite, on place un petit bloc rigide pour laisser un espace d'environ 2,5 centimètres entre chaque nouvelle brique.

Puis un gars habillé en costume style karaté s'approche de la pile, prend un air concentré à l'orientale, parfois ça lui arrive de marmonner des trucs bizarres. Après, il fait mine de toucher la pile, une, deux ou trois fois, en faisant un petit geste de karaté (c'est pour trouver la bonne position). À la fin, il soulève le bras et le rabaisse en mouvement saccadé sur la brique du haut. Souvent, il pousse le fameux cri « Kiai ! » (les experts le prononcent « ki-aïe », alors que les collégiens crient généralement « ha-ya ! ») ou tout autre bruit à l'avenant. Ça peut lui arriver de hurler « Aïe ! », ce qui se produit quand le bloc de briques a résisté. Dans ces cas-là, il met son bras sous son aisselle et sautille dans tous les sens, en gémissant : « Ouille, ouille, ouille ! » Après en avoir fait un peu des tonnes, généralement la deuxième tentative est la bonne, toutes les briques se brisent au milieu et s'effondrent les unes sur les autres. C'est sacrément impressionnant.

Mais cet exploit ne repose pas seulement sur l'aspect visuel, sur un mélange de science sonore et un vrai sens de la mise en scène. Dans un premier temps, les « briques » ne sont pas celles que l'on utilise dans le bâtiment. Ce sont des parpaings certes lourds, mais plus friables. Ensuite, il y a des intervalles. Pourquoi laisser des espaces entre les briques ? L'idée est que, si les briques étaient posées les unes sur les autres, elles ne formeraient qu'un seul bloc bien plus épais et plus dense. Les trous permettent de transmettre toute la force du poing sur la première brique, qui se brise et retombe lourdement sur la deuxième, et ainsi de suite, comme une cascade.

Une règle scientifique permet de comprendre que les objets en mouvement ont plus de poids sur des objets stationnaires. C'est pour cela que filer un coup de poing au mec qui vient de traiter votre sœur de vieille vache est plus efficace que de le poser et de le pousser sur sa joue. Ce n'est pas comme ça que vous allez lui briser la mâchoire. Quand un karatéka frappe la plus haute brique, son poing va à une vitesse de 32 km/h, exerçant une force de milliers de newtons. C'est comme si vous lâchiez un homme de trois cent cinq kilos sur les briques. Et en raison de toute la force concentrée au niveau de la main, une zone toute petite, on comprend mieux pourquoi les blocs dégringolent. Vous pouvez vous réjouir de ne pas avoir laissé traîner votre nez sous ce poing.

Or, il est vrai que les os des animaux (et donc des hommes) sont très solides. Comment un éléphant pourrait-il supporter tout son poids si cela n'était pas le cas ? L'os est plus léger et plus flexible que le ciment et peut résister à une pression quarante fois plus élevée. Si les os des pattes d'un éléphant étaient en ciment, celles-ci s'écrouleraient.

De plus, les tissus mous de la main forment une sorte de coussin qui absorbe et redistribue l'énergie du coup. Toutefois, vous devez savoir ce que vous faites, sinon vous risquez de vous blesser. Ce n'est pas ici que vous apprendrez, vous devez rencontrer un vrai expert. Il vous entraînera à bien placer vos coups, vous saurez comment atteindre la vitesse maximale et frapper là où il faut, au milieu de la brique, sur le point le plus fragile.

Tout ça ne casse vraiment pas trois pattes à un canard.

Quelques exercices
musculaires isométriques

32 Edward aux canettes d'argent : un jeu pour les mecs, les vrais

Vous vous souvenez sûrement du film *Edward aux mains d'argent* (1990) avec Johnny Depp. Il jouait un gars qui avait des ciseaux à la place des mains, avec de très longues lames en guise de doigts. Dieu seul sait tout ce qu'il a dû faire pour éviter de se couper en enfilant sa chemise dans son pantalon. Le jeu d'Edward aux canettes d'argent tire son nom de ce film. Les règles sont simples. On peut y jouer à la maison, au bureau ou au bistro. Il me semble aussi, d'après ce que je sais, qu'il est tout à fait convenable de faire une petite partie entre les plats lors d'un banquet chez le Premier ministre.

Équipement
- 2 grosses canettes de bière ou 2 grosses bouteilles de bière
- 1 rouleau de ruban adhésif
- 2 joueurs ou plus qui ont l'âge de boire

Méthode
1. Attrapez une bouteille de bière fraîche fermée dans chaque main.
2. Faites-vous attacher les deux bouteilles sur chaque paume.
3. Demandez à un assistant de retirer les capsules.
4. Quand vous entendez l'ordre « *Legg mi am Åsch !* » (une expression bavaroise qu'on peut à peu près traduire par « Eh ben, c'est sacrément étonnant ! »), buvez les deux bouteilles.
5. Le premier qui a terminé a gagné.

1. Vous ne pouvez pas retirer le Scotch ni les bouteilles avant d'avoir fini de boire.

2. Vous pouvez faire tout ce que vous voulez quand vous jouez, tant que vous gardez les bouteilles attachées. Si vous devez vous brosser les dents ou faire un petit pipi, vous devrez demander l'aide d'une jeune femme.

3. Si vous enlevez le Scotch ou les bouteilles avant la fin, vous avez perdu et vous avez un gage : vous devez finir vos deux bouteilles.

Les bouteilles, tout droit sorties du frigo, sont très froides et lourdes quand elles sont pleines. C'est marrant de voir vos adversaires répondre au téléphone avec les dents ou aider les autres joueurs à allumer leurs cigarettes avec les coudes.

Parmi les variantes aussi délicieuses et ludiques de ce jeu, on trouve Edward Vinmain (ça va de soi) et Edouard Champagnemain (une ceinture noire, celui-là).

33 Comment faire un bonhomme de neige

Mon oncle Bob me posait la même colle à chaque Noël : « Quelle est la différence entre un bonhomme de neige et une bonne femme de neige ? » Avant que j'aie pu répondre, il hurlait : « Les boules de neige ! » Si on en juge par la longueur de la crise de rire qui en résultait, il devait considérer que sa blague était la plus graveleuse de toutes. Il me faut bien l'admettre, c'était le roi du bonhomme de neige, il avait des doigts de fée et me donnait de très bons conseils, du genre : ne jamais manger de neige jaune. Voici la marche à suivre pour réaliser un bonhomme à la Bob.

1. Jetez un coup d'œil par la fenêtre pour vérifier s'il y a assez de neige. Il faut aussi que ce soit de la bonne neige, pas la neige poisseuse qui bloque les chemins de fer l'hiver, mais de la bonne poudreuse.

2. Habillez-vous chaudement.

3. Sortez et retirez immédiatement vos gants. Vous n'arriverez jamais à faire un beau bonhomme si vous gardez vos gants, parce qu'ils absorbent l'eau et qu'ils collent sur le tronc du bonhomme.

4. Commencez par confectionner une grosse boule pour le corps. Allez-y, roulez jeunesse, vous verrez l'inévitable traînée vert et marron derrière vous.

5. Changez souvent de direction pour maintenir une sphère régulière, sinon vous risquez de vous retrouver avec une sorte de saucisse trapue.

6. C'est l'heure d'une rasade de scotch. C'est plus facile si vous avez prévu d'avoir toujours une flasque à portée de main.

7. Au fur et à mesure que le corps du bonhomme devient plus lourd, vous constaterez qu'il accumule aussi beaucoup de boue. Si cela se produit, c'est qu'il est trop gros. Faites bien attention à ce détail et arrêtez dès que ça arrive.

8. Quand le corps est à la bonne taille, roulez-le pour le mettre là où vous avez envie de le placer et façonnez la tête de la même manière. Si votre jardin est très petit, faites en sorte de garder assez de neige pour la tête.

9. Ça ne devrait pas vous prendre trop de temps pour la confectionner, même si vous devez déjà être en train de mourir de froid à l'heure qu'il est. Généralement, on mesure le seuil de la douleur due au froid en plongeant l'avant-bras dans un seau rempli d'eau presque glacée, et *ça fait mal*.

10. Placez la tête sur le tronc. Fixez-la en la remuant bien et en appuyant fort.

11. Vous pouvez utiliser des bouts de bois solides pour les bras ou vous pouvez aussi faire un moulage de vos bras en neige. Le moulage est plus professionnel, mais les bâtons ont le charme désuet de l'amateur.

12. Traditionnellement, on se sert de morceaux de charbon pour les yeux et la bouche. Votre bonhomme doit avoir un beau sourire. Si vous tracez une ligne droite, il ressemblera à un docteur sur le point de vous annoncer que vous avez la maladie de Hansen. La plus grosse pipe de votre vieux papy devrait lui donner un peu plus d'authenticité, c'est comme l'écharpe autour du cou. Les écharpes de club de foot sont longues et colorées. S'il vous plaît, avant de vous servir, demandez la permission, sinon vous risquez de choisir la dernière écharpe en soie à trois cent cinquante euros de votre beau-frère. C'est pas bon, ça !

13. Le seul nez qui vaille, c'est la bonne vieille carotte. Placez la partie la plus fine à l'extrémité. Pensez-vous que les bonshommes de neige sont hantés par l'odeur de la carotte ?

14. Les hauts-de-forme sont sympa si vous avez des goûts de luxe, sinon un bon vieux bonnet à pompon devrait faire l'affaire (à placer sur la tête du bonhomme et non la vôtre).

15. Une rangée verticale de charbon pour les boutons créera son petit effet pour le manteau.

16. Ça y est, c'est fini. Reculez et admirez votre œuvre. C'est l'heure d'une autre bonne rasade. Vous pouvez attendre la tombée de la nuit pour que vous et votre bonhomme puissiez vous envoler dans les cieux étoilés.

Les voitures

34 L'histoire de la Mini

Récemment, je devais me rendre dans un petit village anglais, Bucklers Hard, dans le parc national de New Forest ; j'ai donc tapé « *Bucklers Hard on Beaulieu river* » sur Google. En voyant des photos plutôt inattendues, mon sang n'a fait qu'un tour. Bucklers Hard est un hameau situé sur les rives d'une rivière qui accueillait, jadis, des chantiers navals. On y a construit le navire de Lord Nelson, *Agamemnon*, et si vous vous demandez pourquoi cette région n'est plus qu'une plaine broutée par les moutons, c'est parce que tous les arbres ont été abattus pour la construction des bateaux. Le National Motor Museum, qui se trouve à côté, est dirigé par Edward John Barrington Douglas-Scott-Montagu, troisième baron Montagu de Beaulieu (il doit ce titre de directeur en hommage à son père, qui fut le premier à faire pénétrer une automobile dans la cour du Parlement britannique). Lord Montagu est un personnage assez particulier qui, pendant sa vie, comment dire, a essayé d'« emprunter les chemins de traverse ». Il a écrit une autobiographie passionnante, *Wheels within Wheels*, qui me mène tout droit, sur des routes pittoresques, vers l'histoire de la Mini.

On peut dire que Gamal Abdel Nasser est à l'origine du développement de la Mini. En effet, à la suite de la crise du canal de Suez en 1955, l'essence est rationnée en Grande-Bretagne et les ventes de voitures chutent. À cela s'ajoute l'invasion de « bubble cars » allemands sur les routes britanniques. On raconte que Leonard Lord, le grand manitou de la British Motor Corporation (BMC), a déclaré avec beaucoup de délicatesse : « Nom de Dieu, il y en a assez de ces *bubble cars*. Ils doivent disparaître de la circulation et on doit les remplacer par de vraies voitures miniatures. » Ainsi soit-il.

La tâche revient à Alec Issigonis, le « Dieu grec ». Lord lui impose des dimensions maximales qu'il doit respecter pour sa nouvelle deux-portes : une boîte de 3 x 1,20 x 1,20 m. De plus, sur les 3 mètres de long du véhicule, l'habitacle doit mesurer 1,80 m et 80 % de l'espace disponible doit être conçu pour les passagers et leurs bagages.

En octobre 1957, Issigonis et sa petite équipe ont déjà élaboré et construit le prototype. Ils ont réussi à gagner de la place en développant un système de propulsion avant, en mettant les roues sur le côté et en remplaçant les suspensions à ressort par des cônes en caoutchouc. Toutes ces nouveautés font le succès de la Mini, si maniable malgré son effet « tape-cul » légendaire. La Mini a déjà un moteur quatre cylindres de BMC, mais Issigonis le monte en diagonale et place le radiateur sur le côté gauche. Malheureusement, effet pervers de ce système, et tout propriétaire d'une Mini de collection, comme moi, vous le dira (jusqu'à ce que vous ayez envie de lui tordre le cou pour qu'il se taise) : l'eau de pluie pénètre à travers la grille et endommage l'allumage. L'équipe invente de nouvelles roues de 254 millimètres et oblige Dunlop à créer de nouveaux pneus.

Elle essaye de gagner de la place partout. Grâce aux fenêtres qui s'abaissent, Issigonis peut dessiner des poches dans les portes pour ranger facilement une bouteille de gin. Quelle bonne idée ! Pour augmenter la capacité de rangement dans le coffre minuscule, les ingénieurs accrochent les portes sur des gonds afin de pouvoir les laisser ouvertes à l'arrière.

De 1957 à l'an 2000, BMC a produit différents modèles de Mini, y compris un van, une voiture de course très performante et un pick-up. Elle évince rapidement les *bubble cars* et devient aussi populaire que la voiture du peuple voulue par Hitler, la Coccinelle de chez Volkswagen. Comme sa consœur germanique, son design utilitaire fait tout son charme et elle se transforme rapidement en accessoire de mode. Elle joue même dans le film *L'Or se barre* (1969), où un tas de voitures descendent des marches en Italie, passent dans des canalisations pour finir dans un bus. Parmi les propriétaires de Mini célèbres figurent Peter Sellers, Ringo Starr, George Harrison ou Marianne Faithfull.

En trente ans, la Mini est devenue très populaire dans les rues des villes japonaises. Son génial créateur, Sir Alec Issigonis, est décédé en 1988. Aujourd'hui, BMW vend une prétendue Mini, dont le moteur n'a plus grand-chose à voir avec l'original. Pourtant, dans sa ligne, elle garde un petit quelque chose de la pugnacité de son ancêtre.

35 Victimes célèbres d'accidents de la route

En 2010, la France comptait 3 994 personnes tuées sur les routes. Malgré un taux de mortalité en nette régression ces dernières années, la route tue toujours. Voici une liste de personnes célèbres mortes au volant de leur bolide :

- *Marc Bolan (1947-1977)* : de son vrai nom Mark Feld, cette star du rock anglaise est morte le 16 septembre 1977 quand Gloria Jones, qui la conduisait dans une Mini violette, a heurté un arbre dans une rue de Londres. Il n'avait pas mis sa ceinture de sécurité.

- *Albert Camus (1913-1960)* : prix Nobel de littérature, le romancier et philosophe né à Alger est mort le 4 janvier 1960 dans un accident de voiture à Villeblevin. Il avait initialement l'intention de voyager en train ; on a retrouvé son billet dans une de ses poches.

- *James Dean (1931-1955)* : l'acteur James Byron Dean est décédé le 30 septembre 1955 à bord de sa Porsche 550 Spyder. Il conduisait en compagnie de son mécanicien Rolf Wütherich au moment où il percuta un coupé Ford Custom Tudor 1950. D'après la légende, ses derniers mots furent : « Ce mec va s'arrêter. Il va nous voir. » Wütherich est mort dans un autre accident de la circulation vingt-six ans plus tard, en 1981, après plusieurs tentatives de suicide.

- *La princesse Diana (1961-1997)* : Diana Frances née Spencer, princesse de Galles, est morte dans une course poursuite tristement célèbre sous le tunnel du pont de l'Alma, à Paris, le 31 août

1997. En voiture avec Dodi Al-Fayed, leur garde du corps et leur chauffeur Henri Paul, elle fuit les paparazzi quand survient le terrible accident. Ils sont tous décédés excepté le garde du corps. Elle ne portait pas de ceinture de sécurité.

- *Isadora Duncan (1877-1927)* : la danseuse américaine a succombé à un étrange accident à Nice le 14 septembre 1927. Elle se promenait dans une décapotable lorsque, soudain, son long foulard de soie s'est enroulé dans les rayons de la roue et d'un essieu, l'éjectant de son véhicule. Il existe deux explications de l'accident : elle serait morte de sa chute sur le bitume, ou étranglée par son écharpe, qui l'aurait presque décapitée en s'enroulant autour de son cou.

- *La princesse Grace de Monaco (1929-1982)* : la superbe actrice américaine Grace Kelly, épouse du prince de Monaco, aurait eu une crise cardiaque au volant le 13 septembre 1982, alors qu'elle descendait les routes sinueuses de la principauté avec sa fille. Elle est décédée le lendemain.

- *Jayne Mansfield (1933-1967)* : le 29 juin 1967 vers 2 h 30, la voiture dans laquelle se trouvait la blonde atomique s'enfonça sous un camion qui aspergeait de l'antimoustique à Biloxi, dans le Mississippi. Les trois adultes qui étaient assis à l'avant, y compris Mansfield, furent tués sur le coup. Ses trois enfants qui dormaient à l'arrière en sortirent indemnes.

- *T.E. Lawrence (1888-1935)* : le lieutenant-colonel Thomas Edward Lawrence, officier de l'armée britannique et écrivain, fut immortalisé dans un film sous les traits de Lawrence d'Arabie. À 46 ans, alors qu'il venait de quitter l'armée, Lawrence fit un vol plané au-dessus du guidon de sa moto, près de son cottage dans le Dorset. Il succomba six jours plus tard.

- *Desmond Llewelyn (1914-1999)* : cet acteur gallois interpréta Q dans la plupart des James Bond. Le 19 décembre 1999, Llewelyn percuta un autre véhicule dans sa Renault Mégane (une voiture peu bondienne) sur la route A27, près du village de Berwick en Angleterre. Il avait 85 ans.

- *Linda Lovelace (1949-2002)* : Linda Susan Boreman était une actrice de films X qui, sous le pseudonyme de Linda Lovelace, a développé l'art du maniement buccal de la saucisse dans un film intitulé *Gorge profonde* en 1972. Le 3 avril 2002, elle eut un terrible accident de voiture, au point de se retrouver sous assistance respiratoire. Elle succomba à ses blessures peu après. Elle avait 53 ans.
- *Jackson Pollock (1912-1956)* : le 11 août 1956, ce peintre expressionniste abstrait et alcoolique est mort au volant de sa décapotable. Il était seul et, comme à son habitude, complètement fait.

36 Comment laver sa voiture : trois méthodes

Un ami qui habite à Calais m'a affirmé que les mouettes survolent les docks louches pour se nourrir exclusivement de restes de hamburger, de frites et s'abreuver de bière chaude. À la nuit tombée, elles s'enfilent des fonds de bouteille sur les quais abandonnés par les fêtards. Ce régime a transformé ces oiseaux tapageurs en monstres de la taille d'un aigle et est à l'origine de déjections puantes et infectes. Leur guano est aussi puissant et corrosif que du plutonium. Mon ami m'a confié que le soir, elles passent au-dessus de sa maison, en bandes. Elles puent l'alcool et s'amusent à lâcher des bombes de merde empoisonnée sur sa voiture. D'après lui, si on ne nettoie pas tout de suite, la peinture s'écaille aussi vite.

Heureusement, nettoyer sa voiture n'est généralement pas aussi pénible et il n'est pas nécessaire de le faire dans une telle urgence. J'ai décidé de vous présenter trois méthodes différentes que j'ai pu observer avec le temps.

La banlieusarde

Cette méthode requiert un seau plutôt qu'un arrosoir. Elle nécessite des quantités d'eau astronomiques et une sacrée dose de liquide vaisselle. Traditionnellement, ça se passe le dimanche matin et c'est une jeune femme en short, avec des bottes de cow-boy en croco et un petit chapeau de paille, qui se met à la tâche. Au fur et à mesure qu'elle astique la voiture, son tee-shirt est de plus en plus mouillé. Pour cette technique, la jeune femme se sert d'une grosse éponge jaune gorgée d'eau du robinet et de savon qui mousse qu'elle applique en faisant le tour de la Ford Fiesta de son mec. Elle se contorsionne dans tous les sens sur la carrosserie encore chaude et s'active sur le pare-brise sous un soleil de plomb. Généralement, elle se penche et s'étale autant que possible sur le capot. Un travail de pro qu'on ne peut qu'admirer.

La HLM

Ici, on passe l'aspirateur avant de pouvoir vraiment laver sa voiture correctement. Pour cela, on a besoin d'une rallonge d'au moins cinq mètres de long qui descend de l'appartement du premier étage. Une fois les papiers de bonbon et les moutons de laine aspirés entre les sièges, on peut se mettre à laver. Il arrive que l'adepte de la technique HLM doive rabattre ses cheveux épars, qu'il plaque généralement sur son crâne dégarni. Sa chevelure au vent ressemble alors davantage à un ignoble oriflamme qu'aux jolies flammèches des cheminées au gaz. On se sert beaucoup de la peau de chamois dans ce genre d'exercices et on veille à protéger ses chaussures. On peut porter des gants Mapa roses et parfois un petit tablier. Le rinçage se fait en trois étapes et le séchage intensif s'effectue à l'aide d'un chiffon propre. Les véhicules en question vont de la 4L au scooter électrique pour handicapé. C'est aussi à ce moment-là que l'heureux propriétaire remplace son désodorisant auto en forme de sapin. Ensuite, l'homme se désaltère généralement en savourant un petit verre de porto ou un panaché bien blanc,

puis il se met à table devant un bon rôti de porc préparé amoureuse-
ment par sa femme chérie et dit : « Mmm ! C'est fin, ça se mange sans
faim. »

La quartier-chic

Une domestique polonaise, lituanienne ou philippine se rend au troisième sous-sol du garage pour annoncer au gardien qui joue aux
cartes que la Rolls-Royce noire de Monsieur ou la Porsche rouge de
Madame nécessite un nettoyage immédiat. Le gars va alors trouver un
autre gars du côté de La Défense qui ordonne à son assistant de passer l'aspirateur, de laver et sécher l'automobile pour qu'elle soit nickel
chrome. Il faut au moins trois mecs avec la clope au bec et des raclettes
à la main pour passer le tuyau. La voiture étincelante rentre au ber-
cail après être passée entre les mains de plusieurs intermédiaires.
À chaque étape, ils se seront tous bien rincés au point que le prix fara-
mineux de ce lavage de luxe aurait pu permettre de nourrir tout un
village africain pendant deux jours.

Les deux-roues

37 L'histoire de la Vespa

Après la Seconde Guerre mondiale, Enrico Piaggio, un industriel en aéronautique italien, décida d'arrêter la construction d'avions pour se consacrer à une nouvelle sorte de deux-roues motorisés destinés aux routes italiennes défoncées. Son idée lui vint de ce qu'il avait vu pendant la guerre : les militaires américains arrivaient à se faufiler, sur leur scooter Cushman, entre les cratères crevant les routes transalpines.

Au même moment, le général Corradino D'Ascanio, un ingénieur qui concevait des hélicoptères et qui avait déjà créé un tel scooter, offrit ses services au rival de Piaggio, Ferdinando Innocenti. Il souhaitait un deux-roues simple, bon marché et suffisamment solide pour supporter le poids d'un passager. Il devait s'adresser aussi bien aux hommes qu'aux femmes et leur permettre de se déplacer sur les chemins explosés sans se salir. D'Ascanio dessina un deux-roues avec un moteur flanqué sur la roue arrière. Il plaça les commandes sur le guidon ainsi qu'un pare-brise pour protéger le conducteur du vent et de la pluie. Comme sur un vélo de femme, l'espace pour les jambes devait faciliter la manœuvre et permettre aux hommes et aux élégantes en robe ou en jupe de chevaucher l'engin sans perdre la face. Les suspensions arrière rigides et les roues de deux cents millimètres ajoutèrent davantage de nerf au bolide et donnèrent plus de place pour laisser passer de grosses jambes. Plus important encore, D'Ascanio se débarrassa de la chaîne graisseuse des motos en construisant un système interne de transmission à engrenages. Adieu graisse et gadoue !

Mais bien sûr, D'Ascanio et Innocenti se fâchèrent (ils étaient italiens, ne l'oubliez pas !). D'Ascanio se rendit donc chez Enrico Piaggio avec ses jolis dessins sous le bras et frappa à sa porte. Il l'invita à entrer et lui proposa un plat de pâtes (je suppose) ainsi qu'un boulot pour produire son nouvel engin. Entre-temps, Innocenti retroussa ses manches et commença à imaginer un scooter concurrent qu'il baptisa Lambretta.

La Vespa, nom donné au scooter de D'Ascanio, sortit en 1946. Le premier scooter avait des caractéristiques aérodynamiques particulières, avec une coque protégeant la chaîne et le moteur pour éviter les éclaboussures de graisse et de boue, un plateau-reposoir pour abriter les jambes et un carénage vertical (le pare-brise). Le moteur émettait un sifflement aigu particulier et, quand Enrico Piaggio l'entendit pour la première fois, il lança : « *Sembra una vespa !* » (C'est comme une guêpe !) Ça y ressemblait un peu d'ailleurs. C'est ainsi qu'il reçut son nom de baptême.

Tout comme la Mini en Grande-Bretagne, la Vespa connut un rapide succès à travers toute l'Italie. Preuve ultime que le placement de produits dans les films est un procédé efficace : plus de cent mille Vespa sortirent des usines après le succès de *Vacances romaines* de William Wyler en 1952, où Audrey Hepburn enlaçait Gregory Peck pendant leur traversée des rues de la Ville Éternelle. Au volant d'une Vespa, Marlon Brando et Dean Martin garantirent son succès. Avant de pouvoir parler de casque intégral, le deux-roues utilitaire était devenu l'accessoire incontournable où poser son fessier.

En moins de deux ans, la Vespa avait envahi les routes d'Europe. À l'extérieur du vieux continent, le marché fut variable. Aux États-Unis, elle avait ses fans clubs qui appréciaient surtout les modèles les plus design. En Asie, le marché se développa avec frénésie. Les Allemands et les Espagnols l'apprécièrent mais n'étaient pas aussi fervents que les Français et les Britanniques.

Au début des années 1960, âge d'or de la subculture des mods et des rockers, en Grande-Bretagne, les mods adoptèrent rapidement la Vespa. Elle était plus propre et protégeait de la pluie leurs beaux costumes davantage que les grosses motos chevauchées par les rockers en combinaisons de cuir huilé. En peu de temps, on vit s'organiser de grands rallyes et le Royaume-Uni devint le deuxième marché après l'Italie. Pendant une courte période, on vendit plus de Vespa sur l'île que dans leur pays d'origine. Peu impressionnés, les rockers continuèrent à dénigrer les Vespa, considérant leurs conducteurs comme des dégénérés et des tapettes.

Avec le temps, le succès de la Vespa déclina comme un bidon d'essence vide. Dans les années 1970, les gens, gagnant de mieux en mieux leur vie, avaient envie d'investir dans de petites voitures. La popularité de la Vespa se ratatina. Comme dans tous les autres secteurs de l'industrie automobile, les fabricants de Vespa connurent des hauts et des bas : changement de propriétaire, compétition internationale, modernisation du design original. Pour répondre aux exigences croissantes des réglementations environnementales, ils durent même imaginer des scooters hybrides.

Néanmoins, en 1996, lors du cinquantième anniversaire du constructeur, on comptabilisa plus de quinze millions de petites guêpes vendues à travers le monde, faisant de la Vespa le scooter le plus convoité de tous les temps.

Vroooouuuuuuuuuuuuuuuummmmmmmmmmmmmmmmmmm mmmmmmmmmmmmmmmmmmmm !

38 De la draisienne au Stumpjumper : deux cents ans d'histoire de la bicyclette

« – Quand avez-vous remarqué que vous aviez la diarrhée ? demanda le docteur à un patient.

– Quand j'ai retiré mes serre-pantalons. »

Cette blague est aussi éculée que les serre-pantalons que l'on met pour éviter de se salir à vélo. Il est vrai que peu de choses ont évolué dans le monde de la petite reine. Je suis allé chez un marchand de vélos

111

récemment pour lui demander quelques conseils et je suis ressorti avec un modèle hollandais conçu en 1926 qui n'a pas changé depuis. Ça m'a fait penser à l'histoire de la bicyclette, qui est particulièrement fascinante.

Thomas Gray (1716-1771) a écrit son *Élégie écrite dans un cimetière de campagne* parmi les tombes du cimetière de l'église Saint-Giles à Stoke Poges. Or, cette église possède un vitrail du XVIIe siècle qui comprend la première représentation d'une vraie bicyclette en état de marche. Le vitrail montre une forme nue soufflant dans une trompette juchée sur une chose (visiblement) en bois avec deux roues, mais sans pédales.

Cependant, on estime que le premier vélo digne de ce nom est l'œuvre du baron allemand Karl Drais, un officier du grand duc de Bade. Drais dépose le brevet de sa *Laufmaschine* (machine à courir) en 1818. Elle est censée lui permettre de se déplacer plus rapidement dans les jardins du château royal. En français, cet engin s'appelle la draisienne, mais il est d'abord commercialisé sous le nom de vélocipède. On le surnomme aussi biciped ou trottinette. Cette machine en

bois possède une roue avant gouvernable ; on la fait avancer en poussant par terre avec les pieds.

En 1839, un maréchal-ferrant écossais, Kirkpatrick MacMillan, aurait construit la première bicyclette propulsée par un mécanisme et on suppose qu'il a inventé une roue arrière montée sur des pédales reliées à un pédalier arrière, un peu comme pour les trains. Toutefois, la première bicyclette commercialisée est française.

Développée dans les années 1863-1864, elle est beaucoup plus simple que la MacMillan et utilise un pédalier qui tourne ; les pédales sont montées sur le moyeu de la roue avant, que l'on peut gouverner. Bien qu'on sache produire cette bicyclette munie d'un cadre en fer forgé en masse, la vitesse de rotation du guidon est limitée et le pédalage n'est guère facile. On reprend le nom de vélocipède (pieds rapides), mais en raison de ses roues en métal et des pavés, on peut penser que c'était plutôt un tape-cul. Malgré tout, l'engin a un succès fou.

La vitesse de rotation peu véloce de la roue avant pose de tels problèmes que l'on développe dans les années 1870 une bicyclette haute, le grand-bi ou penny farthing, surnommée ainsi en raison de la taille des roues, qui évoquent une petite et une grande pièces de monnaie britannique. En France, Eugène Meyer invente, en 1869, une roue à rayons et se met à produire les deux roues de la penny farthing. Elle a du style, mais reste très dangereuse, et les cyclistes ont tendance à se casser les poignets et la tête. L'Anglais James Starley (1830-1881) améliore considérablement le design de la bicyclette dans les années qui suivent en réintroduisant des roues de taille identique et en apportant d'autres changements significatifs. Il devient le père de l'industrie du vélo en Grande-Bretagne.

Le développement de ce qu'on appelle la bicyclette de sécurité permet de faire un pas de géant, ou plutôt un sacré coup de pédales, transformant cette nouveauté dangereuse en un moyen de locomotion pratique. John Kemp Starley, le neveu de James, produit et vend ses premiers engins en 1885 ; c'est un vrai succès commercial. Les roues ont la même taille et disposent d'une chaîne pour les actionner. Un système de roulement mécanique, des pneumatiques résistants et un cadre évidé permettent de réduire le poids de la machine et d'améliorer son confort. Même la reine Victoria possède une bicyclette Starley.

C'est un vétérinaire irlandais, John Dunlop, qui invente en 1888 le pneumatique qui permet d'apporter encore plus de confort. Dès 1890, les bicyclettes de sécurité remplacent totalement le grand-bi. Grâce à son efficacité, le cadre formé de deux triangles devient la norme. La bourgeoisie, hommes et femmes, adopte rapidement la bicyclette avec ferveur.

Les Français développent le système du dérailleur (qui permet de faire passer la chaîne dans les crans) dans les années 1910. Après une chute de la production pendant la Première Guerre mondiale, on commence à fabriquer des vélos pour enfants. Aujourd'hui, ce secteur représente toujours une part significative de ce marché.

À partir des années 1950, on peut trouver deux types de vélos. D'abord, les gros avec une seule vitesse, des pneus larges et un système de rétropédalage pour freiner. Ensuite, des versions plus légères avec des freins à main, des pneus plus fins, trois plateaux pour les vitesses, une dynamo pour la lumière, des réflecteurs, une béquille et une pompe sur le cadre du vélo. Du matériel de pro !

Au début des années 1980, Itera, une entreprise suédoise, invente un nouveau type de vélo entièrement fabriqué en plastique. C'est un échec commercial cuisant. Ça avait l'air plutôt bien sur le papier, mais concrètement, imaginez toutes les usines qui auraient dû se mettre à la page. Ça coûte cher, parfois, les innovations.

De nos jours, chacun peut trouver son bonheur : de la bicyclette de grand-mère aux VTT les plus perfectionnés avec des cadres en aluminium ou en carbone, en passant par les vélo suréquipés des champions olympiques gonflés à l'hélium et aux roues en forme de soucoupe volante. On voit sur toutes les routes de France et de Navarre des vélos de course, des VTT, des vélos avec des side-cars (pour la sieste des enfants) et même des vélos couchés. Les gens se déplacent de plus en plus à bicyclette et on croise dans les trains de banlieue des vélos pliés ou des vélos à moteur. Les ados qui aiment faire la course dans la gadoue et se salir peuvent toujours grimper sur des vélos de motocross. Et on sait tous que Noël Mamère ne jure que par la petite reine.

Pendant les années 1970, faire du vélo hors des sentiers battus est devenu un loisir très apprécié et à partir de 1981, on a commencé à produire des vélos tout-terrain à grande échelle. Le succès est immédiat. Les VTT ont un cadre plus robuste que les vélos classiques, leurs roues crantées offrent une meilleure traction et plus de confort ; la position du corps est plus pratique (on n'est pas couché comme sur un vélo de course), avec des suspensions avant et arrière et un rangement pour la bouteille d'eau (c'est ça, pour une bouteille d'eau !). Aujourd'hui, il se vend plus de VTT que tous les autres modèles de vélo réunis. Le Stumpjumper est le leader de ce nouveau type de vélos cross.

Le vélo a parcouru de longs chemins et le choix peut vous paraître trop vaste, mais savez-vous où on peut acheter des serre-pantalons de grand-père ? Répondez seulement par carte postale, s'il vous plaît !

39 Réparer un pneu : la méthode de la petite cuillère

Alors que j'étais au supermarché devant le rayon des shampoings, je suis resté perplexe devant ces rangées de bouteilles. Il était vraiment trop difficile de choisir ! C'était à la limite du ridicule : je reste persuadé qu'ils ont tous les mêmes effets. On trouve des recommandations identiques sur le dos des flacons : « Rincez et répétez l'opération. » (J'ai juste l'impression que c'est pour vous faire utiliser deux fois plus de produit qu'il n'en faut vraiment.)

Et ça ne se limite pas aux shampoings, on doit faire des choix en toute circonstance. J'ai d'ailleurs remarqué qu'il existe plus de sortes de préservatifs dans les supermarchés que vous ne pourrez jamais en acheter. Avant, on achetait ce genre de choses discrètement, à la pharmacie, et le pharmacien vous demandait tout aussi discrètement si vous n'aviez besoin de rien d'autre pour le week-end. Maintenant, on trouve des paquets de toutes les couleurs qui s'étalent sur des rangées incroyablement longues. De temps en temps, vous pouvez lire un petit panneau vantant les mérites de ces petites choses. C'est carrément une honte ! D'un autre côté, les scouts ont raison, il faut sortir couvert…

Le cycliste consciencieux sort toujours couvert. Dans sa sacoche, il a toujours des vêtements pour se protéger de la pluie, une clé à écrous, des cartes, un paquet de fruits secs et (c'est le plus important) un kit de réparation pour sa chambre à air. Mais alors, que fait le cycliste imprudent ? Celui qui n'a pas pensé à se munir de Rustines ? Qu'est-ce qu'il va devenir quand il va se retrouver avec un pneu crevé au milieu de la côte du mont Ventoux ? Voici la réponse.

Matériel

- une clé à écrous
- 1 kit anticrevaison
- 2 cuillères à café

Méthode

1. Descendez de votre vélo et arrêtez de râler. Retournez-le en mettant la selle sur le sol et agenouillez-vous. Dévissez les écrous avec votre clé, toujours fidèle au poste.

2. Poussez la chaîne et faites tourner le pédalier avec l'autre main. Faites sauter la chaîne du dérailleur et ramenez la roue vers vous.

3. Retirez la chaîne de l'engrenage. C'est pénible, non ?

4. Insérez le manche des cuillères entre la roue et le pneu, en formant un angle de 30°. Bien sûr, vous trouverez facilement des cuillères dans les parages, pensez aux terrasses des cafés. Ne faites pas ce qu'un de mes amis a tenté de faire avec des cuillères à salade en bois. Ça ne marche pas et vous aurez l'air ridicule.

5. Tirez le pneu. Déplacez le manche des cuillères tout le long de la jante pour le dégager. Faites attention à ne pas « pincer » la chambre à air. Vous risqueriez de la trouer à nouveau.

6. Maintenant, enfoncez la valve dans le pneu et enlevez la chambre à air. Vérifiez bien qu'il n'y a ni clous, ni punaises, ni bouts de

verre, ni kamikazes qui pensent que la guerre n'est pas terminée, etc.

7. Réparez le trou en suivant les instructions sur la boîte de rustines.

8. Attendez que ça prenne. Il est maintenant grand temps de décapsuler une bonne bière, d'écouter les oiseaux chanter dans les arbres et de déguster un sandwich. S'il pleut des cordes ou si vous sentez la bouse de vache à cent mètres, eh bien il faudra faire avec.

9. Replacez la chambre à air. Il est important de bien aligner la valve avec le trou dans lequel il faut la faire glisser avant de remettre la chambre à air dans le pneu. Sinon, on va encore vous entendre jurer comme un charretier.

10. Repositionner le pneu est la partie la plus délicate de l'opération. Faites un cercle avec le pneu, faites tourner vos pouces vers l'extérieur tout en le pressant sur la jante. Si c'est difficile, et ça l'est toujours, servez-vous des cuillères comme levier. Le pire est passé.

11. Replacez la chaîne sur le dérailleur et remettez la roue à sa place.

12. Mettez la chaîne sur le pignon d'engrenage et faites tourner le pédalier avec l'autre main. Il existe un petit truc pour réussir cette mission. Entraînez-vous à la lumière du jour, quand il fait beau, comme ça vous serez prêt par temps de blizzard, en pleine nuit.

13. Quand la chaîne est bien à sa place, tirez la roue vers l'arrière et resserrez les boulons. Si la chaîne est bien tendue, elle ne devrait pas dérailler et face à la côte, vous pourrez vous dire : « Allez, vas-y Poupou ! »

Sinon, déplacez-vous en voiture !

ARTS ET LITTÉRATURE

Lettres de noblesse

40 Les meilleurs titres de livres

Le titre d'un livre n'influence pas forcément les ventes d'un best-seller. Prenez l'exemple de *l'Almanach Vermot*. Cependant, il faut admettre qu'un titre alléchant peut intriguer les lecteurs. Je me souviens d'une pub pour un bouquin intitulé *Tu seras un homme riche, mon fils,* de Marc Fiorentino. Je suis certain que celui-là a fait un tabac, même s'il est un peu sexiste. Voici les titres de quelques ouvrages dont la qualité littéraire est indiscutable. Ils sont tous vrais.

Traité sur le véritable siège de la morve des chevaux et les moyens d'y remédier

Omniama ou extrait des archives des gobe-mouches

Dictionnaire des mots qu'il y a que moi qui les connais

Le Livre du caca

Et le singe devint con

Le Goût des femmes laides

Dictionnaire des injures précédé d'un petit traité d'injurologie

21 Recettes pratiques de mort violente : petit manuel du parfait suicide

Valsez saucisses

Réflexions sur la fermentation et la nature du feu

Dictionnaire des Ponts et Chaussées

Dix Manières dans l'art de considérer la vache

Guide pratique de l'éducation lucrative des poules ou traité raisonné de gallinoculture

Les Cons : comment les repérer

Lettre à mon chien

Essai sur les feux d'artifice pour le spectacle et pour la guerre

Faux Animaux, escroqueries et mystifications

41 Le nanar qui devint un best-seller

En 1969, Mike McGrady, un journaliste de *Newsday*, dégoûté par le succès des navets écrits vite fait bien fait, décide de dénoncer ces supercheries afin de faire réfléchir les lecteurs.

Pour ce faire, McGrady concocte un plan cynique. Il invite vingt-quatre collaborateurs qui doivent tous rédiger un chapitre calibré obéissant à ces quelques règles :

1. Tout ce qu'ils écrivent doit manquer sincèrement de style, mais les allusions sexuelles doivent être nombreuses.
2. La prose tarabiscotée doit déborder de clichés et l'intrigue doit être tellement alambiquée que le tout aura l'air d'un chaos complètement désorganisé.
3. Tous les personnages doivent être totalement dénués d'intérêt. Leurs pratiques sexuelles doivent être d'un ennui mortel.

Planqué sous le nom de plume très sexy de Penelope Ashe, McGrady donne un titre très prétentieux à son livre : *Naked Came the Stranger* (un étranger s'est présenté nu). En gros, l'intrigue se concentre sur la vie d'une femme de banlieue chic, Gillian Blake, qui se venge des infidélités de son mari en couchant avec tout ce qui bouge à Long Island. Évidemment, le roman regorge de descriptions des parties de jambes en l'air de la dame. Elle réussit même à « soigner » un homosexuel de ses penchants grâce à un harcèlement mammaire constant.

La relecture est longue, car les brouillons des auteurs sont remplis d'effets de style. Les pauvres, ils ne peuvent pas s'empêcher de faire de belles phrases. McGrady pense que ce roman inconsistant, ennuyeux, accablant sera tellement rédhibitoire que les lecteurs arrêteront d'acheter de tels rebuts. Il a tort. Le livre avec sa couverture criarde devient un best-seller.

Après avoir publié pendant des années des ouvrages de qualité passés à la trappe, les auteurs de ce livre surprenant se retrouvent les poches pleines pour un nanar. Comme cette situation commence à les gêner, ils décident d'agir et de lâcher quelques confidences aux journaux sur la genèse du roman. Mais, au lieu de faire chuter les ventes du roman, cette histoire lui fait une telle publicité que le navet se retrouve en haut de la liste des best-sellers du *New York Times*. Mais ce n'est pas le pire !

Profitant du succès de *Naked Came the Stranger,* des éditeurs peu scrupuleux, une des cibles du pauvre McGrady, s'emparent de la recette et font paraître une suite du même acabit.

Bien sûr, une adaptation sort au cinéma en 1975.

42 Le *Jabberwocky* en français

Écrit en 1871, *De l'autre côté du miroir*, le roman de Lewis Carroll, comprend le poème le plus célèbre du non-sens : le *Jabberwocky*. Le voici traduit par Henri Parisot (1946).

'Twas brillig, and the slithy toves
Did gyre and gimble in the wabe:
All mimsy were the borogroves,
And the mome raths outgrabe.

Il était grilheure ; les slictueux toves
Gyraient sur l'alloinde et vriblaient :
Tout flivoreux allaient les borogoves ;
Les verchons fourgus bourniflaient.

"Beware the Jabberwock, my son!
The jaws that bite, the claws that catch!
Beware the Jubjub bird, and shun
The frumious Bandersnatch!"

« Prends garde au Jabberwock,
mon fils !
À sa gueule qui mord, à ses griffes
qui happent !
Gare à l'oiseau Jubjube, et laisse
En paix le frumieux
Bandersnatch ! »

He took his vorpal sword in hand:
Long time the manxsome foe he sought –

Le jeune homme, ayant pris sa
vorpaline épée,
Cherchait longtemps l'ennemi
manziquais...

So rested he by the Tumtum tree
And stood awhile in thought.

Puis, arrivé près de l'arbre Tépé,
Pour réfléchir un instant s'arrêtait.

And, as in uffish thought he stood,
The Jabberwock, with eyes of flame,
Came whiffling through the tulgey wood,
And burbled as it came!

Or, comme il ruminait de suffêches pensées,
Le Jabberwock, l'œil flamboyant,
Ruginiflant par le bois touffeté,
Arrivait en barigoulant.

One, two! One, two! And through and through
The vorpal blade went snicker-snack!
He left it dead, and with its head
He went gallumphing back.

Une, deux ! Une, deux ! D'outre en outre !
Le glaive vorpalin virevolte, flac-vlan !
Il terrasse le monstre, et, brandissant sa tête,
Il s'en retourne galomphant.

"And hast thou slain the Jabberwock?
Come to my arms, my beamish boy!
Oh frabjous day! Callooh! Callay!"
He chortled in his joy.

« Tu as donc tué le Jabberwock !
Dans mes bras, mon fils rayonnois !
Ô jour frabieux ! Callouh ! Callock ! »
Le vieux glouffait de joie.

'Twas brillig, and the slithy toves
Did gyre and gimble in the wabe:
All mimsy were the borogroves,
And the mome raths outgrabe.

Il était grilheure ; les slictueux toves
Gyraient sur l'alloinde et vriblaient :
Tout flivoreux allaient les borogoves ;
Les verchons fourgus bourniflaient.

43 Le meilleur du *Dictionnaire du Diable* d'Ambrose Bierce

Ambrose Bierce (1842-v. 1914) était un écrivain et journaliste satirique américain. Il a écrit *Le Dictionnaire du Diable*, dont il a publié plusieurs extraits dans différents journaux pendant plusieurs années. La première version éditée sous forme de livre date de 1911.

Les définitions de Bierce ne manquent ni d'esprit ni de piquant ; elles n'ont rien perdu de leur humour car elles sont toujours d'actualité.

En 1913, à plus de 70 ans, il accompagne les rebelles pendant la révolution mexicaine. Il disparaît et on n'entend plus jamais parler de lui, laissant un bel héritage littéraire. Voici quelques définitions extraites de son dictionnaire.

AMBITION *n.* Désir irrépressible d'être diffamé par ses ennemis de son vivant et d'être ridiculisé par ses amis une fois mort.

ANNÉE *n.* Période de trois cent soixante-cinq déceptions.

BAROMÈTRE *n.* Instrument ingénieux qui nous indique le temps qu'il fait.

BIGAMIE *n.* Faute de goût pour laquelle la sagesse future infligera un châtiment appelé trigamie.

CLARINETTE *n.* Instrument de torture utilisé par une personne qui a du coton dans les oreilles. Il existe deux instruments pires qu'une clarinette – deux clarinettes.

COMMISSAIRE-PRISEUR *n.* Homme qui proclame avec un marteau qu'il a volé dans une poche avec sa langue.

CORBILLARD *n.* Landau de la mort.

DENTISTE *n.* Prestidigitateur qui, en vous mettant du métal dans la bouche, extrait des pièces de monnaie de votre poche.

DEUX FOIS *adv.* Une fois de trop.

ÉDUCATION *n.* Ce qui révèle aux sages et dissimule aux sots leur manque de compréhension.

ÉGOÏSTE *adj.* Dépourvu de considération pour l'égoisme d'autrui.

FANTÔME *n.* Signe extérieur visible d'une crainte intérieure.

FEMELLE *n.* Du sexe opposé, ou déloyal.

GUILLOTINE *n.* Machine qui fait hausser les épaules à un Français pour une excellente raison.

HAINE *n.* Sentiment approprié face à la supériorité d'autrui.

IMPUNITÉ *n.* Richesse.

INDISCRÉTION *n.* Culpabilité féminine.

JUSTICE *n.* Denrée, dans un état plus ou moins avarié que l'État vend au citoyen en récompense de son allégeance, de ses impôts et de ses services personnels.

KILT *n.* Costume que portent parfois les Écossais en Amérique et les Américains en Écosse.

LAIDEUR *n.* Don accordé par les dieux à certaines femmes, entraînant la vertu sans l'humilité.

MÂLE *n.* Membre du sexe négligé, ou négligeable. Le mâle humain n'est souvent considéré (par la femelle) que comme un homme. L'espèce se présente sous deux variétés : les bons pourvoyeurs et les mauvais pourvoyeurs.

MARI *n.* Celui qui, après avoir dîné, est chargé de s'occuper de l'assiette.

NOVEMBRE *n.* Le onzième douzième d'une lassitude.

OPTIMISTE *n.* Partisan de la doctrine selon laquelle le noir est blanc.

POSITIF *adj.* Erroné à la majorité d'une voix.

QUI VA DE SOI *exp.* Évident pour soi-même et pour personne d'autre.

RELIGION *n.* Fille de l'Espoir et de la Crainte, qui explique à l'Ignorance la nature de l'Inconnaissable.

SUCCÈS *n.* Le seul péché impardonnable contre ses semblables.

TRAVAIL *n.* L'un des processus par lesquels A acquiert des biens pour B.

ULTIMATUM *n.*   En diplomatie, dernière exigence avant de recou-
                   rir aux concessions.

VOTE *n.*   Instrument et symbole du pouvoir donné à un
                   homme libre de se conduire comme un sot et de
                   conduire son pays au chaos.

VOYANT *n.*   Une personne, généralement une femme, qui a le
                   don de voir ce qui demeure invisible à son client –
                   à savoir qu'il est un imbécile.

ZÈLE *n.*   Sorte de trouble nerveux qui affecte les jeunes
                   et les inexpérimentés. Passion qui a tôt fait de se
                   propager.

44 Livres interdits

En 1999, un journal américain dévoilait que les enseignants d'un lycée
avaient demandé aux élèves de faire signer par leurs parents une auto-
risation pour lire et étudier trois pièces choquantes d'un dramaturge
anglais aux cheveux longs. L'établissement avait déjà retiré ces trois
pièces de la liste de lecture approuvée par l'école parce qu'elles contenaient, selon l'administration, un vocabulaire destiné aux adultes, des
références sexuelles et des actes de violence. Ces pièces scandaleuses
sont parues sous les titres de *Hamlet*, *Macbeth* et *Le Roi Lear* et ont
été écrites par ce pervers de Shakespeare.

Rien de neuf sur la planète des dévots. Trois ans plus tôt, *La Nuit
des rois*, cet immondice monstrueux, avait subi le même sort dans une
école du New Hampshire. Les membres de la commission de sélection
avaient été particulièrement choqués par la partie où Viola, la jeunette
sexy, se travestit et fait la cour à la belle comtesse Olivia. Ils n'ont pas
tort sur ce coup-là : qui sait ce que les jeunes lycéennes allaient bien
pouvoir imaginer dans le local à vélos ?

Les psychologues ont remarqué que souvent, ceux qui n'arrivent pas à contrôler leurs émotions essaient d'avoir la main sur le

comportement de ceux qui les dérangent. Ainsi, un censeur ressemble à un marteau qui cherche à enfoncer des clous. Et quand il n'a plus de clous, il se met à taper sur des surfaces planes. Voici les titres d'ouvrages qui ont été mis au pilori hier et aujourd'hui.

- *Alice au pays des merveilles* de Lewis Carroll : condamné en Chine en 1932 pour anthropomorphisme.
- *La Ferme des animaux* de George Orwell : là, ce n'est pas l'anthropomorphisme qui a dérangé les censeurs, mais la critique par Orwell de l'URSS et de son régime communiste antidémocratique. L'URSS comptant parmi les alliés pendant la Seconde Guerre mondiale, l'ouvrage a été interdit dans les autres pays de la coalition.
- *Le Meilleur des mondes* d'Aldous Huxley : interdit en Irlande en 1932 en raison de promiscuité sexuelle.
- *Candide* de Voltaire : saisi par les douanes américaines pour obscénités.
- *Da Vinci Code* de Dan Brown : pas très apprécié du Vatican et interdit au Liban car il offense la chrétienté.
- *Journal d'Anne Frank* d'Anne Frank : interdit dans les écoles du comté de Culpeper en Virginie après des plaintes concernant des « thèmes sexuels ». En 1983, le comité éditorial de l'État de l'Alabama considéra ce livre comme « trop déprimant », requérant son exclusion de la liste.
- *Le Docteur Jivago* de Boris Pasternak : interdit en URSS en raison de critiques contre le parti bolchévique.
- *Frankenstein* de Mary Shelley : le régime de l'apartheid en Afrique du Sud l'interdit en 1955, déclarant que certaines parties étaient « indécentes » et « obscènes ».
- *Les Raisins de la colère* de John Steinbeck : interdit en Californie pour ses descriptions peu pittoresques et peu flatteuses de la région. Un peu dur à avaler quand même !
- *Autant en emporte le vent* de Margaret Mitchell : en 1978,

l'association des lycées d'Anaheim en Californie interdit ce roman parce que ses membres sont indignés par le comportement de Scarlett O'Hara et désapprouvent la représentation de l'esclavage. N'oubliez pas que nous sommes en 1978 !

- *L'Amant de Lady Chatterley* de D.H. Lawrence : interdit en Australie, aux États-Unis et au Royaume-Uni car il viole les lois relatives aux bonnes mœurs. En 1960, lors d'un procès en Grande-Bretagne, le représentant du ministère public, Mervyn Griffith-Jones, posa la question suivante à propos de l'œuvre : « Souhaiteriez-vous que votre femme ou vos domestiques le lisent ? » Il donna l'impression de ne pas totalement faire partie du commun des mortels.

- *Lolita* de Vladimir Nabokov : interdit en France, au Royaume-Uni, en Argentine, en Nouvelle-Zélande et en Afrique du Sud pour obscénité. Plus tard, la couverture du roman représentera une petite fille une sucette à la bouche.

- *Madame Bovary* de Gustave Flaubert : communément considéré comme l'un des chefs-d'œuvre de la littérature. Flaubert fut poursuivi au nom de la morale publique.

- *Les Droits de l'homme* de Thomas Paine : il fut banni en Angleterre essentiellement. Paine fut condamné car il soutenait les idéaux de la Révolution française.

- *Les Versets sataniques* de Salman Rushdie : il fut interdit dans bien des pays pour blasphème contre l'islam ; c'est ce qui a dopé ses ventes par ailleurs. La fatwa qui incite à l'assassinat de l'auteur et de ses éditeurs ne facilite pas vraiment la vie de Rushdie.

- *Spy Catcher* de Peter Wright : cette autobiographie, datant de 1985, d'un ancien agent des services secrets britanniques a été interdite, du moins en Angleterre, par le gouvernement de Margaret Thatcher. Elle évoquait des secrets officiels et leur révélation aurait pu entraîner la chute du royaume. En réalité, ce livre aurait plutôt mis le pouvoir dans l'embarras. Quant à le bannir, autant le faire parce qu'il est particulièrement ennuyeux. En plus, on pouvait se le procurer légalement en Écosse et le rapporter à Londres. Quelle perte de temps !

- *Tropique du Cancer* d'Henry Miller : saisi par le gouvernement des États-Unis pour son contenu explicitement sexuel. Le travail de Miller a toujours déplu aux gardiens de la morale américains. Or, quand l'interdiction fut levée et que les gens purent lire les passages incriminés, il ne se passa rien de grave.
- *La Case de l'oncle Tom* d'Harriet Beecher-Stowe : interdit dans le Sud des États-Unis en raison de son message antiesclavagiste.
- *Relations États-Unis/Vietnam, 1945-1967* : étude préparée par le département de la Défense demandée par le secrétaire d'État à la défense, Robert McNamara. Ce travail est plus connu sous le nom « les papiers du Pentagone ». Le Président Nixon essaya d'empêcher sa publication sous prétexte que l'étude contenait des informations classées secrètes. La vraie raison, comme d'habitude, était que le rapport à l'état brut pouvait gêner Nixon personnellement et porter préjudice aux administrations successives.
- *Le Puits de solitude* de Radclyffe Hall : Radclyffe Hall n'est pas le nom d'un collège d'Oxford, mais le pseudonyme d'une auteure lesbienne dont le roman fut interdit en 1928 au Royaume-Uni en raison de son contenu homosexuel.

Il n'y a rien de tel pour faire circuler un roman que de le bannir. De plus, ces interdictions n'ont servi à rien et ont souvent été de courte durée.

La peinture

45 Les pinceaux de la mort : les derniers instants de quelques peintres célèbres

Les artistes sont souvent étranges. Peu enclins à disparaître à un âge habituel ou à finir leur vie tranquillement dans un hospice, beaucoup quittent notre monde avec panache. Voici quelques exemples de morts spectaculaires.

- Henri de Toulouse-Lautrec (1864-1901) : ce peintre nain est né d'une union consanguine (ses deux grands-mères étaient sœurs). Par conséquent, il a hérité d'une ossature faiblarde et d'autres soucis de santé. Cela dit, il n'est pas mort, à 36 ans, en raison de ses antécédents familiaux, mais de la syphilis et de ses problèmes d'alcool chroniques. Il est venu, il a vu, il a vécu.

- Dante Gabriel Rossetti (1828-1882) : un sybarite de la vieille école. Ce peintre préraphaélite est mort de son addiction galopante au chloral, un puissant sédatif hallucinogène.

- Édouard Manet (1832-1883) : célèbre peintre du non moins fameux *Déjeuner sur l'herbe,* Manet n'était pas vraiment un homme en bonne santé. Il avait la syphilis, des rhumatismes et une ataxie locomotrice (probablement due à la syphilis). On lui ampute la jambe droite en raison d'une gangrène provoquée par une overdose d'ergot de seigle, il décède onze jours plus tard.

- Vincent Van Gogh (1853-1890) : peintre merveilleux, célèbre pour ses accès de folie, Van Gogh se tire une balle dans un champ de maïs parce qu'il se sentait un peu déprimé.

- Giotto (v. 1267-1337) : la mort noire (probablement la peste bubonique) eut raison de lui.

- Morris Louis (1912-1962) : ce peintre américain connu pour ses toiles abstraites colorées est mort d'avoir inhalé, pendant des années, les relents de peinture et de dissolvant dans son atelier mal ventilé.

- Le Titien (1488/1490-1576) : le Titien venait juste de rater un messager de la reine. Il fut frappé par la peste de Venise et fut la seule victime de ce fléau à bénéficier de funérailles chrétiennes.

- Salvador Dalí (1904-1989) : crise cardiaque et vie dissolue.

- Paul Klee (1879-1940) : ce peintre abstrait qui suivait les rails de la vie est mort d'une maladie dégénérative et débilitante, la sclérodermie.

- Paul Cézanne (1839-1906) : ce peintre post-impressionniste et pré-cubiste était diabétique, mais il est mort d'une pneumonie après être sorti pendant un orage, ce qu'il n'aurait pas dû faire. Il déshérita sa femme.

- Paul Gauguin (1848-1903) : autre post-impressionniste, il brûlait la vie par les deux bouts et a été puni par où il avait péché. Il souffrait de différentes maladies vénériennes, sûrement contractées auprès de belles vahinés sur l'île de Tahiti où il se rendit dès 1891. Il était anéanti et imbibé d'alcool quand la syphilis eut finalement raison de lui.

- Mark Rothko (1903-1970) : après avoir fumé, bu et peint de gigantesques tableaux abstraits sans bouger pendant des années, le peintre américain subit une rupture d'anévrisme qui le laissa paralysé. Un jour où il n'en pouvait plus, il se trancha les veines au-dessus de son évier dans la cuisine. Plutôt triste comme fin.

46 Comment dessiner un chat

Winston Churchill et Hitler étaient tous les deux des peintres amateurs. S'ils s'étaient déclaré une guerre picturale, le Britannique l'aurait sûrement remportée haut la main. Leur technique n'était pas forcément très élaborée (Hitler avait d'ailleurs été recalé de l'Académie des beaux-arts de Vienne). Néanmoins, il y a des tas d'artistes encore moins qualifiés qui courent les rues et vous en faites peut-être partie. Si vous êtes le genre de mec qui, quand il dessine les membres de sa famille, représente des saucisses sur pattes avec des têtes de ballon de foot, vous allez sûrement apprécier ce petit cours de dessin sur le chat. Il vous faut un crayon, une gomme et une ou deux feuilles de papier.

1. Commencez par tracer un rond. C'est pas grave s'il n'est pas parfait.
2. Ensuite, dessinez deux triangles comme sur le schéma n° 1. Ils représentent les oreilles du chat, faites attention à leur taille sinon vous allez vous retrouver avec un lapin grotesque, si ce n'est pire, un chat avec des tétons mal placés.
3. Maintenant, dessinez deux amandes. C'est pour les yeux. Les pointes du bas se situent sur le milieu du visage alors que les pointes du haut se trouvent au niveau du tiers supérieur. Ne lui faites pas des yeux trop petits, sinon votre chat risque de ressembler à un avorton empoté. Pour les pupilles, il vaut mieux dessiner des traits presque verticaux au centre des yeux. Épaississez le trait au milieu des pupilles (schéma n° 2). Si vous n'y arrivez pas du premier coup, effacez et recommencez. Rome ne s'est pas faite en un jour.

1

2

3

4. En ce qui concerne le nez, pensez à un cœur (schéma n° 3). Dessinez-le et coloriez-le. Ensuite, tracez une petite ligne verticale, plus courte que celles des pupilles, mais pas trop courte quand même ; descendez à partir de la pointe inférieure du cœur. Maintenant, faites un W mou, une sorte d'oiseau à l'envers, reliez le milieu à la ligne verticale. Voilà pour la bouche.

5. La partie suivante concerne les épaules et les pattes du chat (schéma n° 4), et c'est souvent à ce moment-là que tout dérape. Alors que je m'entraînais tout à l'heure, j'ai fait l'erreur de situer les épaules trop bas et de faire des pattes trop courtes. À la fin, mon chat ressemblait à un monstre tout droit sorti d'un film d'horreur ou d'une expérience médicale du docteur Mengele, ou à un chat hypercéphale recueilli par la SPA (pas « y perd ses poils », mais hypercéphale, un chat avec une grosse tête). *Remettez-vous à l'ouvrage.* Les deux côtés du chat doivent être identiques ; si vous arrivez à dessiner le premier, ça devrait aller pour le deuxième. Faites attention aux pieds, les griffes risquent de vous donner du fil à retordre. Faites en sorte de dessiner un corps fin, un tout petit peu plus gros que la tête.

4   5

6

8

7

6. Les pattes arrière (schéma n° 5) sont cachées par le corps de la bête. Elles ne sont en somme que deux courbes simples. N'oubliez pas de les terminer suffisamment haut pour que ça n'ait pas l'air bizarre. Elles se situent au-dessus des pattes avant afin de donner l'impression qu'elles sont plus loin. C'est ce qu'on appelle la perspective. Je vous épate avec ma science, pas vrai ?

7. Pour la queue (schéma n° 6), vous faites ce que vous voulez. Vous pouvez la laisser sur le sol, vous pouvez tracer une sorte de 6 ou alors vous lâcher complètement en faisant un point d'interrogation.

8. Enfin, ajoutez de longues moustaches (schéma n° 7) et effacez la partie du cercle qui touche les oreilles. Vous ne voulez pas que votre chat devienne sourd, n'est-ce pas ?

Si vous êtes en train de vous dire que j'aurais dû vous apprendre à dessiner un camion de pompiers ou le drapeau japonais avec une règle et un compas, je vous signale que les filles seront toujours plus épatées par vos talents de dessinateur animalier que ceux de dessinateur technique. Avec un peu de pratique, vous pourrez vous mettre à gribouiller sur un coin de table dans un bar ; n'oubliez pas de signer votre œuvre, d'ajouter votre numéro de téléphone et laissez un petit message du genre : « Ça va ? Mon minou ! »

47 L'incroyable histoire de Salvador Dalí

Ce Salvador Dalí était un sacré luron. Il avait une petite moustache retroussée qui ressemblait à du fil de fer, il est aussi l'auteur de ces tableaux loufoques avec des montres qui fondent et des paysages remplis de corps étendus. Un de ses tableaux s'intitule *Le Grand Masturbateur* (1929). Je parie qu'il y avait la queue au portillon. Quand j'ai cherché cette œuvre sur Internet, je suis tombé sur pas mal de photos auxquelles je ne m'attendais pas. J'ai dû faire une pause et me servir un scotch. Décidément, je n'y arriverai jamais !

Salvador Domingo Felipe Jacinto Dalí i Domènech est né en 1904 en Espagne, dans une petite ville appelée Figueras, au pied des Pyrénées. Je suppose que s'il était né un peu plus haut, il aurait été mis au monde dans le « bassin » des Pyrénées. Désolé !

Les talents de Dalí en tant que dessinateur sont très vite reconnus. Dès 1925, il organise à Barcelone sa première exposition solo. Trois ans après seulement, ses œuvres sont présentées aux États-Unis et font l'unanimité. Outre le don inné de Dalí pour l'autopromotion, le succès que l'artiste a connu outre-Atlantique a largement contribué à faire grimper sa cote de popularité dans le monde entier – et à rendre son compte en banque durablement bien portant.

Salvador Dalí passe plusieurs années à Madrid et à Paris. Il se fait pousser une moustache extravagante en l'honneur du peintre espagnol du XVIIe siècle Diego Vélasquez. En 1929, il rejoint le mouvement des surréalistes, mené par le plus « dada » des dadaïstes : André Breton. Il participe aussi au célèbre film surréaliste de Luis Buñuel *Un chien andalou*. J'ai vu ce film quand j'étais étudiant et franchement, je n'ai pas trouvé ça terrible. À cette époque (pas celle où j'étais à la fac mais en 1929), Dalí rencontre Gala Éluard, l'épouse du poète Paul Éluard, avec qui il vit une histoire d'amour. Elle devient sa compagne la plus aimée et le restera toute sa vie. Le couple se marie et s'installe à Port Lligat, un village pittoresque sur la Costa Brava. À partir de là, Gala devient la manager de Dalí. Aujourd'hui, leur maison a été transformée en musée.

Alors que Dalí est devenu un surréaliste « excentrique » très connu, le tableau intitulé *La Persistance de la mémoire* (la fameuse toile avec les montres ramollo) devient le fer de lance de ce mouvement artistique, et pour le public, c'est ce à quoi doit ressembler une œuvre surréaliste. Or, les surréalistes ne voient pas les choses sous cet angle et expulsent Dalí en 1934, après une sorte de procès. Breton commence à le surnommer « Avida Dollars », anagramme du nom du peintre espagnol avide de billets verts.

Pendant la Seconde Guerre mondiale, M. et Mme Dalí se rendent en Amérique, où on a moins de risques de se retrouver avec une baïonnette nazi dans les fesses. Ils y restent huit ans. Dalí épouse toutes sortes de religions (le catholicisme naturellement) et commence à produire des sujets religieux à la chaîne.

En 1941, le Museum of Modern Art de New York organise sa première rétrospective majeure. C'est le début de la gloire. L'année suivante, il publie son « autobiographie », *La Vie secrète de Salvador Dalí*. Dans une critique du livre, George Orwell le décrit comme un bon dessinateur, même s'il le considère comme un peu vieillot, mais il voit surtout en lui un pervers sexuel « dégoûtant ». Dalí a enfin fait son trou.

Alfred Hitchcock l'engage pour réaliser le décor des scènes oniriques et hallucinatoires interprétées par Ingrid Bergman dans *La*

Maison du docteur Edwardes, un film de 1945. On reconnaît la touche de Dalí mais les réactions sont mitigées. Le cinéaste décrit son film comme une autre histoire de chasse à l'homme teintée de pseudo-psychologie.

En 1955, le tableau religieux de Dalí *Le Sacrement du dernier souper* participe à une exposition à Washington DC et sa popularité surpasse rapidement celle d'un tableau de Renoir intitulé *La Petite Fille à l'arrosoir*. On voit un repas sur la table de la cène. On y aperçoit deux bouts de pain rompu et une timbale de vin rouge (ou alors c'est du jus de raisin). Pas de quoi se sustenter, à vrai dire.

Il est intéressant de noter qu'en 2010, on a découvert que les morceaux de nourriture de ce type de tableaux avaient été agrandis au fil du temps. Des chercheurs de l'université de Cornell aux États-Unis ont étudié cinquante-deux peintures réalisées sur une période de plus de mille ans, des tableaux du Greco, de Léonard de Vinci, de Rubens et de bien d'autres. Ils ont découvert que la taille du pain et des assiettes avait augmenté des deux tiers. Les repas étaient 69 % plus grands et les assiettes 66 % plus larges. Plus étonnant encore, le pain était 23 % plus gros dans les œuvres du XVIIIe siècle que dans celles des siècles précédents. Tout ce que je peux dire, c'est que s'ils avaient inclus la cène de Dalí dans leur étude, elle aurait fait baisser la moyenne.

Dans les années 1970, Dalí vend toujours autant de tableaux et les rétrospectives sont nombreuses, aussi bien à Paris et à Londres que dans son pays natal, l'Espagne. Cependant, après la mort de son épouse en 1982, il commence à vivre en reclus et à se négliger. Son cœur a des faiblesses et il oublie même de se nourrir. En 1984, il se brûle lors d'un accident domestique dans son grand château austère de Púbol. Il meurt en janvier 1989 d'une insuffisance cardiaque et de difficultés respiratoires.

On aime ou on n'aime pas le travail de Dalí. Personnellement, ses œuvres me font penser au score d'un match de foot improbable : Real Madrid 4 / Surreal Madrid 0.

Les étrangetés musicales
et les nuisances sonores

48 L'histoire des Rolling Stones

Vous avez du mal à imaginer Mick Jagger étudiant les sciences éco dans une fac londonienne, n'est-ce pas ? Eh bien c'est pourtant l'endroit où il se rend un jour de 1960 quand Keith Richards, qui lui, va au Sidcup Art College, monte dans le même wagon. Richards est un vieux copain de Jagger du temps où ils traînaient leurs fonds de culotte dans une école primaire de Dartford, dans le Kent. Il remarque alors que Jagger porte un disque de Muddy Waters sous le bras.

Les deux acolytes redeviennent amis et, avec un autre camarade de Sidcup, Dick Taylor, ils montent un groupe amateur, Little Boy Blue and the Blue Boys. On se sait toujours pas si ce nom fait référence à une comptine britannique avec un petit garçon à corne. Peu de temps après, les Blue Boys rencontrent un mec du nom de Brian Jones qui joue de la *slide guitar* dans le groupe de *rythm and blues* d'Alexis Korner, les Blues Incorporated. Cette formation inclut deux autres musiciens qui ont l'air pas mal : Ian Stewart et Charlie Watts.

Stewart et Jones décident de monter leur propre groupe de R&B et sont rejoints par Mick Jagger et Dick Taylor. Jagger suggère d'intégrer Richards. C'est donc en juin 1962 qu'avec le batteur Tony Chapman, Jagger, Richards, Stewart, Jones et Taylor deviennent les membres d'un nouveau groupe qui n'a pas encore de nom. Keith Richards se souvient de Brian Jones téléphonant au magazine *Jazz News* pour déposer une petite annonce. Quand on lui demande le nom du groupe, il perd un peu les pédales, mais comme il voit sur le sol un album de Muddy Waters, il emprunte le titre d'une des chansons, « Rollin' Stone ».

C'est ainsi que le nouveau groupe devient tout à coup et par accident les Rollin' Stones.

En juillet 1962, avec Mick Jagger comme chanteur, les Rollin' Stones font leur premier concert dans la célèbre salle du Marquee Club à Londres. Leur répertoire se compose de morceaux de Chicago blues, avec un petit mélange de Chuck Berry et de Bo Diddley. Le bassiste Bill Wyman rejoint le groupe alors que Tony Chapman, le batteur, les quitte. Il est remplacé par Charlie Watts.

Les Stones sont bientôt engagés au Crawdaddy Club de Richmond où ils attirent les foules le dimanche. Un journaliste et ami prévient Andrew Loog Oldham, un adolescent de 19 ans, alors agent des Beatles, de garder un œil sur ce groupe. Andrew va les voir en concert et devient leur manager. Il est si jeune que c'est sa mère qui doit signer les papiers administratifs.

Grâce à la gestion habile d'Oldham, les Rollin' Stones signent avec Decca. Leur contrat est inhabituel : il dure trois ans ; leurs droits sont trois fois plus élevés que ce qui se pratique habituellement ; ils gardent le contrôle artistique de leurs enregistrements ainsi que la propriété de leurs versions originales qui sont ensuite prêtées à Decca. C'est une manœuvre qui avait déjà fonctionné pour Phil Spector avant qu'il ne se mette à porter de grosses perruques et qu'il fasse un tour en prison.

Oldham se sert du contraste visible entre les groupes des « vilains » Stones et des « gentils » Beatles. Il change aussi l'orthographe du nom du groupe en ajoutant un g à Rollin'. Il demande à Richards de faire tomber le « s » final de son patronyme pour avoir l'air « plus pop ». Il transforme Ian Stewart en *road manager* du groupe et le fait jouer du piano en studio de temps en temps, parce qu'il ne le juge pas aussi beau sur scène que les autres. Keith Richard se sert de son nom de scène jusqu'à la fin des années 1970 (c'est pour ça que son orthographe change tout le temps dans cette histoire). Bien qu'il soit encore un novice en matière d'enregistrement en studio, Oldham devient aussi le producteur des Stones. En temps utile, il engage un garde du corps du nom de Reg qui tient tous les rivaux à bonne distance.

Le premier single des Rolling Stones sorti en 1963 est une version de « Come On » de Chuck Berry qui ne leur plaît pas du tout, au point qu'ils refusent de la jouer sur scène. Ils l'ont cependant chantée dans une émission de télé, *Thank Your Lucky Stars*, sur la chaîne ITV. C'est d'ailleurs là qu'on conseille à Oldham de se débarrasser de « ce chanteur lipeux, infect ». Grâce à un peu de pub pour le single de Decca, Oldham envoie des fans des Stones dans des magasins de disques qu'il sait être des lieux de sondage. Effectivement, le morceau fait un bond dans les charts et manque son entrée dans le Top 20 d'une seule place.

Surfant sur la vague du succès, Oldham et son partenaire Eric Easton lancent le groupe sur la route de leur première tournée britannique, en première partie de Little Richard and The Everly Brothers. Ses liens avec Brian Epstein et les Beatles lui permettent de présenter les Stones aux quatre garçons dans le vent. Pendant leur tournée, ils enregistrent « I Wanna Be Your Man », un morceau écrit par Lennon et McCartney, avant que les Beattles aient pu sortir leur propre version. Il devient douzième des charts. Leur troisième single, « Not Fade Away », une reprise de Buddy Holly, sort en 1964 et atteint la troisième place.

Souhaitant se concentrer sur la musique originale du groupe destinée aux ados et voulant éviter de payer des royalties à d'autres auteurs, Oldham suggère à Jagger et Richard de coécrire leurs propres chansons. Le premier titre qu'ils enregistrent s'intitule « Tell Me (You're Coming Back) ». Ils sortent deux autres morceaux signés par un mystérieux Nanker Phelge, un pseudo qu'ils ont inventé pour signer les textes écrits par l'ensemble du groupe. Un nom inoubliable…

Au fil des tournées, les Rolling Stones ont remporté un énorme succès aux États-Unis, là où tout se fait. Ils sont alors sacrés « Meilleur groupe de rock de tous les temps ». Toutefois, Bill Wyman considère leur première tournée comme un vrai désastre. Selon lui, « quand on est arrivés, on n'avait aucun titre connu et on n'avait rien à défendre ».

Le groupe fait une apparition dans l'émission *The Ed Sullivan Show* : Ed ne les apprécie pas du tout et déclare qu'il ne les reprendra jamais. Étrangement, quand le succès arrive, il les invitera régulièrement.

Pendant leur tournée américaine, les Stones passent une nuit dans un motel à Clearwater en Floride. En plein milieu de la nuit, Keith Richard se réveille avec un air dans la tête qu'il enregistre aussitôt. Le lendemain matin, il le fait écouter à Jagger et lui chantonne « I can't get no satisfaction ». Pour Richard, ce n'est que le titre de départ, ça aurait tout aussi bien pu être « Tata Millie s'est coincé le nichon dans l'essoreuse ». Mais ça coule pas tout à fait, au niveau du rythme. Jagger se met à écrire quelques couplets près de la piscine du motel, mais Richard ne les apprécie pas. La chanson est finalement enregistrée à son corps défendant. « Je n'ai jamais pensé que ce serait assez commercial pour faire un bon single », dit-il. Ça prouve bien que les artistes sont les derniers à apprécier leurs œuvres à leur juste valeur. « Satisfaction » devient numéro un sur la scène internationale en juin 1965. C'est, depuis toujours, leur plus grand succès et une sorte de signature. Ce tube restera en tête des ventes pendant quatre semaines, consolidant la réputation mondiale du groupe.

Leur carrière continue à exploser pendant très longtemps, même si, et c'est loin d'être surprenant, ils ne tardent pas à jouer avec des substances illégales. Dick Taylor se souvient que, même au College de Sidcup, « Keith et moi, on avalait régulièrement des amphétamines pour nous permettre de rester debout et nous filer la pêche. On prenait toutes sortes de pilules, même ce que les filles prennent quand elles ont leurs règles, des inhalateurs comme du Nostrilene, et pas mal d'autres trucs du genre ». Jagger et Richard se retrouvent devant les tribunaux pour usage de stupéfiants. Brian Jones se fait aussi arrêter dans d'autres occasions et est inculpé. Jagger et Richard sont condamnés à de longues périodes de prison qui scandalisent le public et même le journaliste plutôt conservateur William Rees-Mogg. Il prend leur défense dans le *Times*, où il compare ces condamnations si sévères à la mise au supplice d'un papillon. C'est à cette période que Oldham et les Stones se séparent.

En 1968, Brian Jones, qui était mal en point en partie en raison de ses abus en tout genre, accepte de ne plus reprendre la route et cède immédiatement sa place au guitariste Mick Taylor. Il reçoit plein de biftons en guise de dédommagement pour son débarquement. Mais le 3 juillet 1969, Jones est retrouvé mort, noyé dans sa piscine de Cotchford Farm dans le Sussex. Cette propriété avait été la maison de campagne de A.A. Milne, l'auteur des histoires de Winnie l'ourson. Trente ans plus tard, les nouveaux propriétaires, Mr et Mrs Johns, racontèrent que des centaines de personnes se présentaient à leur porte pour trouver Winnie ou voir la piscine de Brian Jones. « Dans l'ensemble, raconte Mrs Johns, les fans de Brian Jones sont terriblement sympathiques et polis. Ils s'excusent du dérangement. Les amateurs de Winnie l'ourson, quant à eux, pensent que la maison leur appartient. »

En 1971, leurs comptables conseillent aux Rolling Stones de quitter l'Angleterre pour la France. Pendant les années qui suivent, ils enregistrent en France et en Allemagne des albums qui remportent un franc succès. À la fin de l'année 1974, Dick Taylor quitte le groupe pour reprendre ses études d'arts. Ronnie Wood le remplace en 1975. Contrairement au reste de la bande, Wood est un employé qui touchera un salaire pendant vingt ans.

Durant les années 1980, les relations entre Jagger et Richards sont de plus en plus tendues et les membres du groupe travaillent de plus en plus en solo. C'est alors qu'en décembre 1985, le très loyal Ian Stewart meurt d'une crise cardiaque. En 1991, Bill Wyman quitte le groupe, mais son départ n'est annoncé qu'en 1992. Charlie Watts choisit Darryl Jones pour remplacer Wyman sur l'album *Voodoo Lounge* sorti en 1994. Ce disque remporte le Grammy du meilleur album rock en 1995.

À l'approche du nouveau millénaire, les Stones emballent toujours les foules et vendent encore leurs albums par millions. Leur tournée européenne de 2007, « Bigger Bang », a engrangé la somme incroyable de 437 millions de dollars, permettant au groupe d'accéder au Guinness des records.

Aujourd'hui, Mike Jagger et Keith Richards, les deux musiciens culte anglais, sont des retraités. Maintenant qu'il est vieux, Jagger n'est qu'une version ridée de ce qu'il était plus jeune, mais je dois dire que le visage de Richards a l'air marqué par la vie. Parfois, il ressemble aux visages d'une vingtaine d'étudiants des beaux-arts qui ont passé leur temps à faire la fête. Et quelle fête !

49 Rumeurs sur la naissance de Puff le dragon magique

Quand j'étais petit, j'ai dû participer à une pièce de théâtre intitulée *Custard le dragon*, adaptée d'un poème d'Ogden Nash. Mon copain Ken jouait le rôle de Custard et moi, je me retrouvai avec celui d'une sorte de sous-fifre débile avec une lance, un rôle de figurant nul. Ce fut la même chose quand on joua *l'Arche de Noé*. Ken était Dieu et moi madame Noé. Quelle humiliation ! Ensuite, tout au long de nos vies, cette histoire s'est répétée : il est devenu le directeur très apprécié d'une école célèbre, tout en poursuivant sa vocation artistique en exposant un peu partout alors que, moi, j'ai eu du mal à la rattraper, ma vocation, et je me suis retrouvé au rayon charcuterie d'un supermarché, à servir de la saucisse toute la sainte journée. Le soir, je puais le cochon.

En tous cas, l'histoire de Custard le dragon a inspiré la fameuse chanson « Puff, the Magic Dragon » enregistrée en 1963 par le groupe américain Peter, Paul and Mary. Cette chanson devient un tube interplanétaire et son histoire est particulièrement fascinante.

En 1959, Leonard Lipton, un étudiant de 19 ans à l'université de Cornell, nostalgique de son enfance, se met à lire, à la bibliothèque, le poème d'Ogden Nash *Custard the Dragon*. Ce soir-là, Lipton est censé dîner chez un ami au 343 State Street, mais personne n'ouvre la porte. Comme c'est un étudiant, il entre quand même dans la maison et se dirige directement vers la machine à écrire. En moins de trois minutes, il rédige son propre poème en hommage à celui de Nash. Il l'écrit si vite qu'il oublie la feuille dans la machine, qui n'appartient pas à son hôte, mais à son colocataire et ami Peter Yarrow.

Ce que ne sait pas Lipton, c'est que Peter Yarrow commence à se faire un nom sur la scène folk et qu'il va bientôt devenir le « Peter » du groupe Peter, Paul and Mary. Cette nuit-là, d'après Lipton, Yarrow rentre chez lui, trouve le poème sur sa machine et décide d'écrire une mélodie.

Quelques années plus tard, un ami de Lipton lui raconte qu'il a entendu le groupe chanter une chanson intitulée « Puff, the Magic Dragon ». D'après lui, Yarrow sait que Lipton est l'auteur du texte et il est à sa recherche parce que la chanson est en train de devenir un tel tube qu'il va sûrement pouvoir toucher des droits. Lipton, qui se souvient enfin d'avoir écrit cette chanson, prend contact avec Yarrow, qui fait en sorte que le parolier touche des royalties pour son travail. Il lui accorde le fait d'avoir coécrit la chanson, ce que peu de gens auraient fait, surtout qu'il avait complètement oublié qu'il en était l'auteur.

Mais des rumeurs concernant les paroles psychédéliques commencent bientôt à se répandre et à faire sourciller certaines personnes. C'est un phénomène assez banal, la même chose est arrivée à « Lucy in the Sky with Diamonds » des Beatles. Sa diffusion est interdite sur la BBC sous prétexte qu'elle « parle de LSD ». En fait, elle s'inspirerait d'un dessin de Julian, le petit garçon de John Lennon (d'après l'enfant, c'était en fait un dessin de son amie Lucy O'Donnell).

Revenons au dragon : c'est le terme *puff* qui a mis le feu aux poudres, clairement une allusion à la fumée des pétards de Marie-Jeanne. Pour en rajouter une couche, les paroles psychédéliques choquantes évoquent le batifolage dans la brume : que peut-on dire de plus ? Ah si, l'ami de Puff s'appelle Papier, forcément une allusion au papier à rouler. Pas vrai ?

Cependant, Lipton récuse toutes ces allusions. Il explique que son texte parle de « la perte de l'innocence et de l'idée de faire face au monde des adultes ». « Je peux vous dire qu'à Cornell, en 1959, *personne* ne fumait d'herbe. » Yarrow ne veut pas non plus perdre son temps avec des explications hallucinogènes, il considère qu'on peut faire les mêmes interprétations avec un titre aussi patriotique que « The Star-Spangled Banner ». D'après lui, « on peut faire beaucoup de tort avec ce genre d'analyses stupides ».

De toute façon, ce titre est un hit intemporel, il a été repris par les plus grands, de Bing Crosby à Aled Jones en passant par *Alvin et les Chimpmunks*. Claude François a lui aussi chanté son « Dragon magique ». Pour la version allemande de Marlène Dietrich, c'est « Paff, Der Zauberdrachen ». Il existe même une reprise catalane de Joan Manuel Serrat : « Puf, el Drac Màgic ». Pas si mal pour une chanson qui a été composée en trois minutes par un étudiant qui avait oublié l'avoir écrite.

50 Mes *guitar heroes*

Je ne sais plus qui a dit que l'on ne découvre pas les meilleurs guitaristes lors des concerts : la plupart des génies pincent des cordes, seuls, dans leur garage. Je me demande donc bien pourquoi j'ai décidé de faire cette liste de champions de la guitare. De toute façon, des tas de gens vont trouver à redire, et personne ne sera d'accord avec mes choix, car j'ai forcément oublié des noms. Tous les goûts sont dans la nature. Si votre guitariste préféré du moment n'y figure pas, n'hésitez pas à m'envoyer une lettre de réclamation.

- *Hannes Coetzee (1944-)* : ce monsieur vient de Karoo, une région en Afrique du Sud. Il est surtout connu pour jouer de la *slide guitar* avec une cuillère à la bouche qu'il fait aller et venir sur les cordes de son instrument. En afrikaans, cette technique s'appelle la *optel en knyp*, ce qui veut à peu près dire « piquer et pincer ». C'est un amateur invétéré de chapeaux à petits rebords.

145

- *Andrés Segovia (1893-1987)* : Segovia a fait plus pour populariser la guitare classique que n'importe qui. Il l'a sortie de l'ombre et l'a intronisée à l'aube du xxe siècle. Tout au long de sa très longue vie, il a enseigné son art à de nombreux étudiants. Cependant, John Williams, un autre guitariste connu, ne le trouvait pas très pédagogue : « L'atmosphère générale dans tous ses cours était tendue, il inspirait la peur. » Ça avait l'air horrible. Segovia a eu un fils à l'âge de 77 ans, mais il était trop gros et trop âgé pour pouvoir le prendre dans ses bras.

- *Le « Colonel » Steve Cropper (1941-)* : ce guitariste soul américain, auteur et producteur, est surtout connu pour avoir été un membre des Blues Brothers et comme guitariste du groupe Booker T. & the M.G.'s, dont le tube de 1962 « Green Onions » est devenu très célèbre en Grande-Bretagne grâce au film *Quadrophenia* sorti en 1979.

- *Derek Bailey (1930-2005)* : jeune homme, il étudie la guitare classique et devient musicien de studio pour des artistes majeurs comme Gracie Fields et Bob Monkhouse. Il travaille aussi pour la télévision et participe à des émissions comme le show *Opportunity Knocks*. Avec le temps, Bailey s'est tourné, et on peut le comprendre, vers une musique alternative de portes grinçantes et de bris de verre. Beaucoup d'amateurs, y compris votre serviteur, ont du mal à apprécier cette cacophonie imprévisible plus de deux secondes. Mais comme sa musique serait la première chose qu'un gouvernement fasciste interdirait, j'ai mis Derek Bailey sur ma liste.

- *Jimi Hendrix (1942-1970)* : nombreux sont ceux qui placent Jimi Hendrix au sommet de leur liste des plus grands guitaristes de rock. Vous savez tout de lui. Que puis-je ajouter ? Vous ne savez peut-être pas qu'il vivait au numéro 23 de Brook Street, juste à côté de la maison de Georg Friedrich Händel, qui habita au 25 quelques années plus tôt, ça va de soi. Hendrix est mort dans des conditions inexpliquées, il a été asphyxié par son vomi contenant essentiellement du vin rouge. J'aurais pensé qu'il préférait la bière. Vous voyez, on ne peut jamais savoir avec les gens. Ses chapeaux à lui avaient plutôt de larges bords.

- *Baden Powell (1937-2000)* : il est largement considéré comme le plus grand guitariste brésilien de tous les temps, et ça vaut son pesant d'or. Eh oui, son père était un grand fan de scoutisme. Il buvait trop, il fumait trop et c'est ce qui l'a achevé.

- *John Fahey (1939-2001)* : guitariste et compositeur américain adepte de la guitare *fingerstyle*. Son style minimaliste a souvent été copié par les membres de l'école américaine des « primitivistes ». Ce pionnier maigrichon appréciait de jouer de la guitare à cordes métalliques en solo. Il débuta en respectant les traditions folk et blues mais plus tard, il intégra des saveurs musicales sud-américaines et indiennes pour finalement tendre vers des créations improvisées plus « expérimentales ». C'était un homme mal dégrossi qui, la bouteille à la main, passait régulièrement de femme en femme. Il a mal vécu et a fini obèse, malade et sur la paille. Il a écrit un livre magnifique, *How Bluegrass Music Destroyed My Life*.

- *Eric Clapton (1945-)* : ce guitariste et musicien de *blues rock* anglais était membre des très célèbres groupes The Yardbirds et Cream. Sa place est en haut de la liste des grands guitaristes. Après une enfance peu banale, durant laquelle il croyait que sa mère était sa sœur (!), Clapton se met à la guitare. Son immense succès professionnel est contrebalancé par une vie personnelle agitée. Bien sûr, on retrouve les habituelles consommations de substances illicites, mais aussi l'alcool, des déboires familiaux comme la mort de son jeune fils et, plus rare, on l'accuse d'être raciste. Il vaut mieux se concentrer sur la musique.

- *Egberto Gismonti (1947-)* : un autre guitariste, compositeur et pianiste brésilien. Gismonti joue de la guitare classique à dix cordes. Ses influences vont de Django Reinhardt (voir plus loin) au sérialisme. Il porte des petits napperons en crochet sur la tête.

- *Les Paul (1915-2009)* : que peut-on dire de Les Paul ? Quand il était jeune, il pensait qu'on ne pouvait rien jouer au-dessus de la troisième frette, mais il s'est lui-même brillamment contredit. Après un accident de voiture, il se retrouve avec un bras dans le plâtre, il ne peut donc plus bouger le coude, mais il est encore capable de jouer. Paul invente l'enregistrement multipiste mais, comme si cela ne suffisait pas, il est surtout l'inventeur de la guitare électrique à corps plein. Il s'associe à Gibson pour produire une guitare signée « Gibson Les Paul », disponible dans tous les bons magasins spécialisés. Il partageait avec beaucoup d'autres grands guitaristes la passion du travail bien fait.
- *Julian Bream (1933-)* : (j'en profite pour dire d'entrée de jeu qu'un jour, sa mère a fait du rentre-dedans à un de mes amis, à Londres.) Après avoir commencé comme guitariste de jazz, Beam a fait beaucoup pour raviver le goût pour le luth baroque ; il a permis à la guitare de devenir un instrument digne d'intérêt dans les conservatoires et les écoles de musique. Grand fan de Django Reinhardt (voir plus loin, mais pas trop), il demande à Benjamin Britten, William Walton et d'autres de lui composer des morceaux rien que pour lui. Comme Les Paul, il se blesse le bras dans un accident de voiture et comme Jan Akkerman (voir plus loin), il a un penchant pour les chapeaux, qu'il garde toujours sur la tête, même à l'intérieur. Il est chauve, mais pas aussi chauve que Joe Pass (voir plus loin). Allez, fais bouger ton plectre, Julian !
- *Chester « Chet » Atkins (1924-2001)* : Segovia admirait beaucoup ce pince-cordes à la superbe technique, producteur de musique country influent et rusé. C'est Atkins qui a enregistré la musique de Benny Hill, vous savez, celle qu'on entend quand il court après des jeunes femmes à moitié nues dans les fourrés – le morceau s'appelle « Yakety Axe ».
- *Joe Pass (1929-1994)* : guitariste de jazz très chauve, au style solo très influent et absolument reconnaissable. Un expert en substitu-

tion d'accords. Si vous savez ce que ça veut dire, eh bien tant mieux pour vous, sinon allez vérifier ou faites comme moi, oubliez et passez à autre chose, la vie est bien trop courte.

- *Elizabeth Cotten (1895-1987)* : gauchère et autodidacte, Cotten tenait et jouait de sa guitare à l'envers. C'était une musicienne pleine de charme ; elle a notamment écrit un tube, « Freight Train », quand elle était petite. Les droits sont tombés tout droit dans son escarcelle quand elle est devenue célèbre.

- *Django Reinhardt (1910-1953)* : un immense guitariste de jazz manouche très influent. Il est le cofondateur et joue dans le quintet du Hot Club de France. Il ne pouvait jouer qu'avec deux doigts de la main gauche, car il avait été gravement brûlé après l'incendie de sa caravane. Malgré cela, la technique de sa main gauche est brillante. Je n'ai jamais vu de photos de lui avec un chapeau.

- Reverend *Gary Davis (1896-1972)* : aveugle, noir, croyant et originaire du Sud des États-Unis, Gary Davis n'avait presque pas d'autres choix que de devenir guitariste de blues. Ses guitares étaient aussi larges que des bateaux, le prêcheur baptiste s'en servait pour faire passer son message grâce à une technique un peu brute de décoffrage mais digne d'un vrai virtuose. Il a beaucoup influencé le jeu de musiciens comme Bob Dylan, Stefan Grossman ou les Grateful Dead. Complètement chauve, il avait tendance à porter un chapeau.

- *Pierre Bensusan (1957-)* : Bensusan est un guitariste français né à Oran. Très innovateur, il interprète des musiques celtiques. Il est influencé par des guitaristes comme Big Bill Broonzy, *Reverend* Gary Davis, Mississippi John Hurt, Django Reinhardt, Doc Watson, Wes Montgomery, Jimi Hendrix, Ralph Towner, Ry Cooder, Pat Metheny, Martin Carthy, Bert Jansch, John Renbourn, Nic Jones, Paco de Lucía et John McLaughlin, ce qui couvre déjà un large spectre dans le monde de la guitare. C'est un spécialiste des accords ouverts, les DADGAD. Toutefois, alors qu'il avait une chevelure fournie étant jeune, il commence à se dégarnir aujourd'hui.

- *Jan Akkerman (1946-)* : avec un nom pareil, on est forcément hollandais et c'est son cas. Fils de ferrailleur, Akkerman est également un musicien innovant adepte des chapeaux ; il s'intéresse particulièrement aux musiques médiévale et de la Renaissance, ce qui l'a mené à introduire un luth dans un groupe de rock. Comme Les Paul et Julian Bream, il a eu un terrible accident de voiture, mais il gratte toujours aussi bien de sa guitare.

51 « Douce Nuit, sainte nuit » : naissance d'un chant de Noël mythique

C'est la veille de Noël, en 1818. Franz Gruber, professeur, organiste et chef de chœur de la Nikolaus Kirche (l'église Saint-Nicolas) complètement bloquée par la neige dans le petit village pittoresque d'Oberndorf, près de Salzbourg, en Autriche, doit absolument régler un problème d'une urgence majeure. L'orgue de l'église est cassé et si on ne fait rien en cette veillée de Noël, il n'y aura pas de musique dans le sanctuaire dédié au Père Noël et au petit Jésus, et ça, ça n'est jamais arrivé.

Mais l'ange gardien de Gruber veille sur lui. Soudain, et ma foi miraculeusement, il est touché par la grâce de la création qui marquera les esprits à jamais. Gruber décide de coucher sur le papier une mélodie qui vient de surgir dans sa tête et qui le hante : une berceuse lente qui évoque le petit Jésus et se joue sur une mesure à trois temps. La plume à la main, il écrit la musique et les paroles, en allemand évidemment, et grâce à un trait de génie, fait un arrangement pour guitare à la place de l'orgue. On n'avait jamais entendu ça en Autriche auparavant ! Gruber intitule ce chant de Noël « Stille Nacht, heilige Nacht », « Douce Nuit, sainte nuit » en français.

Alors qu'il est en train de mettre la touche finale à son œuvre, le chœur fait son entrée. Après le peu de temps qui leur a été imparti pour répéter, ils attendent maintenant, suspense, l'arrivée des membres de la congrégation. Ceux-ci tapent des pieds pour retirer la neige collante et pénètrent dans l'église. C'est déjà l'heure d'interpréter ce nouveau chant. Alors que des milliers de bougies illuminent les sapins, le chœur de la petite église Saint-Nicolas à Oberndorf entame la douce mélodie inoubliable ; il est accompagné par le jeu de Franz Gruber, le chef de chœur génialissime.

Bien qu'ils soient d'abord surpris d'entendre une guitare dans la Nikolaus Kirche, les fidèles se réjouissent d'être bercés par la musique magnifique qui emplit totalement l'édifice. Même le cœur de pierre le plus sourd est touché par cette mélodie, tous versent des larmes en entendant ce message si simple. Franz Gruber a réalisé l'impossible, il a arraché cette victoire au détriment de l'adversité et il a résolu le problème d'un service religieux silencieux en écrivant un texte sur le silence. Il a aussi composé, sans effort, un chant de Noël intemporel, le plus beau de tous les temps, d'après certains. Cette chanson est éternelle et sera toujours appréciée dans des centaines d'années. Dès sa création, « Stille Nacht » est un des chants de Noël les plus joués. On le chante dans les chœurs et les congrégations religieuses en des milliers de langues à travers le monde.

Sauf que tout ça, c'est du pipeau.

Comme beaucoup de merveilleuses histoires, on a tellement brodé sur cette légende qu'on ne se souvient plus de la simple vérité. Pour commencer, Franz Gruber n'est pas l'auteur des paroles de ce chant de Noël, elles ont été écrites en allemand par un prêtre autrichien, le père Joseph Mohr. Et l'idée qu'elles ont été rédigées dans l'urgence, la veille de Noël 1818, est complètement fausse. En réalité, Mohr a composé un poème de six strophes à Mariapfarr, un petit village alpin des environs, en 1816, soit deux ans auparavant. Il déménage à Oberndorf l'année suivante et rencontre Gruber. Ensuite, la veille de Noël 1818, il demande à Gruber de mettre ses mots en musique dans un arrangement pour deux solistes et un chœur, accompagnés d'un guitariste. Le manuscrit le plus ancien rédigé de la main de Mohr date d'environ 1820, ce qui confirme ces faits.

Contrairement à ce que dit la légende de l'orgue de Gruber en berne (d'ailleurs, aujourd'hui, les organistes trouvent que c'est une sacrée bonne blague), aucun document autrichien n'atteste cette défaillance. Gruber n'a jamais rien écrit à ce propos. Selon la truculente mais non moins experte Renate Ebeling-Winkler Berenguer (avec un nom pareil, on a forcément la voix qui porte), la première mention d'un orgue mal en point se trouve dans un roman américain.

Une autre erreur est de croire que c'était la première fois que l'on jouait de la guitare dans une église. En fait, il était très courant à cette époque de demander à des guitaristes de jouer dans des édifices religieux. Les demandes de Mohr concernant des arrangements pour une guitare sont donc tout à fait banales. En plus, c'est sûrement lui qui les a joués.

Conscient du succès de « Stille Nacht », Gruber publie différents arrangements. La propagation du chant de Noël à travers le monde est due aux missionnaires chrétiens qui l'ont fait voyager sur toute la planète au début du XXᵉ siècle. Aujourd'hui, selon les experts de la chapelle commémorative Douce-Nuit d'Oberndorf, il existe plus de trois cents traductions de ce chant. Comme on estime qu'il y a entre cinq mille et dix mille langues dans le monde (ce qui fait une sacrée différence), ça paraît tout à fait possible.

Aujourd'hui, la mélodie diffère un peu de l'originale. Ainsi, la version de Gruber n'était pas une comptine lente de trois à quatre temps, mais une danse cadencée de six à huit temps : un rappel des danses folkloriques autrichiennes de l'époque.

Même si on voit bien comment l'histoire de « Douce Nuit, sainte nuit » a pu devenir un mythe, on peut aussi rappeler une autre histoire vraie très émouvante. Le jour de Noël en 1914, à Frelinghien, dans le Nord, les troupes allemandes, françaises et britanniques sont à quelques pas les unes des autres. C'est la trêve, les soldats entament « Stille Nacht », « Douce Nuit, sainte nuit » ou encore « Silent Night, Holy Night ». Cependant, ce n'est pas seulement parce qu'ils sont devenus sentimentaux au son de la chansonnette qu'ils se mettent tous à chanter en chœur, mais parce qu'ils connaissent tous l'air.

52 Les mystères du rock à papa

Quelle est la pire punition qu'un père puisse infliger à son fils ? Se rendre à son lycée et effectuer une petite danse devant toute la classe. Et d'après vous, sur quelle musique il va faire son petit pas de deux ? Eh bien, un bon vieux rock à papa, évidemment !

On n'est pas tous d'accord sur ce qui peut entrer dans la liste des bons vieux rock à papa, ça peut aller de Tom Jones à Oasis. Si vous êtes un ex-soixante-huitard, que vous portez un vieux pull en laine et que vous êtes encore coincé dans le passé avec votre Gramophone de papy, votre radiocassette ou tout autre lecteur à la mode, allumez votre prothèse auditive et mettez la sono à fond, c'est l'heure du boogie ! Voici votre double CD de rock à papa (N.B. : un CD, c'est un objet moderne qui permet d'écouter de la musique et qui ne risque pas d'être supplanté). Si votre morceau préféré n'est pas dans la liste, désolé, mais on ne peut pas faire plaisir à tout le monde, comme ne l'a pas dit le général De Gaulle. Faites passer les cachous et secouez-vous le popotin !

CD 1	CD 2
1 « Born in the USA », Bruce Springsteen	1 « I Am the Resurrection », The Stone Roses
2 « Sailing », Rod Stewart	2 « Rebel Yell », Billy Idol
3 « It's Not Unusual », Tom Jones	3 « Smoke on the Water », Deep Purple
4 « Addicted to Love », Robert Palmer	4 « Reward », The Teardrop Explodes

ACTIVITÉS DU DIMANCHE

L'univers des bricolos

53 Le fameux bateau en bouteille

Un jour, dans un bar, j'ai vu un magicien faire des petits tours. Je me souviens qu'il avait emprunté une grosse pièce et qu'il l'avait glissée doucement dans le goulot d'une petite bouteille de bière dans laquelle elle avait l'air toute perdue. Il l'a ensuite fait sortir en secouant la bouteille. J'ai bien examiné la bouteille ensuite, mais je n'ai rien vu de louche. Le truc ressemblait plus à un casse-tête qu'à un vrai tour de magie, cependant ça m'a fait penser au bateau embouteillé que l'on trouve parfois dans les musées ou les hôtels louches.

Si vous avez déjà eu l'occasion de voir un de ces bateaux en bouteille, vous admettrez que c'est quand même assez intrigant. Comment a-t-on bien pu réussir à faire entrer cette chose énorme à l'intérieur ? Si vous réfléchissez deux secondes, vous vous rendrez compte qu'à moins d'avoir soufflé le verre autour du navire, on a dû le faire pénétrer par le goulot.

En fait, les mâts sont la véritable clé de cette énigme. Une des manières de réussir ce tour de force consiste à construire toutes les parties du bateau avec un diamètre plus petit que celui du goulot pour pouvoir les enfoncer facilement. Chaque morceau est poussé un par un, on commence par la coque afin de bien l'installer. Ensuite viennent les mâts, les voiles et les gréements. Pour bien les attacher, on utilise des outils avec de longs manches.

Toutefois, la méthode la plus courante est d'assembler le rafiot avec un mât replié que l'on déploie quand il est à l'intérieur grâce à des cordelettes. Ce type de mâts attachés à plat sur la coque se couche à 90° et touche le pont. On enduit les charnières de colle avant d'insérer le navire.

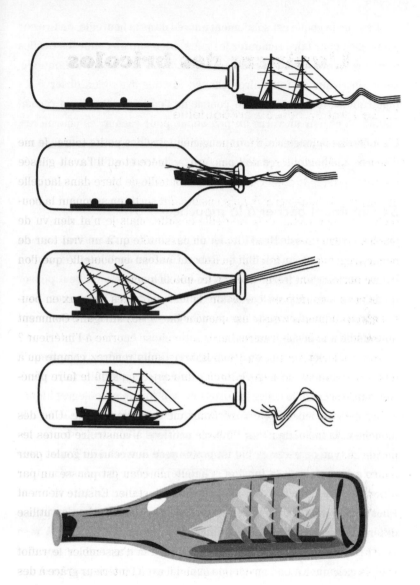

Dès que la coque est solidement ancrée dans la bouteille, on tire sur les ficelles pour faire remonter les mâts. Bien sûr, on coupe les ficelles et on les enlève quand la colle est sèche, avant d'exposer la bouteille, sinon on risque de tout faire échouer. Si vous avez bien observé les illustrations, tout devient clair comme de l'eau de roche. Il est recommandé de choisir un verre un peu abîmé pour cacher les charnières. C'est comme la jonglerie, il faut penser à plein de trucs et pour ce genre d'accros à la bouteille, ça doit pas être facile tous les jours.

54 Comment pêcher à la mouche

On se souvient tous de Brad Pitt, les pieds dans l'eau dans *Et au milieu coule une rivière,* un joli film de Robert Redford dans lequel il taquine le gardon avec son frère. Vu la technique des acteurs, on peut penser qu'ils pratiquent depuis leur tendre enfance ; eh bien détrompez-vous, Brad n'avait jamais touché une mouche de sa vie avant de tourner cet opus dédié à la pêche fraternelle.

Pour réaliser ce film en 1992, Robert Redford réussit finalement, après des années de négociations acharnées, à convaincre le vieux Norman MacLean de céder les droits de son roman autobiographique.

Je me souviens de Redford évoquant ses parties de pêche à la mouche et la façon de nouer l'insecte artificiel. J'ai une théorie à propos de ce type de pêche : c'est un peu comme le vrai muesli, qui a tendance à faire baisser la tension artérielle. Si elle est vraie, rien qu'en attachant une mouche, vous risquez de vous retrouver dans le coma. Elles sont si petites et délicates, ces mouches. J'allais vous décrire les différentes étapes du nouage de mouche, quand j'en ai parlé à mon pote Fred, un véritable expert en la matière. Il m'a regardé comme si je voulais expliquer à une enveloppe la meilleure façon de pratiquer une cingulotomie bilatérale.

En réalité, le nouage de mouche est un art ancestral qui requiert beaucoup d'entraînement. Mais ouais, génial ! On trouve des kits tout faits dans le commerce, avec tous les machins et les bidules nécessaires, et même un manuel. Que demande le peuple ? Dans ce genre de kits, vous trouverez généralement un étau à mouche, une paire de ciseaux, un finisseur de nœud, une pince *hackle*, des aiguilles pour le *dubbing* (ce sont les poils en tout genre qu'on utilise pour faire les mouches), un passe-fil, un égaliseur de poils. Ensuite, vous aurez besoin d'hameçons, du *dubbing*, de soies, d'yeux en métal ou en plastique, d'un masque de lièvre et de plastifiant (n'allez surtout pas me demander ce que c'est !). Parmi les mouches dont vous pouvez vous servir, vous en trouverez une qui s'appelle « la petite merde ».

Si tout ça vous enchante, vous devriez vraiment en parler à un expert qui pourra vous donner quelques trucs. C'est la meilleure façon d'apprendre.

55 Comment dissoudre votre femme

En 1949, un certain John George Haigh est mort à 40 ans en tombant dans un trou et en se brisant le cou. Ce n'était pas un accident, il venait d'être pendu pour le meurtre de six personnes dont il avait dissous le corps dans de l'acide sulfurique pur. Du vitriol en somme.

Si vous en avez assez de votre femme, c'est peut-être le moyen le plus radical pour vous en débarrasser. Cependant, il existe une autre méthode beaucoup plus efficace, dont on use pour détruire les carcasses de gros animaux. Certains aimeraient d'ailleurs voir ce procédé utilisé pour les crémations liquides destinées aux humains. On appelle ça l'hydrolyse alcaline : ça vient de « hydro » car il y a de l'eau et de « lyse », qui indique une désintégration chimique d'une cellule en raison de la rupture de sa membrane.

Pour réussir à faire une lyse (autre nom donné à l'hydrolyse), il suffit de dénicher de l'hydroxyde de sodium (NaOH), qu'on appelle aussi de la lessive de soude ou plus communément encore de la soude caustique. Cela ne devrait pas être très difficile à trouver. La soude caustique est une base et non un acide. Si vous en buvez, vous ne risquez pas de la digérer, c'est plutôt l'inverse qui va se produire : c'est elle qui va vous assimiler. On retrouve un peu cet effet-là quand on voit un grand gaillard faire du *lutefisk*, vous savez, ce plat bizarre de Scandinavie. En fait, il plonge de la lotte ou de la morue séchée dans une solution saturée d'hydroxyde de sodium et la laisse macérer pendant deux jours. Le poisson gonfle et se gélifie. Il perd alors plus de la moitié de ses protéines. Il est important que votre pote nordique ne laisse pas son poisson trop longtemps dans l'hydroxyde de sodium, sinon les graisses de l'animal vont se transformer en savon (c'est la saponification). En finnois, on appelle ce poisson pourri le *saippuakala* (le poisson-savon).

Bon, il est temps de revenir à nos moutons. Vous aurez besoin d'un certain type de matériel pour dissoudre votre épouse, en plus de la soude caustique. Premièrement, il vous faut une grande cuve du genre Cocotte-Minute spécialement conçue pour l'occasion. Je ne sais pas où vous pourrez vous en procurer, essayez dans les magasins de bricolage car je ne pense pas que vous en dénicherez au supermarché du coin. Si vous faites chou blanc, vous pouvez toujours essayer de le faire dans la baignoire, mais ça prendra plus de temps. Quand vous avez tout sous la main, plongez votre femme dans la cuve et remplissez-la (la baignoire, pas votre femme) de soude caustique et d'eau. (Il faut espérer que votre compagne soit déjà morte.)

Vous devez faire monter la température de plusieurs centaines de degrés, avec une pression d'une cinquantaine de kilos environ par centimètre carré, soit l'équivalent de la pression d'un pneu de vélo gonflé. Concentrez-vous sur la cocotte et laissez chauffer. Vous pourriez aller au ciné voir un bon film pendant ce temps-là, non ?

Après quelques heures de cuisson, quand vous ouvrirez le couvercle, vous trouverez les restes de cette femme que vous haïssez tant, sous la forme d'une couche fine de morceaux d'os grumeleux et stériles ainsi que d'un résidu liquide noirâtre qui aura la consistance d'une huile de moteur avec une très forte odeur d'ammoniac. Heureusement, c'est un liquide inerte, vous pouvez donc le verser dans les toilettes sans danger.

Vous pouvez toujours penser que ce procédé manque particulièrement de dignité. Tout ce que je peux vous dire, c'est qu'il en est de même pour ces jeunes garçons qui portent leur pantalon sous les fesses. On n'est pas là pour se faire des politesses.

Bien sûr, vous pouvez toujours essayer d'être sympa avec votre femme. On ne sait jamais, c'est peut-être elle qui pense déjà à vous dissoudre.

Travaux pratiques
à la maison et au jardin

56 Comment faire un fumoir avec un vieux frigo

Ma grand-mère, qui venait de poser son tricot, me dit un jour qu'il lui restait encore deux souhaits à réaliser dans sa vie. Premièrement, elle voulait donner un coup de poing à quelqu'un en pleine face. Deuxièmement, elle voulait qu'on l'enferme dans un vieux frigo. Je me souviens m'être dit à ce moment-là qu'elle commençait à montrer des signes de folie douce. À l'époque, elle survivait grâce à une sacrée dose de cachets de toutes les couleurs. Elle en prenait tout aussi bien pour des élancements aux pieds que pour des douleurs dentaires. J'ai conclu que le mélange ne devait pas lui réussir. Mais apparemment, elle n'était pas en train de perdre la tête, elle désirait ces deux choses depuis très longtemps. Évidemment, l'idée de s'enfermer dans un réfrigérateur était plutôt risquée. Alors mon beau-frère, Pierre, a décidé, à la place, de lui fabriquer un fumoir en recyclant un vieux frigo. Cet engin de fumage à froid donne les meilleures truites fumées que j'ai mangées de toute ma vie. Voici comment fabriquer un « fumator » électrique breveté.

Le « fumator » doit avoir une source de chaleur et une source réfrigérante en bas, et un endroit où mettre la viande. C'est aussi simple que ça. Des ventilateurs placés en haut et en bas contrôlent le courant d'air et régulent la température ainsi que la dispersion de la fumée.

Matériel
- Un vieux frigo (en métal, pas en plastique) ·
- Une petite poêle à frire en fonte

- Une canette de votre bière préférée
- Une plaque de cuisson électrique avec un feu
- Un marteau et un ciseau à bois ou un vieux tournevis
- Une cisaille de ferblantier
- Des vis
- De la sciure ou des copeaux de bois pour fumoir

Méthode

1. Enlevez tout ce qu'il y a à l'intérieur du frigo. N'y laissez *aucun* morceau de plastique. Vous devriez trouver deux trous dans la carcasse, dans le fond en bas : c'est par là que passaient les fils et les tuyaux. Faites-en un en plus. Avec un ciseau à bois ou un vieux tournevis (à vrai dire, vous pouvez vous servir de ce qui vous tombe sous la main), frappez un bon coup pour faire un trou d'environ quatre centimètres de diamètre. Faites attention à vos doigts.

2. Prenez une bière. Buvez-la.

3. Découpez la canette vide en petits bouts avec votre cisaille (n'allez pas vous amuser avec les ciseaux à ongles de votre sœur !). Ces petites trappes permettront à votre « fumator » de contrôler le passage de l'air. Vissez-les sur chaque trou avec les vis.

4. Installez la plaque de cuisson en bas du réfrigérateur et mettez la poêle au-dessus (de la plaque et non au-dessus du frigo).

5. Faites passer le fil électrique à travers un trou derrière le meuble et branchez la plaque. Mettez-la sur feu moyen et remplissez la poêle de sciure de bois, en suivant les instructions sur le paquet.

6. Posez la viande que vous aurez préalablement préparée sur les étagères et fermez la porte. (N'oubliez pas de sortir du frigo avant de fermer la porte.)

7. Remettez de la sciure toutes les trois heures jusqu'à ce que la viande soit parfaitement fumée. Ça prend entre douze et vingt-quatre heures selon ce que vous avez à fumer.

8. Le fumage à froid est un fumage à moins de 37 °C. Pour cela, vous aurez besoin d'une source de fumage extérieure à l'unité centrale. Découpez alors un trou de dix centimètres sur le côté du frigo, vers le bas. Prenez un vieux four à bois relié à votre « fumator » par un tuyau en métal d'environ dix centimètres. La température de la fumée dépend de la longueur du tuyau.

9. Prenez une taffe.

57 Construire sa propre cabane en bois

Abraham Lincoln est né en 1809 dans une cabane en bois qui n'avait qu'une seule pièce. Si ça lui suffisait, ça devrait suffire à tout le monde. Il va de soi que fabriquer sa propre cabane en bois n'est pas chose facile et prend du temps, mais cela en vaut vraiment la peine. Imaginez votre fierté le jour où vous allez y pénétrer pour la première fois, totalement sous le charme de votre chef-d'œuvre. Bon, ce sera dans trois ans. Souvenez-vous seulement que c'est un boulot qui nécessite deux personnes. D'ailleurs, plus vous trouverez de gens pour vous aider, mieux ce sera.

Matériel

- Une hache pour abattre les arbres et les découper
- Une herminette (une sorte de hache au tranchant perpendiculaire au manche) pour dégrossir et travailler le bois

La construction de votre cabine de trappeur s'inspire des constructions traditionnelles (un seul étage et pas plus longue que le tronc). Selon la taille de ce tronc, les murs les plus longs sont généralement faits, disons, de cinq gros rondins à partir de la base du toit. Sur les côtés les plus courts, cinq rondins supplémentaires se terminent en pointe pour former la partie supérieure des pignons jusqu'au sommet du toit. L'intérieur de la cabane n'est composé que d'une seule pièce, ce qui est largement suffisant pour loger une petite famille.

Méthode

1. Mettez des vêtements qui ne craignent rien. Ce n'est pas la peine d'aller abîmer votre plus belle veste.

2. Choisissez le site : il faut chercher un endroit ensoleillé qui exige peu de débroussaillage et qui offre un bon écoulement des eaux. Si vous pouvez caler les coins de votre cabane sur des rochers, c'est encore mieux. Un terrain en terre ne nécessite pas de fondations, toutefois celles-ci permettent d'éviter l'humidité.

3. Découpez environ vingt-cinq arbres avec votre hache. Il n'y a pas grand-chose à dire sur cette activité, si ce n'est que vous pouvez demander de l'aide à quelqu'un. Les arbres qui conviennent le mieux sont les vieux arbres très droits, sans trop de branches (il y a moins de nœuds).

4. Placez les rondins à angle droit, les uns sur les autres. Si vous avez sélectionné de bons arbres, vous ne devriez pas faire trop de découpe. Vous allez construire une cabane avec des rondins qui ont encore leur écorce. Attachez les coins sur le côté inférieur des rondins, de façon à les emboîter grâce à des encoches avec des rainures en forme de demi-lunes que vous aurez entaillées avec votre herminette. Continuez jusqu'à ce que vous obteniez la forme d'une hutte basique, soit environ la hauteur de cinq troncs.

5. Comblez les trous avec du « mortier » : des copeaux de bois et un enduit à base de mousse, d'herbe et d'un mélange de boue et de sable. Si vous avez fait de belles entailles au préalable, vous aurez réussi à diminuer les jours entre les rondins. Les craquelures dans le bois sont monnaie courante car ce matériau sèche. Vous pouvez faire comme si de rien n'était car, en fait, elles ajoutent du charme à votre construction.

6. Taillez la porte du côté d'un des pignons. Prévoyez une ouverture assez grande. Une planche renforcée par des lattes et accrochée à des gonds en bois, c'est l'idéal.

7. Découpez une fenêtre. Pour ce faire, choisissez deux rondins sur

un des côtés longs de votre cabane, découpez horizontalement la moitié inférieure du rondin du dessus (haut de la fenêtre) et la moitié supérieure du rondin du dessous (bas de la fenêtre). Ensuite, assemblez les découpes horizontales avec deux découpes verticales pour former un trou rectangulaire. Recouvrez cette partie de papier graissé. Les fenêtres en papier faisaient fureur jadis.

8. Fabriquez les volets avec des planches attachées à l'encadrement du bois découpé. Faites des charnières avec le même bois ; vous pouvez même confectionner un petit loquet en bois pour fermer de l'intérieur. Il ne vous reste plus qu'à tirer la chevillette et la bobinette cherra.

9. Placez le toit. La toiture la plus facile à fabriquer est celle qui utilise des rondins horizontaux costauds mais moins épais. Attachez-les à chaque extrémité des rondins les plus hauts des murs de pignon. Chacun de ces rondins est plus petit que celui qui le précède, ce qui permet de réaliser ce toit pointu si caractéristique des cabanes de trappeur ; c'est aussi ce qui détermine le degré de la pente du toit. Mettez les poutres ou ventrières d'un pignon à l'autre. Dès qu'elles sont toutes en place, fabriquez votre toit. Il faut séparer des bardeaux de chêne de 1,20 m de long afin de recouvrir toute la surface. Il faut les maintenir en place grâce à de lourds poteaux en bois.

10. Aménagez votre cabane : mettez un four à bois, deux ou trois lits, une table et des chaises, votre vélo d'appartement, une télé, une machine à laver, un micro-ondes, un ordinateur et ainsi de suite. Tout ce dont vous avez besoin pour votre petit confort.

11. Faites dans le haut de gamme ! Si vous souhaitez impressionner vos voisins quand vous aurez terminé votre cabane, vous pouvez installer un plancher en frêne ou en peuplier fait maison, que vous aurez affiné avec votre herminette. Ou bien vous pouvez juste prendre le temps de faire une pause.

LES MÉDIAS

Les classiques de la télé

58 Mission impossible

Au foot, un *hat-trick* se produit quand le même joueur marque trois buts durant un seul match. C'est une expression qui vient du cricket, un sport pour les hommes distingués avec des boules en béton. Il fut un temps où le lanceur qui réussissait à atteindre trois batteurs en trois lancers successifs recevait un trophée en forme de chapeau. À leur place, j'aurais plutôt préféré trouver de gros billets de banque coincés sous ma porte. Un *hat-trick* au cricket est une chose relativement difficile à accomplir, mais ça arrive, environ une fois tous les cinquante matchs. On peut donc dire que c'est improbable mais pas impossible. Vous voyez maintenant où je veux en venir ?

Mission impossible (plus exactement *Mission : L'Impossible*) est une série télévisée américaine créée, écrite et produite par Bruce Geller, un diplômé de Yale qui avait déjà travaillé sur la série de cow-boys *Rawhide*. Le feuilleton a d'abord été diffusé sur CBS entre 1966 et 1973.

Ce feuilleton hebdomadaire présente les aventures d'une équipe d'agents secrets membres de la FMI (Force des missions impossibles, à ne pas confondre avec le FMI, Fonds monétaire international). La série suit un schéma éprouvé. Elle commence toujours avec l'élégant Jim Phelps, le chef de l'équipe, qui ramasse un paquet dissimulé quelque part dans un endroit public. Il découvre invariablement des photos de criminels internationaux dont l'équipe devra s'occuper, soit en les démasquant, soit en libérant leurs otages. Alors qu'il feuillette le contenu de l'enveloppe, Phelps reçoit ses instructions *via* un magnétophone qui diffuse une voix autoritaire énonçant à chaque fois : « Bonjour, monsieur Phelps. Votre mission, si toutefois vous l'acceptez... » Il porte aussi souvent son imper par-dessus le bras. À la fin, la voix le prévient que si un membre de son équipe échoue, « le Département d'État nierait avoir eu connaissance de vos agissements ». Ça me rappelle un de mes patrons... Ensuite, tout le monde se souvient très bien de la cassette qui s'autodétruit en dégageant un gros nuage de fumée. On se demande d'ailleurs bien pourquoi personne ne lui passe pas un simple coup de fil.

Le rôle de Phelps est incarné, après la première saison, par Peter Graves (de son vrai nom Peter Aurness), un acteur beau comme c'est pas possible. Il remplace Steven Hill, un acteur religieux qui respectait strictement le sabbat et qui estimait donc se trouver dans l'impossibilité d'allier les exigences impossibles du calendrier de *Mission impossible* et celles non moins impossibles de la doctrine juive. Graves avait déjà joué avec brio dans le merveilleux et non moins glacial film de Charles Laughton *La Nuit du chasseur* (1955).

Le personnage de Graves choisit une équipe différente chaque semaine : les rôles sont incarnés par un petit répertoire d'acteurs bien policés. On trouve parmi les personnages celui de Cinnamon Carter, mannequin et actrice incarnée par Barbara Bain (de son vrai nom Millicent Fogel) qui, à l'époque, était mariée avec Martin Landau (voir plus loin) ; « Barney » Collier, un expert en électronique interprété par Greg Morris ; Willy Armitage, un gros-bras incarné par un le bodybuilder Peter Lupus ; Rollin Hand, un maître dans l'art du maquillage et du déguisement interprété par Martin Landau, qui avait déjà joué le rôle magnifique d'une ordure flippante dans un film d'Hitchcock intitulé *La Mort aux trousses*. Plus tard, Landau sera remplacé par Leonard Nimoy, notre non moins célèbre docteur Spock, dans le rôle du « Grand Paris ».

Les intrigues très complexes présentent systématiquement des pièges élaborés impliquant des personnages au maquillage et au déguisement sophistiqué qui manipulent des équipements high-tech dans des situations, si ce n'est impossibles, du moins *improbables*. Tout ce schmilblick est de la plus grande invraisemblance et il n'est pas rare de voir des personnages qui viennent d'être défenestrés du deuxième étage ou de dégringoler dans les escaliers s'en tirer sans jamais avoir à se recoiffer. Les méchants sont mis KO d'une pichenette à la base du cou. Ils portent aussi des masques en plastique bouilli avec des trous pour les yeux qui leur permettent de se transformer instantanément pour avoir les traits de la cible visée. La suspension consentie de l'incrédulité est essentielle pour le spectateur.

La musique géniale de *Mission impossible* a été composée par un compositeur argentin, Lalo Schrifin, qui est aussi l'auteur de la musique de *Starsky et Hutch* et de bien d'autres bandes originales de films du même acabit. C'est le genre de compositions qui perdure bien après la fin de la série.

Mission impossible a eu une renommée internationale et a débouché, trente ans plus tard, sur une série de films d'action avec Tom Cruise. Quand on a demandé à Peter Graves ce qu'il pensait de ces films, il n'a pas paru très impressionné, faisant simplement observer que, comparée aux films, la série originale était plus cérébrale que physique. Cette remarque vient quand même d'un gars qui avait accepté le rôle d'un pédophile incontinent dans une comédie grotesque intitulée *Y a-t-il un pilote dans l'avion ?* (1980).

Attention ! cette page s'autodétruira dans cinq secondes.

59 « *Energize !* » : l'histoire de *Star Trek*

En 1964, Gene Roddenberry, qui avait déjà écrit *Have Gun, Will Travel*, une série à succès sur des cow-boys, eut l'idée d'une fantaisie dans l'espace qui serait le pendant des aventures des premiers pionniers du Grand Ouest. Il considérait ce feuilleton comme un « train vers les étoiles ». La chaîne NBC trouva le projet intéressant et réalisa un pilote intitulé « The Cage ». Du casting de ce premier essai de *Star Trek*, il ne resta que deux acteurs, Leonard Nimoy et Majel Barrett, qui jouait Numéro Un, un second anonyme (c'était surtout la petite amie de Gene

Roddenberry). Apparemment, les dirigeants de la chaîne se seraient indignés que l'on ait pu donner un rôle aussi important à une totale inconnue, tout ça parce qu'elle était la petite copine du réalisateur.

Le pilote fut rejeté et ils en commandèrent un deuxième avec une nouvelle distribution. Il s'intitulait « Où l'homme dépasse l'homme » et présentait pour la première fois les fameux « voyages de l'*USS Enterprise* ». William Shatner incarnait le rôle principal du capitaine James Kirk. Leonard Nimoy jouait celui de monsieur Spock, un officier scientifique, l'acteur canadien James Doohan celui du lieutenant commandeur Montgomery Scott, Scotty pour les intimes, et George Takei celui de Hikaru Sulu. NBC accepta le pilote en 1966.

Révélations surprenantes

- L'actrice Majel Barrett (Mme Roddenberry) est la seule à avoir participé à toutes les versions de *Star Trek*, même les dessins animés et les films.

- La première diffusion aux États-Unis eut lieu le 8 septembre 1966. Cette première saison prit fin le 2 septembre 1969.

- Le générique français de tous les épisodes de la série contient cette phrase cultissime : « Et au mépris du danger avancer vers l'inconnu. »

- Le vaisseau imaginaire *USS Enterprise* mesure deux cent quatre-vingt-dix mètres de long, soit l'équivalent de la longueur de trente quatre bus.

- Il manquait un doigt à la main droite de James Doohan, *alias* Scotty.

- Le « transporteur» de l'*Enterprise* était la conséquence d'une mesure de restriction économique qui permettait au vaisseau mère de ne pas avoir à atterrir sur les différentes planètes visitées (trop cher).

- Roddenberry admit que *Star Trek* était influencé par le film *Planète interdite* (à voir).

- Leonard Nimoy inventa sa prise vulcaine, une simple pression neu-

tralisante. Dans l'épisode « L'Imposteur », il devait asséner un coup
sur la tête d'un méchant. Nimoy estima que cela ne correspondait
pas à son personnage et remplaça donc ce coup peu spockien par
une pression très personnelle.

- La chaîne NBC n'aimait pas le look de Spock et demanda à Gene
  Roddenberry de se débarrasser du « mec aux oreilles pointues ».
  Roddenberry refusa.

- Roddenberry aurait créé le personnage de Pavel Andreievich
  Chekov en imaginant une version russe du chanteur des Monkees,
  Davy Jones.

- DeForest Kelley (le docteur McCoy) avait d'abord été choisi pour le
  rôle de Spock.

- Le nom du lieutenant Uhura signifie « liberté » en swahili.

- Martin Luther King réussit à convaincre Nichelle Nichols (Uhura)
  de ne pas quitter la série.

- Nimoy et Shatner furent les deux seuls acteurs à jouer dans tous
  les épisodes de la série originale.

60 *Batman*

Batman est un feuilleton américain fondé sur le personnage de la
bande dessinée des éditions DC Comics. Les rôles du duo de choc Batman et Robin étaient tenus par Adam West et Burt Ward. Les deux héros
costumés se battaient avec un tas de méchants exotiques dans une sorte
de ville ressemblant à New York appelée Gotham City. Les épisodes de
trente minutes de la série furent diffusés par ABC de 1966 à 1968, deux
fois par semaine, avec une fin à suivre au prochain épisode.

L'idée d'une série télé pour Batman est née après la sortie au début
des années 1960 de deux films noir et blanc, *Batman* (1943) et *Batman et Robin* (1949). Les dirigeants de la chaîne et le fan de Batman
Yale Udoff suggérèrent une série en *prime time* du genre *Des agents
très spéciaux,* dans un style branché, léger mais intense. ABC retint

l'idée, donnant finalement les droits de production à William Dozier et à sa société Greenway Productions.

Mais Dozier détestait les comics et décida d'en faire une comédie gorgée de branchitude des Swinging Sixties. On demanda à une équipe d'auteurs d'injecter dans les scénarios une bonne dose de maniérisme, de bouffonnerie et de satire politique. Ils s'en donnèrent à cœur joie. Lorenzo Semple Jr écrivit un pilote et on fit faire des essais à quatre acteurs pour les personnages de Bruce Wayne, *alias* Batman, et de Richard John « Dick » Grayson, *alias* Robin. Adam West et Burt Ward obtinrent les rôles. West avait déjà joué un certain Captain Q dans une pub pour Nesquik alors que Burt Ward, qui trimait sous le pseudo Sparky Gervis, avait aussi fait fonction d'agent immobilier.

L'idée de base était que Bruce Wayne, un play-boy propre sur lui, vivait dans un manoir gigantesque avec son jeune acolyte Dick Grayson, un garçon tout aussi propre sur lui. Ce scénario fit tout de suite peur aux dirigeants, qui insistèrent pour intégrer le personnage de la tante Harriet. L'objectif premier de ce personnage était d'éviter tout soupçon de pédérastie, qu'on aurait pu deviner en raison de la relation très proche de Batman, un homme plus âgé et très athlétique, avec son assistant mignon et plutôt naïf. Le fait que ces deux garçons descendent fréquemment des poteaux et portent des tenues moulantes et flashy n'aidait pas vraiment à atténuer l'homosexualité latente. On se demande bien pourquoi Batman portait toujours sa Bat-ceinture avec tous ses gadgets. Le dernier personnage dans ce ménage parti-culier était un majordome anglais, Alfred, dont on a du mal à définir le rôle sexuel dans cette histoire.

Les dialogues contenaient des perles hilarantes, telles que :

Robin : Batman, je devrais peut-être rester à la maison ce soir. J'ai des devoirs, tu sais.

Batman : Je pense que tu devrais développer un certain goût pour l'opéra, Robin, comme on le fait pour la poésie et les olives.

Dick : Bruce, laisse-moi conduire la Batmobile, je suis assez léger.

Bruce : Non, Dick, je ne peux décemment pas laisser mon assistant conduire mon pur-sang. Les gens risquent de trouver ça étrange.

Batman : Lâche ce petit chat doré, Robin – il est peut-être radioactif.

Un des aspects les plus appréciables des scénarios de cette série était l'apparition d'acteurs reconnus et sérieux dans le rôle des méchants. L'acteur shakespearien Burgess Meredith incarna le Pingouin, le *Latin lover* Cesar Romero le Joker. Trois acteurs jouèrent le rôle de Mr Freeze : George Sanders (un des maris de Zsa Zsa Gabor ; il était aussi la voix de Shere Khan dans la version américaine du *Livre de la jungle*), Otto Preminger, un réalisateur au caractère de chien, et Eli Wallach, un acteur du film *Le Bon, la brute et le truand*.

Une autre chose particulièrement remarquable dans cette série était l'ascension latérale pendant laquelle nos deux héros masqués, cape au vent, étaient filmés sur le côté et escaladaient de toute évidence, ça se voyait d'ailleurs à la caméra, des « immeubles » horizontaux. À la moitié de leur montée, une fenêtre s'ouvrait, laissant apparaître une tête avec qui ils se tapaient une petite discute. Parmi les comédiens qui obtinrent ces rôles enviables, on aura pu reconnaître Edward G. Robinson, Sammy Davis Jr, Jerry Lewis et Bruce Lee.

Le générique à la renommée incroyable fut écrit par le compositeur et trompettiste Neal Hefti, qui composa aussi la musique du film *Drôle de couple*. Cet air apparemment simple est un blues à douze mesures, avec des trompettes flatulentes et un chœur de huit voix qui entonne les fameux « Batman ». C'est facile d'apprendre les paroles, puisqu'il ne s'agit que du nom du héros, « Batman », que l'on reprend dix fois, et on termine la chanson avec un « Da da na na na na na na na na naaaaa, Batman ». Allez-y, essayez !

Cinéma

61 Les grands films de guerre

Le général Patton a dit un jour : « L'objet de la guerre n'est pas de mourir pour son pays, mais de faire en sorte que le salaud d'en face meure pour le sien. » Vous voyez où il voulait en venir. Alors que beaucoup de gens succombent pendant la guerre, personne ne meurt vraiment jamais dans les films de guerre, c'est d'ailleurs pour cela qu'ils sont si géniaux. En voici quelques-uns choisis au hasard dans ma besace.

- *La Grande Évasion* : ce film américain de 1963 évoque une évasion massive de soldats alliés d'un camp de prisonniers de guerre allemand grâce à un tunnel. Il s'inspire d'un roman de Paul Brickhill qui raconte une véritable évasion du Stalag Luft III pendant la Seconde Guerre mondiale. Dans ce film de John Sturges, on trouve Richard Attenborough, Steve McQueen, James Garner, Donald Pleasance et bien d'autres acteurs très connus. Les célèbres cascades à moto sont l'œuvre de Steve McQueen en personne. Il a même doublé certains motards allemands dans les scènes de poursuite à moto. Il a failli se faire déchiqueter dans le dernier crash, quand il a foncé dans une clôture de barbelés qui étaient heureusement entourés de petits bouts de plastique découpés. La musique du film composée par Elmer Bernstein est un air qu'on sifflote à tout bout de champ ; elle est devenue aussi célèbre que le film. On se le repasse pendant les vacances de Noël avec *La Grande Vadrouille*, deux films avec du suspense, des rebondissements et de l'humour.

- *Ouragan sur le Caine* : ce film américain moins connu de 1954, réalisé par Edward Dmytryk, mouton noir de la liste des « Dix d'Hollywood », s'inspire d'un roman d'Herman Wouk. L'intrigue évoque la mutinerie à bord de l'*USS Caine*, un dragueur de mines de la marine américaine, pendant la Seconde Guerre mondiale, qui se termine par la comparution de deux de ses officiers devant une cour martiale. On y voit un Humphrey Bogart vieillissant qui offre une performance d'acteur impeccable dans le rôle du lieutenant commandeur Philip Francis Queeg. C'est un homme inflexible, dur et persécuté qui, on le découvre par la suite, souffre d'une grave maladie mentale. Les scènes dans la cour martiale où Bogart passe de la figure du commandant autoritaire et sûr de lui à celle du dingue complètement frappé sont d'autant plus flippantes qu'il n'arrête pas de jouer avec deux roulements à billes quand il est en situation de stress. Un jour, un jeune acteur inconnu du nom de Maurice Micklewhite qui se trouvait sur Leicester Square devait s'inventer un nom de scène rapidement. Il leva le nez et vit des affiches du film *Ouragan sur le Caine*. Il décida alors de se faire appeler Michael Caine. Ce fut un bon choix ; il aurait pu décider de s'appeler Michael Ouragan ou alors, s'il avait tourné la tête sur la gauche, il aurait pu devenir Michael Les 101 Dalmatiens.

- *Le Pont de la rivière Kwaï* : ce film de David Lean réalisé en 1957 s'inspire d'un roman français écrit par Pierre Boulle. Il retrace la construction de la « voie ferrée de la mort » Bangkok-Rangoon par des alliés prisonniers de guerre dans un camp japonais. Interprété par Alec Guinness, Jack Hawkins, William Holden et Sessue Hayakawa dans le rôle du chef de camp japonais, ce film est une fiction dans ses moindres détails. En effet, le directeur artistique fut tellement déçu par le vrai pont qu'il en conçut un nouveau, plus visuel et plus dramatique pour le film. David Lean, avec sa très mauvaise réputation, annonça à la fin d'une scène avec les acteurs britanniques : « Maintenant, vous pouvez tous aller vous faire foutre, vous les Rosbifs. Dieu merci, demain, je commence à bosser avec un acteur américain. » C'est ce qu'on appelle une déclaration motivante. Pendant la guerre, les soldats britanniques avaient changé des termes de la célèbre chanson originale « Colonel Bogey March » en ajoutant des gros mots concernant un Hitler monorchide (c'est un vrai mot, cherchez-le dans le dico). Lean choisit cet air, sachant que le public l'associerait à un symbole fort de l'insoumission irréfragable (encore un à chercher !) des Britanniques.

- *Les Briseurs de barrages* : ce film britannique magnifique de 1955 dirigé par Michael Anderson se fonde sur l'histoire vraie de l'escadron 617 de la RAF et des raids de ses bombardiers qui lâchaient des bombes ricochantes sur les barrages allemands de la Ruhr. Il est interprété par Michael Redgrave dans le rôle de l'inventeur Barnes Wallis et Richard Todd dans celui du lieutenant-colonel Guy Gibson. La musique du film « The Dam Busters March », composée par Eric Coates, est devenue un des hymnes nationaux non officiels en Grande-Bretagne. En 2008, Peter Jackson commença un *remake* et on se prit beaucoup la tête sur le fait que Nigger, le chien de Gibson, avait un nom pas très politiquement correct.

- *Quand les aigles attaquent* : ce film d'action, d'aventure et d'espionnage de 1968 réalisé par Brian G. Hutton est interprété par Richard Burton, Clint Eastwood et Mary Ure. C'est une adaptation du roman d'Alistair MacLean, qui a écrit le scénario du film parallèlement. Yakima Canutt, un cascadeur hollywoodien très connu, a travaillé sur les scènes de cascades avec Alf Joint, cascadeur britannique très célèbre pour ses exploits dans une pub pour le chocolat. Ron Goodwin a composé la musique du film ; c'est lui qui, quatre ans plus tard, allait écrire la bande originale de *Frenzy*, réalisé par Alfred Hitchcock. L'intrigue se déroule pendant la Seconde Guerre mondiale, au moment où le général américain George Carnaby, qui est en train de préparer de débarquement en Normandie, est fait prisonnier dans le château des Aigles afin d'y être interrogé. Un commando y est parachuté afin de récupérer le général Carnaby avant que les Allemands n'aient pu lui soutirer des informations.

- *Un pont trop loin* : ce film américain datant de 1977 est adapté d'un roman de Cornelieus Ryan et réalisé par Richard Attenborough.

Il s'intéresse à l'échec de l'opération Market Garden pendant la Seconde Guerre mondiale, quand les alliés tentent de mettre la main sur un certain nombre de ponts situés derrière les lignes allemandes. Le casting fantastique comprend Dirk Bogarde, James Caan, Michael Caine, Sean Connery, Denholm Elliott, Elliott Gould, Edward Fox, Gene Hackman, Anthony Hopkins, Laurence Olivier et d'autres acteurs du même acabit. On doit la bande originale à John Addison, qui avait aussi composé la musique du *Rideau déchiré* d'Hitchcock (1966). C'est encore Alf Joint qui exécute les cascades. Quelle santé !

- *Le Chemin des étoiles* : Terence Rattigan a écrit le scénario de ce film de 1945 joué par Michael Redgrave et John Mills. Je n'évoque ce film que parce qu'il a été réalisé par Antony Asquith, le fils du Premier ministre H.H. Asquith. Contrairement à David Lean, Asquith était un homme particulièrement charmant, délicat et très apprécié pour ses bonnes manières. Un soir, alors qu'il traversait un plateau de tournage vide et sombre, un électricien qui était en train d'enrouler un câble dans l'ombre le vit trébucher sur une charnière électrique et l'entendit dire : « Oh, excusez-moi, je suis *parfaitement* désolé. » On n'en fait plus, des hommes comme ça.

62 Les phrases culte du cinéma

Un jour où je voyageais en avion sur une compagnie américaine, l'hôtesse a offert aux passagers des petits paquets de gâteaux apéritifs. Sur le paquet, on pouvait lire : « Instructions : 1) Ouvrir paquet. 2) Manger biscuits. » Ça donne faim ! Il en est souvent ainsi au cinéma : c'est tout un art de trouver la réplique choc qui marquera des générations à jamais. Voici quelques perles.

Le pire

- *V pour Vendetta* (2006) : « Voila ! Vois en moi l'image d'un humble

178

vétéran du vaudeville. Distribué vicieusement dans les rôles de victime et de vilain par les vicissitudes de la vie. Ce visage, plus qu'un vil vernis de vanité, est un vestige de la *vox populi* aujourd'hui vacante, évanouie. Cependant cette vaillante visite d'une vexation passée se retrouve vivifiée et a fait vœu de vaincre cette vénale et virulente vermine vantant le vice et versant dans la vicieusement violente et vorace violation de la volition ! Un seul verdict : la vengeance. Une vendetta telle une offrande votive mais pas en vain. Car sa valeur et sa véracité viendront un jour faire valoir le vigilant et le vertueux. En vérité, ce velouté de verbiage vire vraiment au verbeux, alors laisse-moi simplement ajouter que c'est un véritable honneur de te rencontrer. Appelle-moi X. »

- *Predator I* (1987) : « T'as pas… une gueule de porte-bonheur ! »
- *Le Projet Blair Witch* (1999) : « J'ai peur d'ouvrir les yeux, j'ai peur de les fermer… »
- *L'Aile ou la cuisse* (1976) : « Au fond du couloir à gauche. Vous suivez les mouches. »
- *John Rambo* (2007) : « Je préfère mourir pour une cause que vivre pour rien. »
- *Dirty Dancing* (1987) : « Non, tu n'as pas besoin de courir le monde après ton destin comme un cheval sauvage. »
- *99 Francs* (2007) : « Si les hommes font tant de peine aux femmes, c'est sans doute qu'elles sont tellement plus belles quand elles pleurent. »
- *Hot Shots ! II* (1993) : « Je te tuerai jusqu'à ce que tu sois mort ! »

Le meilleur

- *Les Bronzés font du ski* (1979) : « Moi j'ai eu une rupture ! J'ai vécu avec une femme, puis au bout de quarante-huit heures elle a décidé qu'on se séparait d'un commun accord, alors j'ai pas bien supporté ! J'ai même essayé de me suicider ! »
- *La Vie est un long fleuve tranquille* (1988) : « Mon cher Louis.

Aujourd'hui tu as perdu : ta chère épouse, ton métier, ta renommée, ta vie. Et en plus, je vais t'écraser comme une merde. »

- *Le Quai des brumes* (1938) :

  « – T'as de beaux yeux tu sais.

  – Embrasse-moi. »

- *Hôtel du Nord* (1938) : « Atmosphère, atmosphère, est-ce que j'ai une gueule d'atmosphère ? »

- *Maigret tend un piège* (1957) : « En fin de compte, ces femmes-là trouvent toujours preneur. Tout le monde visite et un imbécile finit par acheter. »

- *Borat* (2006) :

  « – Lorsque j'ai acheté ma femme, au départ elle faisait bon cuisine, sa vagine marchait bien, forte en labourage, mais au bout de trois années mariage, quand elle a eu quinze ans, alors elle devient fragile, sa voix devient plus grave, alors elle a reçu poils sur le sein, sa vagine était large comme manche d'un magicien, comment je suis sûr que ça arrive pas comme ça avec la voiture ?

  – Chevrolet vous le garantit avec la garantie. »

- *Marche à l'ombre* (1984) : « Tu supportais pas la chaleur : t'as même fait une insolation dans une boîte de nuit ! »

- *Le Père Noël est une ordure* (1982) : « Oui ça, évidemment, on vous demande de répondre par oui ou par non, alors ça dépend ça dépasse. »

- *L'Âge de glace I* (2002) : « T'es mal placé dans la chaîne alimentaire pour faire ta grande gueule ! »

63 Se mettre à l'hindi ou comment tourner à Bollywood

Bollywood est le nom donné à l'Industrie du film indien tourné en hindi basée à Bombay (aujourd'hui, on dit Mumbai) . C'est le plus gros producteur de films en Inde et l'un des plus hauts lieux de production cinématographique dans le monde. Ce terme est le mélange de Bombay et de Hollywood. Il évoque le mot-valise « Tollywood » inventé en 1932, qui était lui-même la fusion de Tollygunge (une ville du Bengale, la Mecque du cinéma à l'époque) et de Hollywood.

Aujourd'hui, un film typiquement bollywoodien est une comédie musicale entraînante, très colorée, avec de bons sentiments à la limite de l'overdose. On trouve de plus en plus de magasins vidéo spécialisés dans la vente de ce type de films à Paris, où une large communauté indienne s'est installée dans les 10e et 18e arrondissements. Les intrigues sont fondées sur des mélodrames éculés qui présentent des archétypes de la société. Des jumeaux séparés à la naissance, des poules au grand cœur, de jeunes amants malheureux au destin tourmenté, des politiciens corrompus, des types de la mafia indienne et des bons à rien ; tous ces personnages vivent de véritables tragédies grecques, ils commettent des hamartias (encore un mot compliqué que vous devrez chercher dans le dictionnaire), tombent amoureux, plongent dans des tourments familiaux, endurent des violences, éprouvent des joies intenses et subissent de constants rebondissements lors de coïncidences invraisemblables, tout ça dans un massala épicé de trois heures interrompu par quelques intermèdes musicaux.

La musique de Bollywood est ce qu'on pourrait appeler « un gloubiloulindien plein d'allant » teinté d'influences occidentales. On retrouve ces influences dans les costumes, les décors, le maquillage et la lumière. Généralement, les chansons sont préenregistrées en studio par des chanteurs professionnels, ensuite les acteurs les interprètent en play-back. Les dialogues et les effets sont aussi réalisés à l'avance en studio. Les acteurs, qui pour la plupart sont devenus des stars internationales, doublent leur propre voix en se regardant jouer. Il faut dire qu'ils ne sont pas toujours synchrones.

Rares sont les films de Bollywood qui n'intègrent pas au moins une sorte de clip chanté et dansé particulièrement soigné, qu'on appelle un *item number*. C'est alors qu'une bombe ou *item girl* chante un air entraînant tout en bougeant ses attraits corporels. La danseuse est généralement une courtisane de la haute qui danse dans des cabarets pour un client plein aux as. Je me demande quel genre d'analyse féministe on pourrait établir dans les cercles universitaires. Plus généralement, de nos jours, ces scènes dansées et chantées se glissent dans des scènes de boîte de nuit ou de mariage. Souvent, elles n'ont absolument rien à voir avec les personnages du film et leurs histoires.

L'industrie de Bollywood est devenue tellement importante qu'en 2010, juste avant que la MGM ne mette la clé sous la porte et que le film soit rangé dans un placard, les producteurs du vingt-troisième James Bond étaient en repérage sur des sites indiens et faisaient passer des castings aux plus belles actrices bollywoodiennes pour le rôle de la future *James Bond girl*.

Vous reprendrez bien un naan au fromage ?

64 Les oscars qui ont mal tourné

Le 2 avril 1974, alors que la quarante-sixième cérémonie des oscars arrivait sur sa fin, un *streaker* à moustache (vous savez, ces mecs qui se foutent à poil et courent dans tous les sens) du nom de Robert Opel et âgé de 33 ans, arriva soudain en courant derrière l'impassible et stoïque David Niven, qui était sur le point de présenter Elizabeth Taylor. Un éclat de rire avait mis la puce à l'oreille de l'élégant Niven, il ne rata donc pas sa saillie. Plongeant dans les méandres de son à-propos le plus distingué, il sortit ceci : « Eh bien, mesdames et messieurs, cela devait presque arriver. Ne trouvez-vous pas fascinant que les seuls éclats de rire que cet homme provoquera dans sa vie sont ceux dus à l'exposition de ses parties intimes ? » D'habitude, quand ça se passe mal aux oscars, ce n'est pas très intéressant. Généralement, c'est dû au fait que la statuette a été attribuée au mauvais film ou au mauvais acteur. Voici donc la liste des oscars qui auraient dû décorer d'autres cheminées.

1930-1931   **Non nominés :** *Les Lumières de la ville, Frankenstein*

Meilleur film : *La Ruée vers l'ouest*

1932-1933   **Non nominé :** *King Kong*
              Meilleur film : *Cavalcade*

1936   **Non nominé :** *Les Temps modernes*
              Meilleur film : *Le Grand Ziegfeld*

1937   **Non nominé :** *Blanche-Neige et les sept nains*
              Meilleur film : *La Vie d'Émile Zola*

1941   **Nominés pour le meilleur film :** *Citizen Kane*, *Le Faucon maltais* (une année inoubliable), *Soupçons*
              Meilleur film : *Qu'elle était verte ma vallée*

1944   **Non nominés :** *Laura*, *Le Chant du Missouri*
              Meilleur film : *La Route semée d'étoiles*

1955   **Non nominés :** *La Nuit du chasseur*, *Graine de violence*, *À l'est d'Eden* (une autre année inoubliable), *En quatrième vitesse*, *La Fureur de vivre*, *Un Homme est passé*, *Oklahoma !*, *La Main au collet* (ce sont tous d'excellents films, et *La Nuit du chasseur* est un vrai chef-d'œuvre)
              Meilleur film : *Marty* (un bon film mais certainement pas le meilleur)

1958   **Non nominés :** *Sueurs froides*, *La Soif du mal*, *South Pacific*

Meilleur film : Gigi (une comédie musicale charmante, mais S*ueurs froides* et *La Soif du mal* sont nettement supérieurs)

1968   **Non nominés :** *2001 : l'Odyssée de l'espace, Rosemary's baby*
Meilleur film : *Oliver !*

Nous allons nous arrêter là car l'âge d'or du cinéma est terminé depuis bien longtemps. C'est vrai, non ? Prenez 1941 et 1955 : de nos jours, on n'aurait pas un seul film de cette qualité en une année. Les fiascos n'étaient d'ailleurs pas réservés qu'aux nominations du meilleur film. Alfred Hitchcock n'a jamais obtenu d'oscar du meilleur réalisateur, ce qui est absolument impardonnable. S'ajoutent à cette liste de refusés, dans la catégorie meilleur acteur ou meilleure actrice : Cary Grant, Katharine Hepburn, Henry Fonda ou James Stewart. En même temps, jetez un coup d'œil sur la liste de ceux qui obtiennent des césars.

LA RELIGION POUR UN HOMME DE BON SENS

Le christianisme

65 La banane, preuve de l'existence de Dieu

Ceux qui seraient tentés de discréditer l'intelligence des formes n'ont qu'à jeter un coup d'œil à ce que les experts appellent « le cauchemar de l'athée » : une simple banane. Un soir, j'ai rencontré un gars à une fête qui m'a expliqué ce paradoxe. À l'instar des fabricants de boissons qui ont imaginé la canette, le contenant idéal pour boire en toutes circonstances, Dieu a créé la banane, l'aliment parfait à bien des égards. Voici sa démonstration en dix points parfaitement clairs et merveilleusement évidents.

1. Les arêtes de la banane sont totalement adaptées à la forme de la main de l'homme. Ce fruit comporte trois arêtes sur sa face convexe, qui correspondent aux trois creux formés par les doigts. Il a deux arêtes sur la face concave, qui épousent le creux du pouce. Une banane sur mesure en somme.
2. Dieu a donné une surface lisse à la banane.
3. La couleur de la peau de la banane indique si on peut la manger. Si elle est verte, c'est qu'elle n'est pas assez mûre. Si elle est jaune, c'est qu'elle est bonne à manger. Si elle est noire, c'est qu'il est trop tard. C'est aussi simple que les feux de signalisation.
4. En haut de la banane, Dieu a prévu une petite languette très pratique qui permet de l'ouvrir, comme pour les canettes de bière. En fait, c'est mieux qu'une canette de bière, car elle ne vous explose pas à la tête si vous l'avez trop secouée.
5. Le contenant de la banane, c'est-à-dire sa peau, est biodégradable.

6. Elle est conçue pour être ouverte d'un seul coup, sans s'embêter.

7. Quand on l'a ouverte, la peau pendouille simplement et on n'a plus qu'à la balancer d'un coup de poignet.

8. La banane a un bout aussi large que l'ouverture de la bouche, elle est très facile à avaler. Elle a une forme parfaite.

9. En plus, le Créateur l'a imaginée avec une forme incurvée qui se dirige vers le visage afin de faciliter sa consommation.

10. La banane est douce et sucrée, sans méchants pépins. Elle est idéale à déguster, que vous soyez un bébé ou un vieillard édenté.

Si vous êtes un athée sceptique, cette démonstration bananière peut sembler irréprochable. Mais attendez, il y a quand même un petit souci. Reprenons tout depuis le début.

1. La forme de la banane correspond à la forme de la main, simplement parce que nous l'affirmons. Ça n'a aucun sens de parler des côtés supérieur et inférieur d'une banane, ni de haut et de bas. En plus, ce fruit s'adapte tout aussi facilement à la forme de la main ou du pied d'un chimpanzé qu'à celle d'un homme.

2. La peau de la banane a certes une surface lisse, mais c'est aussi le cas des cannes en bois qui, elles, ne sont pas mangeables. D'ailleurs, les poissons ont des écailles et on peut les manger.

3. Même s'il est vrai que les bananes sont mûres et sucrées quand elles sont jaunes, on ne peut pas en dire autant de la peau d'un melon ou d'un abricot. La moitié des melons et des abricots que je goûte ne le sont pas et, si j'ai bien compris, ils sont aussi l'œuvre de Dieu.

4. La petite languette de la banane n'est pas forcément en haut, car la banane n'a ni haut ni bas. En plus, ce n'est pas vraiment une languette.

5. La peau de banane est certes biodégradable, mais on peut en dire autant des sacs en papier du marchand de fruits.

6. C'est sûr qu'elle s'ouvre facilement, mais si ça prouve que le design est intelligent, je n'ai qu'un mot à dire : noix de coco (bon, ça fait trois, je vous l'accorde). Allez essayer d'en ouvrir une à la main. Elles doivent avoir été conçues pour encourager les designs débiles comme ceux des ananas.

7. C'est vrai que la peau pendouille gentiment, mais pas si vous êtes dans votre lit. Et que dites-vous des épluchures de patate ? Ce n'est pas très sympa pour ceux qui sont de corvée de patates !

8. Il est vrai que la banane a une forme et une taille idéales pour pénétrer dans la bouche, mais on peut dire la même chose de l'amanite phalloïde. En plus, on pourrait se fourrer une banane dans les fesses (c'est juste une supposition).

9. Une forme incurvée qui se dirige vers le visage ? C'est seulement vrai si vous la prenez de cette manière-là. Retournez-la et elle est incurvée dans l'autre sens.

10. Douce et sucrée, sans méchants pépins ? J'ai bien peur que ce soit le point de non-retour de cette argumentation. Les bananes sauvages, les vraies de vraies, ne ressemblent pas du tout aux spécimens jaunes et allongés que l'on cultive et que l'on vend sur les marchés. Elles ont la peau dure et coriace. Elles sont d'un bleu vert pas terrible et sont plus trapues. On ne peut pas les tenir et les éplucher comme les bananes que l'on mange au dessert. À l'intérieur, on trouve une chair pleine de pépins durs comme du bois, absolument pas appétissante et surtout indigeste. La jolie et douce banane jaune à qui on retire facilement la peau est une création humaine née des dons horticoles de l'homme, qui l'a volontairement domestiquée à travers les siècles. C'est un design intelligent certes, mais c'est un design tout ce qu'il y a de plus *humain*.

Quand j'ai commencé à tenir ces propos à l'homme de la fête, il m'a répondu : « Ah, c'est vrai, mais Dieu nous a donné l'intelligence et la capacité de transformer la banane pour la rendre parfaite. » Que voulez-vous répondre à ça, *franchement* ? On en met au monde tous les jours.

66 Ceux que vous ne pouvez pas épouser selon le Livre

Un jour, une de mes amies avocates m'a raconté une anecdote qui l'avait particulièrement marquée lors d'un procès. Voici de quoi il en retournait.

AVOCAT GÉNÉRAL : Comment s'appelle votre belle-sœur ?

TÉMOIN : Martin.

AVOCAT GÉNÉRAL : Quel est son *prénom* ?

TÉMOIN : Je ne m'en souviens pas.

AVOCAT GÉNÉRAL : C'est votre belle-sœur depuis sept ans et vous ne vous souvenez pas de son prénom ?

TÉMOIN : Non, je suis trop nerveux. Ils sont tous en train de me regarder. *(Il se lève et montre sa belle-sœur du doigt.)* Jeanne, pour l'amour de Dieu, dis-leur comment tu t'appelles !

On a de la peine pour ce témoin, car il est de plus en plus difficile de faire le tri, parmi les membres d'une famille, entre ceux qui ont des liens consanguins ou pas, surtout de nos jours avec les familles recomposées, les parents divorcés, remariés et dont les enfants ont plusieurs mères. Il est donc important, dans ce véritable micmac familial, que l'Église garde un œil sur qui on peut ou ne peut pas épouser.

Un homme ne peut pas épouser	*Une femme ne peut pas épouser*
Sa mère	Son père
Sa fille	Son fils
Sa fille adoptive	Son fils adoptif
La mère de son père	Le père de son père
La mère de sa mère	Le père de sa mère
La fille de son fils	Le fils de son fils
La fille de sa fille	Le fils de sa fille
Sa sœur	Son frère
La mère de sa femme	Le père de son mari
La fille de sa femme	Le fils de son mari
La femme de son père	Le mari de sa mère
La femme de son fils	Le mari de sa fille
La femme du père de son père	Le mari de la mère de son père
La femme du père de sa mère	Le mari de la mère de sa mère
La mère du père de sa femme	Le père du père de son mari
La mère de la mère de sa femme	Le père de la mère de son mari
La fille de la fille de sa femme	Le fils de la fille de son mari
La fille du fils de sa femme	Le fils du fils de son mari
La femme du fils de son fils	Le mari de la fille de son fils
La femme du fils de sa fille	Le mari de la fille de sa fille
La sœur de son père	Le frère de son père
La sœur de sa mère	Le frère de sa mère
La fille de son frère	Le fils de son frère
La fille de sa sœur	Le fils de sa sœur

Dans cette liste, le terme « frère » indique aussi le demi-frère et le terme « sœur » la demi-sœur.

AFFAIRES ÉTRANGÈRES

Géographie

67 Les continents

Quand j'étais à l'école, les profs nous disaient d'apprendre la classification périodique des éléments, ce que j'ai fait. Depuis j'ai tout oublié, mais parfois ça me revient et je sors la bonne réponse quand je regarde *Le Grand concours des animateurs* à la télé. Cela tombe souvent sur le *Plumbum metallicum*. Alors que j'étais en train de perdre mon temps à mémoriser la fameuse classification, j'ai aussi appris qu'un continent est une zone de terre continue et qu'il en existe sept sur toute la Terre, ce qui est vrai. Il en existe aussi six, cinq ou quatre selon votre état d'esprit du moment, parce que les conventions changent selon les pays, pour différentes raisons. Voici les variables possibles de la division des continents.

- Sept continents : Amérique du Nord, Amérique du Sud, Antarctique, Afrique, Europe, Asie, Australie (aussi connu sous le nom d'Océanie ou d'Australasie).
- Six continents : Amérique du Nord, Amérique du Sud, Antarctique, Afrique, Eurasie, Australie.
- Six continents : Amérique, Antarctique, Afrique, Europe, Asie, Australie.
- Cinq continents : Amérique, Antarctique, Afrique, Eurasie, Australie.
- Quatre continents : Amérique, Antarctique, Afro-Eurasie, Australie.

Certains de ces continents sont appelés des sous-continents, surtout s'ils sont situés sur une autre plaque tectonique que le reste du continent. Les plus connus des sous-continents sont certainement le sous-continent indien et la péninsule arabique. L'Amérique du Nord et l'Amérique du Sud sont les sous-continents du continent américain et la plus grande île du monde. Le Groenland est aussi considéré comme un sous-continent.

Il y a des microcontinents, comme Madagascar, une île qui se trouve à l'est de l'Afrique, légèrement plus grande que la France, et qui est parfois surnommée « le huitième continent ». Les prétendus super-continents qui existaient à des périodes géologiques depuis longtemps révolues comprenaient la Columbia, le Gondwana, le Kenorland, la Laurasie, la Rodinia, la Pangée et le Vaalbara.

Il existe aussi des continents sous-marins, qui comprennent la totalité du continent presque entièrement submergé des Kerguelen, dans le Sud de l'océan Indien, ainsi que le continent de la Zélande pratiquement submergé (appelé aussi la terre de Tasmantis). La Nouvelle-Zélande et la Nouvelle-Calédonie sont des parties émergées de ce continent.

Dans l'ordre décroissant de taille de ces zones géographiques, voici une liste des continents qui nous sont les plus familiers. Les pourcentages indiquent la taille des blocs continentaux.

- Asie : 29,5 %
- Afrique : 20,4 %
- Amérique : 28,5 % (Nord : 16,5 % ; Sud : 12 %)
- Antarctique : 9,2 %
- Europe : 6,8 %
- Australie : 5,9 %

Ces chiffres sont particulièrement intéressants. L'Europe est à peine plus grande que l'Australie et plus petite que l'Antarctique. Ce n'est pas l'impression que l'on a quand on regarde les infos... L'Afrique, quant à elle, est plus grande que le continent nord-américain. Visiblement, ça n'apparaît pas vraiment sur les cartes du monde. On se demande bien pourquoi.

68 Les pays les plus petits du globe

Certains pays sont vraiment très petits. Les gens qui s'occupent de ce genre de choses les appellent les micro-États ou les mini-États : Malte, le Liechtenstein, le Luxembourg, Monaco et Singapour sont des micro-États. Le Vatican est le micro-État souverain le plus petit. Malgré son nombre riquiqui d'habitants (huit cent vingt-six en 2009) et sa superficie pas plus grande qu'un mouchoir de poche (0,44 km²), il représente un sacré poids dans la balance diplomatique.

La République de l'Indian Stream est un des micro-États les plus bizarres, résultat d'un découpage et de traités confus. Une anomalie dans le traité de Paris, qui mit un terme à la guerre d'indépendance américaine (1775-1783), a engendré des revendications de rattachement de l'Indian Stream aussi bien de la part des États-Unis que du Canada qui longe ce bout de terrain. Toutefois, les résidents ont refusé de donner suite aux revendications de ces deux pays. En 1832, le territoire est devenu une république, jusqu'en 1835, quand la République de l'Indian Stream est volontairement annexée par le New Hampshire.

Il ne faut pas confondre les micro-États avec les micronations autoproclamées qui ne sont pas reconnues par les états souverains. Même si certaines micronations ont leur drapeau, leur monnaie, leurs timbres et leur passeport, on n'y prête pas vraiment attention sauf le jour où on y découvre du pétrole ou un autre type de gisements lucratifs. La micronation la plus intéressante est Redonda, à qui j'ai consacré un chapitre entier que vous lirez plus tard. Voici la liste de quelques-uns de ces petits pays, dans l'ordre de création.

■ **Llanrwst,** fondée en 1276 : cette ville du Nord du pays de Galles a été déclarée *free borough* (sorte de ville franche) par le prince de Galles, Llywelyn ap Gruffydd (Llywelyn le Dernier). Un archevêque du XIIIe siècle demanda au Pape de revoir cette décision, mais il refusa. La ville a son propre blason et son drapeau. En 1947, le conseil municipal posa sa candidature pour obtenir un siège au Conseil des Nations unies, sans succès.

- **Humanity,** fondée en 1914 : une micronation dans les îles de Spratly, dans le Sud de la mer de Chine. Elle est issue de la République de Morac-Songhrati-Meads (une autre micronation, fondée par le capitaine britannique James George Meads en 1878 ou aux environs de cette date).

- **Frestonia,** fondé en 1977 : Freston Road dans West London se sépara du Royaume-Uni en 1977, lors d'un litige à propos de la représentation non autorisée de *The Immortalist,* une pièce de Heathcote Williams, dramaturge, sculpteur, poète, acteur, peintre, magicien et graphiste. Il remporta son procès et obtint que Frestonia n'appartienne pas, pour cette raison, à la Grande-Bretagne.

- **Royaume de Talossa,** fondé en 1979 : ce royaume aussi grand qu'une chambre à coucher appartient au Roi Robert Ier (R. Ben Madison). Il possède son propre langage et une excellente formation de metal-opéra.

- **Le Royaume de l'autre monde,** fondé en 1996 : un matriarcat tchèque à Prague, avec un code BDSM (bondage, discipline, sado, maso) très strict. Les femmes y mènent les hommes à la baguette de fer. Je ne sais pas si ça donne vraiment envie !

- **L'Empire Copeman,** fondé en 2003 : l'Empire Copeman est dirigé par son monarque à partir d'un camping dans le Norfolk. Nick Copeman a officiellement changé son nom en Son Altesse royale Nicholas Ier. Ils sont fous ces Anglais !

- **La République socialiste de Bjorn,** fondée en 2005 : cet État athée et marxiste mesure six mètres carrés. Il est situé sur un rocher qui ressemble à un tracteur, en face des îles de Bos, sur le lac d'Immeln, dans la région de Scanie en Suède.

- **Austenasia,** fondée en 2008 : en septembre 2008, Jonathan Austen envoya un mail à Tom Brake, le député de Carshalton et Wallington, pour proclamer la séparation de sa maison du territoire britannique et en faire un État souverain. Son père, Terry, fut déclaré empereur et le fils devint Premier ministre. En février 2009, Glencrannog, une maison du voisinage, demandait à faire partie d'Austenasia et en mars, Sir William Kingsnorth signa un traité d'annexion, acceptant de ce fait que sa maison devienne la ville de South Kilttown. Le mois suivant, tous acceptèrent le *God Save the Emperor* comme l'hymne national de ce pays. Étrangement, il ressemble beaucoup à l'hymne britannique, puisqu'il reprend le même air.

69 Les trente-sept pays de l'Amérique du Nord

Au moment où j'écris ce livre, le nombre de pays en Amérique du Nord s'élève à trente-sept. Eh oui, moi aussi, ça m'a surpris. En plus, cinq cent quatorze millions de personnes habitent dans ces vingt et un États souverains et seize territoires qui dépendent d'autres nations. Une exception : l'île de la Navasse. Cette île est inhabitée, elle n'a pas de langue officielle et ne produit que de la merde d'oiseau.

Naturellement, le débat sur les limites géographiques de l'Amérique du Nord fait rage. Par exemple, on considère généralement l'Amérique centrale comme la partie la plus méridionale du continent, même si certains estiment que c'est une région à part entière. En fait, les gens se querellent pour des tas de raisons. Prenons quelques exemples : Aruba, les Antilles néerlandaises, Trinidad-et-Tobago ainsi que Panama. Ces pays ont un pied dans chaque continent. J'ai placé Panama à la limite de l'Amérique du Nord. Si certains estiment que j'abuse, je voudrais ajouter que c'est à l'insu de mon plein gré.

- **Anguilla** (Royaume-Uni) : *langue* : anglais ; *productions* : sucre, mélasse, coton *sea island*.
- **Antigua-et-Barbuda** : *langue* : anglais ; *production* : tourisme.

- **Antilles néerlandaises** (Pays-Bas) : *langues* : néerlandais, anglais, créole ; *productions* : tourisme, raffinage pétrolier, paradis fiscal.
- **Aruba** (Pays-Bas) : *langues* : néerlandais, anglais, papiamento ; *production* : tourisme.
- **Bahamas** : *langue* : anglais ; *productions* : tourisme, rhum, paradis fiscal.
- **La Barbade** : *langue* : anglais ; *productions* : rhum, mélasse, tourisme (là le tourisme, c'est du lourd !).
- **Belize** : *langues* : anglais, espagnol ; *productions* : sucre, bois.
- **Bermudes** (Royaume-Uni) : *langue* : anglais ; *productions* : tourisme et paradis fiscal.
- **Canada** : *langues* : anglais, français ; *productions* : minerais, bois, céréales, biens manufacturés.
- **Costa Rica** : *langue* : espagnol ; *production* : café.
- **Cuba** : *langue* : espagnol ; *productions* : fèves, manioc, minerais, café, sucre.
- **La Dominique** : *langue* : anglais ; *productions* : bananes, fruits, tourisme.
- **États-Unis (y compris la lointaine Hawaï)** : *langue* : anglais ; *productions* : nourriture, minerais, biens manufacturés.
- **Grenade** : *langue* : anglais ; *productions* : cacao, noix de muscade, bananes.
- **Groenland** (Danemark) : *langues* : danois, inuit ; *productions* : du poisson, encore du poisson et toujours du poisson.
- **Guadeloupe** (France) : *langues* : français, créole ; *productions* : ananas, aubergines, bananes, sucre de canne.
- **Guatemala** : *langue* : espagnol ; *productions* : café, minerais.
- **Haïti** : *langues* : français, créole ; *productions* : café, sucre.
- **Honduras** : *langue* : espagnol ; *productions* : bananes, bois, café.
- **Îles Caïmans** (Royaume-Uni) : *langue* : anglais ; *productions* : tourisme, paradis fiscal, produits issus des tortues (!).

- **Île de la Navasse** (États-Unis / aussi revendiquée par Haïti).
- **Îles Vierges américaines** (États-Unis) : *langues* : anglais, créole, néerlandais ; *production* : tourisme.
- **Îles Vierges britanniques** (Royaume-Uni) : *langues* : anglais, créole ; *productions* : tourisme et paradis fiscal.
- **Jamaïque** : *langues* : anglais, créole ; *productions* : bauxite, bananes, sucre, tourisme.
- **Martinique** (France) : *langues* : français, créole ; *productions* : ananas, bananes, fleurs, sucre de canne.
- **Mexique** : *langue* : espagnol ; *productions* : pétrole, minerais, textiles, acier.
- **Montserrat** (Royaume-Uni) : *langues* : anglais, créole ; *productions* : composants électroniques, légumes, sacs plastiques (une activité volcanique intense a disséminé ce pays).
- **Nicaragua** : *langues* : espagnol, anglais ; *productions* : café, coton, viande.
- **Panama** : *langue* : espagnol ; *productions* : circulation sur le canal, secteur bancaire, bananes.
- **Porto Rico** (États-Unis) : *langue* : espagnol ; *productions* : coton, fruits, hydroélectricité, minerais, poisson.
- **République dominicaine** : *langue* : espagnol ; *productions* : sucre, minerais.
- **Saint-Kitts-et-Nevis** (Royaume-Uni) : *langue* : anglais ; *production* : sucre.
- **Saint-Pierre-et-Miquelon** (France) : *langues* : français, anglais ; *production* : poisson.
- **Saint-Vincent-et-les-Grenadines** : *langue* : anglais ; *productions* : bananes, maranta, tourisme.
- **Salvador** : *langue* : espagnol ; *productions* : café, coton.
- **Trinidad-et-Tobago** : *langue* : anglais ; *productions* : pétrole, cacao, café, sucre.

- **Turks-et-Caicos** (Royaume-Uni) : *langue* : anglais ; *productions* : fruits de mer comme les homards et les conques.

70 L'incroyable royaume de Redonda

Le royaume de Redonda est une petite île ronde (en fait, elle a plutôt la forme d'une limace) située dans les Caraïbes, à vingt-quatre kilomètres au nord-ouest de Montserrat, dans les Petites Antilles. Elle mesure environ 1,6 km de long et à peu près le tiers de large. Elle est aussi surmontée par le bout d'un volcan éteint. Christophe Colomb a découvert Redonda à 8 heures du matin le 12 novembre 1493. Croyant qu'elle était ronde, il l'a baptisée Santa-Maria-la-Redonda, mais il n'y a jamais mis les pieds. À des époques plus récentes, on a utilisé l'île pour ses ressources abondantes de guano. Les chèvres qui se baladaient dans le coin broutaient les shorts des mineurs qui creusaient la montagne pour dégager les sillons d'excréments puants sous une chaleur torride.

Redonda est considérée comme la troisième île appartenant à la nation d'Antigua, Barbuda et Redonda, mais on s'est longtemps disputé sa souveraineté. Toutefois, Redonda a un roi. D'ailleurs, au moins quatre rois déclarent aujourd'hui être le véritable monarque de l'île, même si ce n'est qu'un bout de rocher abrupt et hostile qui reste inhabité, si ce n'est par quelques chèvres et la guêpe qui les suit. Il n'y a pas d'eau douce, seulement une bandelette d'herbe roussie près du sommet. Comme aucun être humain ne désire y habiter, il n'y a pas non plus d'impôts sur le revenu.

Le premier à avoir mentionné Redonda en tant que royaume est un certain M.P. Shiel (à l'origine, c'était Shiell), auteur de romans *fantasy*. En 1929, Shiel raconta comment son père, Matthew Dowdy Shiell, un banquier de Montserrat, s'était proclamé roi de l'île à la naissance de son fils. Il pensait que cela ne poserait pas de souci car il savait qu'aucun pays n'avait officiellement réclamé le morceau de terre. Shiel expliqua que son père avait demandé à la reine Victoria un titre de monarque, qu'elle accepta de lui céder à la condition qu'il accepte de ne pas se révolter contre elle.

M.P. Shiel fut couronné par un évêque d'Antigua à l'âge de 15 ans. En revanche, en grandissant, il ne se montra pas enchanté d'être roi ; il décida donc de remettre le titre en bonne et due forme à l'écrivain Terence Ian Fytton Armstrong (aussi connu sous le nom de John Gawsworth – à ne pas confondre avec John Galliano). Gawsworth était aussi connu sous le nom d'Orpheus Scrannel (je vous jure, je n'invente rien, allez vérifier par vous-même). Il se sacra lui-même roi de Redonda et se baptisa Juan Ier.

Armstrong, *alias* Gawsworth, *alias* Scrannel, *alias* Juan Ier, vendit par la suite son titre (plusieurs fois) en raison de ses déboires financiers – rappelons-le, il était écrivain. À un moment, il accorda la monarchie à un certain Arthur John Roberts qui, visiblement, abdiqua en 1989, désignant William Leonard Gates (King Leo) comme son successeur. La situation prête à confusion, en effet, Jon Wynne-Tyson, un éditeur pacifiste qui devint l'exécuteur testamentaire de Gawsworth en 1970 reçut le titre de King Juan II en lot de consolation, en même temps que Roberts. Wynne-Tyson abdiqua en 1997 et refourgua le titre à Javier Marias, auteur et traducteur espagnol, qui se fit appeler Xavier Ier. Il distribua une flopée de titres pendant son règne, comme celui de duc de Trémula qu'il conféra au réalisateur Pedro Almodovar.

Si vous me suivez toujours dans ce dédale d'informations, vous serez heureux d'apprendre qu'il existe un certain nombre de prétendants au trône de Redonda, dans différents pays. Parmi eux, on peut compter deux Américains, W.I. Robert Williamson (King Robert le Chauve) avec sa Queen Elizabeth, et Olen Atkins (King Alexander le Sage). Un Italien réclame aussi le titre, il s'agit de Giancarlo Ezio Noferi (King Giancarlo Ezio Noferi de Montedoglio). En 2007, Sir Robert Beech, propriétaire d'un pub à Southampton, s'est offert une « immunité diplomatique » unilatérale contre l'interdiction de fumer en Grande-Bretagne en proclamant son pub « ambassade » de Redonda.

Ils défendent tous l'hymne national.

Relations intimes
avec les aliens

71 Les meilleures répliques pour draguer en portugais

Une fois, j'ai traversé le Brésil pour me rendre dans un autre pays et en l'observant depuis le hublot de l'avion, je me suis dit que ce pays valait la peine d'être visité. Un des trucs intéressants à propos de cette contrée, c'est que, comme les Québécois qui ne parlent pas le québécois parce que cette langue n'existe pas, les Brésiliens ne parlent pas le brésilien. À la place, ils babillent dans leur propre version réjouissante du portugais. J'ai aussi pu remarquer qu'ils ne manquent pas d'assurance quand ils doivent baragouiner en français, même s'ils débutent dans l'apprentissage de la langue de Molière. Par exemple, j'ai pu voir, un jour, dans un aéroport, une pancarte en français où il était écrit : « Si vous êtes un objet volé, alarmez la police. » J'ai trouvé ça mignon.

Il existe un autre endroit où l'on parle couramment le portugais, c'est le Portugal, évidemment, qui est devenu une destination très prisée car c'est le lieu idéal pour draguer les filles bronzées en maillot de bain. Toutefois, pour y arriver, il vous faut quelques mots de vocabulaire qu'on ne vous apprend pas à l'école, même si le portugais est la langue officielle de neuf pays. D'ailleurs, à l'école, on ne vous apprend pas davantage ces mots en anglais ni en espagnol. Il y a tellement plus de choses importantes à savoir que *Mister Jones is in the garden* ou *Mrs Jones is in the kitchen* ; en tout cas, c'est ce que je me disais quand j'usais mes fonds de culotte sur les bancs de la classe.

Quoi qu'il en soit, je souhaite remercier Charles Neville-Smith (et Christine Da Silva, N.D.T.), qui m'a aidé à réaliser ce petit glossaire très utile lors d'un déplacement au Portugal. Il suffit de glisser ces quelques phrases dans votre poche, à côté du Mercalm, et vous serez fin prêt. On se demande bien comment les belles Portugaises pourront résister à votre charme !

- Vous voulez voir mes estampes japonaises ? *Gostaria de ver as minhas gravuras?*
- Fascinez-moi encore avec votre connaissance des ulcères des pieds. *Fasciname mais com o seu conhecimento das úlceras de pé.*
- Vos tentatives hésitantes en français m'enchantent stupidement. *As suas tentativas tropeçados de falar francês estão a encantar-me estupidamente.*
- Les contours de ces fesses sont géographiquement parfaits. *Os contornos daquele rabo são geograficamente perfeitos.*
- Tes seins sont fascinants. Ils sont vrais ? Je peux vérifier ? *As tuas mamas são cativantes! São naturais? Posso verificar?*
- Chez toi ou chez moi ? *Tua casa ou minha?*
- Enlève tes vêtements ! *Tire sua roupa !*
- Qu'est-ce que vous pensez de ça, madame ? *O que você acha deste, senhora?*
- Tais-toi et agenouille-toi. *Cala-te e ajoelha-te.*
- Prends ça dans ta bouche ! *Leva esta na boca !*

72 Le latin et le grec pour le pragmatique άντρας

Je crois que j'aimerais bien avoir une phrase en latin gravée sur ma porte d'entrée. Ma phrase préférée est de loin *Quid quid latine dictum sit, altum videtur* qui, d'après ce qu'on m'a dit, signifie : « Tout ce que l'on dit en latin semble profond » et ça, c'est bien vrai. J'ai d'ailleurs remarqué que Sir George Martin, le producteur des Beatles, avait choisi la devise *Amore solum opus est* pour son blason. Quand je lui ai demandé ce que cela voulait dire, il m'a répondu *love only is needed ;* en français, ça donne en gros « seul l'amour est nécessaire », ça devrait vous rappeler un air connu : « All You Need Is Love ». Vous avez pigé ?

Sir Christopher Frayling est un grand fan de Clint Eastwood et sa devise est *Perge scelus mihi diem perficas,* qui veut dire « Vas-y mon pote, fais ma journée » ; vous voyez, on en revient toujours à l'adage *Quid quid latine dictum sit, altum videtur.*

Il existe un réel engouement pour les devises latines ; on trouve de tout dans les rayons des librairies pour vous faciliter la tâche si vous avez envie de vous remettre à la version pour les nuls, car le latin est un jeu et il s'apprend sans peine.

Quoi qu'il en soit, voici une sélection de devises latines et grecques accompagnées de quelques maximes très utiles dans le quotidien d'un homme pragmatique.

Latin

- *S.P.Q.R* : à l'origine, cette devise vient du latin *Senatus populusque romanus*, qui signifie « le sénat et le peuple de Rome » et pas, comme j'ai pu l'entendre, « Société de prévention du *quidam* romain ». Au fait, avant de m'écrire pour me demander pourquoi *que* n'est pas un mot séparé et que, de ce fait, il ne devrait pas avoir sa propre initiale, il est temps que vous sachiez que *que* est un mot à part entière qui signifie « et ». Quand il est utilisé comme conjonction copulative, il est attaché au terme qu'il relie. Et voilà !

- *Per ardua ad astra* : « à travers l'adversité, jusqu'aux étoiles » est la devise de la Royal Air Force. On peut lire une variante de cet adage sur la pierre tombale d'un comédien anglais, ancien pilote de la RAF, le professeur Jimmy Edwards, sous cette forme : *Per risum ad honorem* qui veut, selon moi, dire un truc comme : « Dans l'honneur, jusqu'au rire ». Une excellente devise !

- *Scientia est lux lucis* : « la connaissance est la lumière de la lumière », une des devises préférées de Léonard de Vinci, que l'on peut considérer comme l'archétype de l'homme de la Renaissance ou alors comme un putain d'homosexuel gaucher, selon votre degré d'ouverture d'esprit et vos préjugés gratuits.

- **Castigat ridendo mores** : « la comédie corrige les mœurs en riant ». C'était la devise de comédiens italiens de l'hôtel de Bourgogne, reprise par Molière dans le premier placet de son célèbre *Tartuffe*, critique acerbe des dévots.

- **Mendacem memorem esse oportet** : « le menteur a besoin d'une grande mémoire ». Aussi vrai aujourd'hui que dans l'Antiquité.

Grec

- Ἰησοῦς Χριστὸς Θεοῦ Υἱὸς Σωτήρ *(Iēsous Christos Theou Hyios Sōtēr)* : « Jésus, fils de Dieu, notre Sauveur ». Cet acronyme *(Icthys)* signifie « poisson », c'est pour cela que certains chrétiens l'ont adopté comme symbole. Quand vous verrez un autocollant en forme de poisson collé sur le parechoc arrière d'une voiture, vous saurez qui est au volant.

- Θάλασσα καὶ- πῦρ καὶ γυνή, κακὰ τρία *(Thalassa kai pŷr kai gynē, kaka tria)* : « la mer, le feu et la femme : trois maux ». On ne peut décemment rien ajouter à cela.

- Μὴ χεῖρον βέλτιστον *(Mē cheíron béltiston)* : « le moins pire est le meilleur » ; c'est exactement ce à quoi l'on pense quand on a le choix entre rôtir sur un bûcher, se faire pendre haut et court, être noyé ou écartelé. On se dit souvent la même chose au moment des élections. Le choix est souvent difficile.

- Διαίρει καὶ βασίλευε *(Diairei kai basileue)* : « il sépare et il règne », repris par le fameux adage de Machiavel « diviser pour mieux régner ». Ce n'est vraiment pas une question de géométrie, mais ce que nous font subir nos gouvernants.

- Ἓν οἶδα ὅτι οὐδὲν οἶδα *(Hen oida hoti ouden oida)* : « la plus grande sagesse est de savoir qu'on ne sait rien » ou encore « je sais que je ne sais rien » ; cette devise est attribuée à Socrate. Ça ne lui a pas servi à grand-chose car, à la fin, on lui a fait boire de la ciguë et il en est mort. Cela aurait pu être pire, ils auraient pu lui faire boire du Canard WC ou du Champomy.

- *Tὸ δὶς ἐξαμαρτεῖν οὐκ ἀνδρὸς σοφοῦ (To dis examartein ouk andros sophou)* : « commettre une faute deux fois n'est pas le fait d'un homme sage ». C'est un peu comme boire du Canard WC deux jours de suite.

Toutes ces bonnes paroles me rappellent que je risque de perdre mon latin à force de trop penser.

73 Les vingt-deux langues officielles de l'Inde

Il existe des centaines et des centaines de langues maternelles parlées à travers tout le continent indien. Un recensement datant de 1961 en dénombre plus de mille six cents. L'Inde n'a pas de langue nationale officielle, mais une langue officielle principale, l'hindi, parlée par plus de quatre cents millions de personnes, dans une région que l'on appelle la ceinture hindi. L'anglais est la langue allophone officielle la plus courante. Le persan, en tant que langue indo-européenne, joue aussi un rôle historique important.

La liste ci-dessous indique le nombre de locuteurs de chaque langue, du plus grand au plus petit (en 2001). Cette liste est la liste officielle de 2008.

L'hindi	422 millions de locuteurs.
	Parlé essentiellement dans la ceinture hindi, dans l'Inde du Nord.
Le bengali	83 millions de locuteurs.
	Parlé essentiellement dans l'Ouest du Bengale, l'Assam, le Jharkhand, le Tripura.
Le telugu	74 millions de locuteurs.
	Parlé essentiellement dans l'Andhra Pradesh,

	le Karnataka, le Tamil Nadu, le Maharashtra, l'Orissa.
Le marathi	72 millions de locuteurs.
	Parlé essentiellement dans le Maharashtra, le Karnataka, le Madhya Pradesh, le Gujerat, l'Andhra Pradesh et à Goa.
Le tamil	61 millions de locuteurs.
	Parlé essentiellement dans le Tamil Nadu, le Karnataka, l'Andhra Pradesh, le Kerala, le Maharashtra et à Pondichéry.
Le urdu	52 millions de locuteurs.
	Parlé essentiellement dans le Jammu-et-Cachemire, l'Andhra Pradesh, le Bihar, l'Uttar Pradesh, l'Uttarakhand et à Delhi.
Le gujarati	46 millions de locuteurs.
	Parlé essentiellement dans le Gujerat, le Maharashtra, le Tamil Nadu.
Le kannada	38 millions de locuteurs.
	Parlé essentiellement dans le Karnataka, le Maharashtra, le Tamil Nadu et à Goa.
Le malayalam	33 millions de locuteurs.
	Parlé essentiellement dans le Kerala, le Lakshadweep, à Mahé et à Pondichéry.
L'oriya	33 millions de locuteurs.
	Parlé essentiellement dans l'Orissa.
Le punjabi	29 millions de locuteurs.
	Parlé essentiellement dans le Penjab, à Chandigarh, à Delhi et dans l'Haryana.
L'assamais	13 millions de locuteurs. Parlé essentiellement dans l'Assam.
Le konkani	13 millions de locuteurs.

	Parlé essentiellement dans le Konkan (Goa, Karnataka, Maharashtra, Kerala).
Le maithili	12 millions de locuteurs.
	Parlé essentiellement dans le Bihar.
Le santali	6,5 millions de locuteurs.
	Parlé essentiellement dans les tribus santal du plateau de Chota Nagpur (comprenant les États de Bihar, de Chhattisgarh, de Jharkhand, d'Orissa).
Le kashmiri	5,5 millions de locuteurs.
	Parlé essentiellement dans le Jammu-et-Cachemire.
Le népali	2,5 millions de locuteurs.
	Parlé essentiellement dans le Sikkim, l'Ouest du Bengale, l'Assam.
Le sindhi	2,5 millions de locuteurs.
	Parlé essentiellement dans le Gujerat, le Maharashtra, le Rajasthan, le Madhya Pradesh.
Le manipuri (qu'on appelle aussi le meitei ou meithei)	1,5 million de locuteurs. Parlé essentiellement dans le Manipur.
Le bodo	1,2 million de locuteurs.
	Parlé essentiellement dans l'Assam.
Le dogri	0,1 million de locuteurs.
	Parlé essentiellement dans le Jammu-et-Cachemire.
Le sanskrit	0,05 million de locuteurs.
	Parlé essentiellement à Mattur.

Les langues que l'on appelle « agglutinantes », tel le finnois, possèdent un nombre presque infini de mots parce qu'elles les assemblent dans de très longues séries de petits morphèmes, ce qui entraîne la création de mots tout aussi innombrables. Mis à part ces langues perfides, on se rend compte que l'anglais, qui a pris une ampleur internationale, est aussi une langue qui comprend un vocabulaire beaucoup plus étendu que ses cousines, notamment les langues germaniques comme le néerlandais, le norvégien, le yiddish, et les langues romanes comme le français, l'italien, le portugais et l'espagnol. C'est dû au fait que l'anglais est à la base une langue germanique. Elle partage beaucoup de points communs grammaticaux et lexicaux avec l'allemand et le néerlandais. Toutefois, après 1066, quand les Français ont envahi les rosbifs, l'anglais a été très influencé par le latin, la langue des universités, de l'Église et des Normands.

C'est bien beau de parler la langue de Shakespeare, de Goethe, de Dante, de Cervantès, de Pessoa ou de Khaled ; encore faut-il savoir comprendre quand on vous traite d'andouille. Voici quelques expressions que vous pourrez reconnaître, si ce n'est utiliser, lors de vos périples à l'étranger. À vos carnets !

- Merde : *Scheiße* (allemand) ; *chraa* (arabe) ; *shit* (anglais) ; *skata* (grec).
- Bouge de là gros porc ! *Despacha-te gorducho !* (portugais) ; *push off, fatso!* (anglais).
- Couilles : *testicoli* (italien) ; *bollocks/balls* (anglais) ; *bolas* (portugais).
- Vous ne parlez pas français ? *Don't you speak French?* (anglais) ; *usted no habla francés ?* (espagnol) ; *sprichst du kein Französisch ?* (allemand).
- Ta gueule ! *Cala tua boca !* (portugais) ; *shut your gob !* (anglais).

- Branleur : *wanker* (anglais) ; *Wichser* (allemand) ; *cabrao* (portugais).

- Je chie dans le lait/la mer/sur une prostituée/sur ta mère : *I shit on in the milk/the sea/a prostitute/your mother* (anglais) ; *me cago en la leche/el mar/la puta/tu madré* (espagnol). (Une jolie sélection qui passe partout.)

- Je chie sur la pute qui te sert de mère : *I shit on the prostitute of a mother that gave birth to you* (anglais) ; *me cago en la puta madré que te pario* (espagnol).

- Je suis français : *I'm French* (anglais) ; *sou francês* (portugais).

- Vire tes sales pattes de là ! *Keep your hands to yourself !* (anglais) ; *tenga la mani a posto !* (italien) ; *borta fingarna* (suédois).

- Va te faire foutre ! *Fuck off!* (anglais) ; *verpiss dich !* (allemand) ; *và por caralho !* (portugais) ; *vaffanculo* (italien, un euphémisme de « va te faire enculer »).

Bon voyage !

QUESTIONS DE DÉTAIL OU COMMENT BRILLER DANS LES DÎNERS

Les gros dossiers

75 Le tyrannosaure

Un jour, à Londres, un gars déguisé en tyrannosaure m'a arrêté pour me refiler une pub pour un bout de pain à l'ail offert par un des restaurants de Piccadilly Circus. À travers les mailles foncées de son masque, je pouvais reconnaître la face hagarde d'un acteur au chômage qui avait interprété le rôle d'Hamlet. Quelle chute faramineuse : avoir vécu sous les feux de la rampe pour finalement se retrouver sur le trottoir. Il ne faut qu'un pas pour descendre en enfer.

Le tyrannosaure, un des plus grands dinosaures carnivores, a vécu vers la fin du Crétacé (en latin, ça veut dire « craie »), entre il y a 14,5 et 65,5 millions d'années environ (je vous laisse le bénéfice de quelques millions d'années). Son nom révèle une taille et une force terribles ; en latin, *Tyrannosaurus rex* signifie « le roi des lézards tyrans ». Un T. rex peut mesurer jusqu'à six mètres de haut et s'il avait l'intention de passer devant chez vous, sa tête de 1,53 m serait à la hauteur de votre chambre à coucher, où il pourrait voir votre petite copine allongée sur le lit. Un tyrannosaure de base mesure douze mètres de long, à peu près la taille d'un bus, et pèse environ sept tonnes (c'est également le poids d'un bus).

Le T. rex vivait dans les vallées fluviales, boisées et inhabitées du continent nord-américain, où on a retrouvé beaucoup de fossiles, certains constituant même des squelettes entiers. Barnum Brown est le premier à en avoir découvert, en 1902, dans le Sud-Est du Montana. La plupart de la trentaine de spécimens fossiles exhumés viennent de cette région, mais on en trouve aussi au Canada et en Asie.

Le tyrannosaure s'est éteint avec ses amis dinosaures il y a environ soixante-cinq millions d'années, à l'époque de l'extinction massive Crétacé-Tertiaire (Crétacé-Paléocène). Elle est sûrement due au gros caillou de l'espace qui mesurait seize kilomètres de large et qui a violemment heurté la Terre. Il a provoqué des mégatsunamis, d'énormes nuages de poussière, des pluies acides, des radiations infrarouges mortelles et des razzias dans les supermarchés. Son impact a libéré une énergie de plus de mille millions de fois plus forte que celle provenant des bombes lâchées sur Nagasaki et Hiroshima.

Le tyrannosaure marchait sur deux pattes et mangeait de la viande. Ses pattes arrière étaient énormes, il avait des cuisses très puissantes et de larges doigts (trois à chaque patte) qui lui permettaient de se déplacer rapidement, à environ trente-deux kilomètres à l'heure). Même si ses « bras » étaient petits, ils étaient particulièrement puissants pour leur taille. Ils ne pouvaient pas atteindre sa gueule, mais ils avaient deux griffes qui vous auraient découpé en lamelles si vous aviez eu envie d'entamer le jeu de la barbichette avec lui.

La gueule du T. rex était gigantesque et grâce à sa force herculéenne, elle lui était essentiellement utile pour transpercer, attraper et arracher les parties des autres dinosaures dont il se nourrissait. Ses dents, qui lui permettaient d'écraser les os de ses proies, mesuraient trente centimètres. Celles placées sur l'avant de la mâchoire supérieure étaient serrées comme des sardines et leur pointe était recourbée vers l'arrière comme des ciseaux aiguisés. Les autres dents étaient plus espacées et plus émoussées, comme des bananes qui mordent. Il pouvait déchiqueter un tricératops du poids d'une vache en une seule bouchée.

Au XIXe siècle, tout le monde pensait que le tyrannosaure se tenait debout, c'est d'ailleurs dans cette position qu'on le représentait sur les illustrations. Cependant, des études récentes ont montré qu'il se serait brisé les os s'il avait gardé cette posture. La théorie actuelle suppose que le tyrannosaure avançait légèrement parallèle au sol. Sa longue queue lourde lui servait de contrepoids pour maintenir sa tête énorme grâce à un cou de rugbyman.

Le fossile de T. rex le plus grand, le plus complet et le mieux préservé jamais découvert à ce jour s'appelle Sue. Sue tient son nom de la paléontologue Sue Hendrickson, qui l'a découvert en 1990 dans le Dakota du Sud. Cette trouvaille a réveillé des querelles de clochers déplacées quant à la propriété du territoire avant la vente aux enchères de 80 % du squelette. Le Museum of Natural History de Chicago l'a acquis pour la modique somme de 8 362 500 dollars (moins les frais de commissaire-priseur, bien sûr).

76 Tout ce qu'il faut savoir sur les sous-marins

Quand j'étais enfant, mon oncle Robert m'a expliqué qu'il est impossible de se lécher le coude. Personne ne peut y arriver. C'était un puits de science, mon oncle Robert. Il savait se diriger en suivant les étoiles et faire des nœuds marins. Il avait appris à faire tout ça quand il était dans sa cabine à bord d'un sous-marin.

Les premiers submersibles, même s'ils ne s'appelaient pas encore sous-marins, sont nés de l'imagination fertile d'inventeurs comme Léonard de Vinci (1452-1519), qui dessina un modèle expérimental. Il rêvait déjà d'un vrai bateau qui pouvait aller sous l'eau.

En 1578, William Bourne, un mathématicien dingue de navigation, rédige une des premières propositions pour un tel vaisseau. Il suggère l'idée d'un engin complètement fermé qui ressemble davantage à deux canots collés l'un à l'autre et que l'on fait avancer en ramant sous l'eau.

Le premier sous-marin qui a navigué sous l'eau avec succès est construit par un Hollandais, Cornelius Van Drebbel, en 1620. Ce sous-marin en bois a des avirons, comme le modèle de Bourne, la coque est enduite de cuir graissé pour assurer son étanchéité. Les rames sortent de trous sur les côtés refermés avec des clapets en cuir très serrés en guise de joints. Pendant quatre ans, de 1620 à 1624, Drebbel fait ramer, à l'aveugle, son sous-marin dans la Tamise, à cinq mètres de profondeur. Un dispositif flottant permet au sous-marin de rester sous l'eau pendant des heures.

Ces navires ont également alimenté l'imagination des romanciers et des cinéastes. Jules Vernes a créé le personnage du antihéros Nemo, capitaine du *Nautilus,* qui se servait de la célérité et de la force de son sous-marin pour soumettre ceux qu'il considérait comme ses ennemis. Ces engins ont toujours servi en temps de guerre. C'est d'ailleurs pendant la guerre de Sécession que les confédérés utilisent, pour la première fois, un tel engin pour couler un navire. Toutefois, comme l'eau est beaucoup plus conductrice que l'air, l'ennemi pouvait entendre les premiers submersibles de loin. Les sons voyagent dans l'eau à une vitesse de trois mille milles marins par heure, on n'a donc pas besoin d'être tout à côté pour les entendre (un mille marin équivaut à 1,852 km).

Même à l'époque de la Première Guerre mondiale, les sous-marins ne sont pas tout à fait à la hauteur. Ils n'ont pas encore de périscope et doivent remonter fréquemment à la surface pour s'orienter. Pour passer inaperçu, c'est raté. De nos jours, les sous-marins sont peints en noir pour qu'ils puissent se fondre dans les eaux profondes des océans. Cependant, depuis le ciel, on peut voir un vaisseau qui se trouve à trente mètres si l'eau est claire.

Les sous-marins modernes sont d'immenses vaisseaux sophistiqués et même s'ils sont très grands, ils sont aussi silencieux que l'océan. Ils peuvent plonger en moins d'une minute et rester sous l'eau pendant six mois. Ils utilisent des ballasts pour contrôler leur profondeur. Les sous-marins nucléaires (ce sont les plus courants) peuvent descendre jusqu'à trois cents ou quatre cents mètres. C'est l'équivalent de la taille de la tour Eiffel. Ils ont besoin d'une grande quantité d'air qu'ils aspirent de la surface, un peu comme un gros touriste avec son masque et son tuba qui explore les fonds des calanques.

Les sous-marins actuels sont très rapides, ils avancent d'ailleurs plus vite sous l'eau qu'à la surface. Les submersibles nucléaires peuvent parcourir quatre-vingt-dix-sept mille kilomètres grâce à une seule dosette d'uranium de la taille d'une noix. Ils sont propulsés dans l'eau par une hélice ou un hydrojet et sont dirigés par des dérives. En 1921, l'équipage d'un sous-marin américain, à court de carburant, a dû confectionner des voiles à partir des couvertures des marins et de tringles à rideaux. Néanmoins, il a réussi à rejoindre le port qui se trouvait à cent soixante kilomètres à une vitesse de deux nœuds à l'heure.

Le record de vitesse le plus étonnant reste celui établi le 17 août 1958 par un vaisseau américain, le *Skate*, qui a fait le tour de la Terre en seulement cinquante minutes ! Bon d'accord, il se trouvait à seulement 3,2 kilomètres du pôle Nord, un endroit où la distance pour faire le tour de la Terre est réduite à dix-neuf kilomètres, mais quand même... Il s'en est passé des choses à la même époque : ainsi, l'équipage du sous-marin nucléaire américain *Seadragon* est sorti sur la banquise du pôle Nord pour disputer un match de base-ball. Quand le batteur envoyait la balle très loin, elle pouvait atterrir la veille ou le lendemain, en raison des fuseaux horaires qui convergent au niveau du pôle. C'est à vous faire perdre la boussole !

Maintenant, je suis certain que ceux qui viennent de finir ces pages vont essayer de se lécher les coudes.

77 L'inventeur des pyramides

Imhotep est un drôle de nom, on dirait le logo d'une agence immobilière. En même temps, les archives ne mentionnent pas si Imhotep (2650-2600 av. J.-C.) était shooté, ce qui ne serait pas surprenant pour un poète et philosophe. Souvenez-vous de Baudelaire. D'un autre côté, Imhotep n'avait pas forcément de dispositions pour toutes ces activités littéraires car il était officiellement le chancelier du roi d'Égypte (le pharaon), le citoyen le plus important du royaume après le roi de Haute-Égypte, administrateur du grand palais, de noblesse héréditaire, grand prêtre d'Héliopolis (la ville du soleil), ébéniste en chef, constructeur, sculpteur, docteur et verrier en chef.

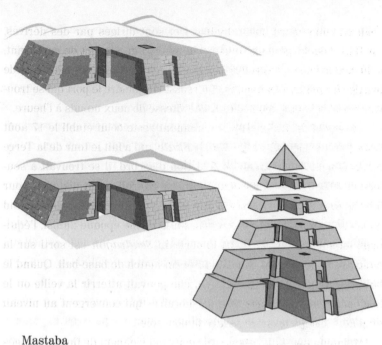

Mastaba

Eh ben, essayez d'imaginer que votre verrier soit aussi votre chef de travaux et votre médecin. Croyez-vous qu'il serait prêt à installer un échafaudage pour vous examiner les oreilles ?

Imhotep était l'homme à tout faire parfait et il devait bénéficier de sacrés privilèges et autres avantages. Il a aussi été un des rares mortels à être divinisé après sa mort. Son lieu de culte se situe à Memphis (pas dans le Tennessee, Johnny !). Memphis est l'ancienne capitale du premier nome (une subdivision administrative) de Basse-Égypte. Imhotep serait le premier à avoir conçu des colonnes dans l'architecture et à utiliser la pierre pour construire des bâtiments. Il a dessiné la plus vieille pyramide égyptienne connue, la première à degrés, à Saqqarah, en 2 630 av. J.-C : la pyramide de Djoser. C'est la pyramide en pierre de cette taille la plus ancienne. Auparavant, les pharaons étaient généralement enterrés dans des mastabas (voir illustration). Même si on voit bien que la pyramide s'en inspire (côtés penchés, profil taillé en pointe, quatre côtés, etc.), personne n'avait pensé à les empiler et c'est ce coup de génie qui a permis à Imhotep de décrocher le titre d' « inventeur de la pyramide ».

Après sa mort en 2 600 av. J.-C., les pyramides se sont élevées davantage, devenant ainsi les bâtiments les plus grands jamais construits. D'ailleurs, la grande pyramide de Gizeh (que l'on connaît aussi sous le nom de pyramide de Kheops ou de Khufu) est considérée, avec les jardins suspendus de Babylone, comme une des Sept Merveilles du monde de l'Antiquité. Pendant des siècles, la pyramide de Kheops est restée l'édifice le plus haut sur Terre, jusqu'à la construction de la cathédrale de Beauvais au XIIe siècle. Cette pyramide est la dernière Merveille du monde encore debout.

À l'époque, construire une pyramide à mains nues sous un soleil de plomb n'était pas une mince affaire pour ces pauvres Égyptiens. Récemment, une entreprise britannique du bâtiment a réalisé une analyse critique des besoins nécessaires pour la construction d'un tel monument, en utilisant seulement un plan incliné, un levier et quelques outils de l'époque. Ils ont tout vérifié, des gravats nécessaires pour les rampes aux boulangers qui devaient faire cuire le pain pour la pause déjeuner. Avec toutes ces données et en prenant des pierres de la région (à part les pierres de taille et le granit de la chambre funéraire provenant d'ailleurs), il faudrait entre quatre mille et cinq mille hommes pour édifier la grande pyramide sur une période de vingt à quarante ans.

Pendant des années, on a entendu des théories très étranges sur la construction des pyramides par des extraterrestres. Toutefois, les inscriptions cachées sur les fondations à la base des pyramides et dans d'autres endroits démontrent que les ouvriers n'avaient rien d'extraterrestre. Ils n'étaient pas non plus esclaves, comme on l'a souvent dit.

Les graffitis révèlent que, pour construire ces mastodontes architecturaux, ils étaient divisés en équipes, divisées elles-mêmes en cinq tribus (des *phyles* en grec). Ces tribus étaient ensuite scindées en sections que l'on identifiait grâce à un hiéroglyphe représentant des qualités telles que l'endurance, la perfection ou la force. Les hommes paraissaient très heureux de participer et avaient l'esprit de compétition ; leurs surnoms sont d'ailleurs assez modernes : « Les amis de Khufu » et les « Soulards de Mykérinos » pourraient bien être des équipes de supporters de foot. Généralement, les ouvriers mouraient entre 30 et 35 ans. Les idées d'Imhotep ne permettaient pas d'allonger l'espérance de vie de ces gars-là, ce qui est plutôt paradoxal pour un médecin. Il aurait pu essayer de trouver un traitement pour augmenter la longévité, mais il devait sûrement être en train de s'occuper de ses vases.

78 Le Harrier Jump Jet

La France peut être fière de sa technologie militaire. Elle a su promouvoir et vendre son Mirage à travers le globe. Dès les années 1960, elle met au point des avions aux ailes révolutionnaires. Toujours en compétition avec les mangeurs de grenouilles, les Britanniques quant à eux lancent la fabrication d'un avion capable de s'envoler et d'atterrir verticalement et ce, sur une courte distance grâce à une poussée vectorielle. Les journalistes britanniques baptisent cet engin le Jump Jet.

Le Harrier Jump Jet associe les avantages d'un hélicoptère et ceux d'un avion de combat. Comme l'hélicoptère, le Harrier peut se poser et décoller à partir d'un espace restreint tel qu'un petit porte-hélicoptère. Alors qu'un hélicoptère peut atteindre une vitesse maximale de 402 kilomètres à l'heure, le Harrier peut aller jusqu'à 1 175 kilomètres à l'heure sans pour autant brûler les ailes du pilote.

L'idée d'un tel engin naît pendant la Guerre froide, en 1957, au moment où la Bristol Engine Company décide de lancer la construction d'un moteur à poussée vectorielle. L'OTAN s'intéresse au projet et subventionne Hawker Aircraft pour réaliser un avion de combat léger capable de décoller et d'atterrir verticalement grâce à un simple moteur Rolls Royce Pegasus. Pour propulser l'avion verticalement, la poussée du moteur oriente le flux vers le bas à travers quatre tuyères pour que l'avion s'élève comme une fusée. Quand il est en l'air, il peut planer pendant quelques instants, le pilote peut aussi orienter le flux par des sorties situées au bout des ailes, au bout de son nez et sur son gouvernail afin de manœuvrer l'avion en avant et en arrière, à gauche et à droite. Cela permet au chasseur d'avancer rapidement comme un avion classique en pivotant les tuyères vers l'arrière. Si ce n'est pas de l'art aéronautique, je ne sais pas ce que c'est.

Toutefois, un des défis auxquels les constructeurs doivent faire face est la consommation hallucinante de fuel pour compenser les effets de la gravité. L'air ne soutient pas les ailes du Harrier comme cela peut être le cas lors du décollage des autres types d'avions. Le flux du moteur doit alors soutenir tout le poids de l'engin. D'ailleurs, le fuel n'est pas le seul problème : le Jump Jet ne peut planer que pendant une minute et demie et on doit utiliser cinq cent soixante-huit litres d'eau pour refroidir le moteur.

Entre 1969 et 2003, les ingénieurs ont conçu huit cent vingt-quatre modèles différents de Harrier, mais les usines ont arrêté leur production en 1997. Le dernier Harrier reconstruit a été livré en décembre 2003.

Cet avion de chasse a deux problèmes majeurs : son incapacité à dépasser le mur du son et les efforts constants que doit fournir le pilote pour le maintenir en l'air. Cela ne signe pas pour autant l'arrêt de mort du chasseur. En mars 2010, le F-35B Joint Strike Fighter, un Jump Jet supersonique furtif, a fait ses premiers essais en vol. Le pilote, Graham Tomlinson, a réussi à le suspendre dans les airs, presque sans bouger, à quarante-six mètres au-dessus du sol. Dans le F-35B, les commandes de pilotage sont assistées par un ordinateur, un objet fiable totalement digne de la plus grande confiance, comme toutes ces nouvelles technologies. Tiens ? C'est bizarre, je ne vois plus rien sur mon écran.

Pots-pourris

79 La bassinoire depuis l'époque d'Aristote

Il existe une vieille coutume qui tend à disparaître alors qu'elle semblait pourtant vraiment intéressante. Je la remettrais bien au goût
du jour. Il s'agit d'une ancienne tradition instaurée par le roi David qui
consiste à installer une vierge nue dans le lit d'un vieillard pour le rajeu-
nir sexuellement et lui permettre de retrouver ses capacités d'antan.

Ce traitement vient d'une légende biblique selon laquelle le roi
David (1040-970 av. J.-C.) vieillissant n'arrivait pas à se réchauffer. Une
jeune vierge d'une très grande beauté prénommée Abishag, qui vivait
à Shoumen, un petit village du mont Guilboa, fut choisie parmi les ser-
vantes pour tenir compagnie au roi. Ainsi, elle devait s'étendre près
du vieux barbon et lui tenir chaud sans pour autant avoir de relations
sexuelles avec lui (c'est cela, oui !). Il avait déjà dix-huit femmes, la
bonne excuse. D'après les anciennes croyances derrière cette pratique,
la chaleur humide de la vierge devait se diriger vers le vieillard pour le
revitaliser. Si je veux être franc, je dois avouer que les preuves scientifiques pour soutenir cette thèse sont plutôt légères. Mais par honnê-
teté empirique, j'ai décidé de me sacrifier pour vérifier cette théorie et
même si je ne me réchauffe pas et si je ne rajeunis pas, je ne devrais
pas m'ennuyer. Au fait, on les trouve où les vierges aujourd'hui ? Vous
pensez qu'elles sont listées dans les pages jaunes ? On devrait peut-
être se rabattre sur une bonne bassinoire.

On peut penser que ces bouillottes existent depuis que les hommes
ont inventé les lits. Aristote lui-même a rédigé trois gros volumes sur la
question de la sieste, qui comprennent notamment *De somno et vigi-
lia* (un traité sur le sommeil et les rêves). Toutefois, parce que mon
latin est vraiment mauvais et que je n'ai pas lu cet ouvrage, je ne sais
pas s'il évoque les bouillottes. Aristote n'était pas franchement un gai

luron, mais on peut penser que certains potes de l'Antiquité ont glissé quelques éphèbes sous leur drap pour se réchauffer.

On trouve des tas de récipients tout chauds à cet effet, et cela, dès le début du XVIᵉ siècle. Ces ustensiles sont courants dans les pays froids du Nord de l'Europe ; les premiers étaient en céramique, puis le métal est devenu de plus en plus utilisé.

La bassinoire typique ressemble à une sorte de banjo, avec une bassine en métal perforé scellée à un manche très long en bois travaillé. Pour que ça marche, il fallait la remplir de braises fumantes prises dans l'âtre et la refermer. Les perforations avaient souvent une fonction décorative, mais servaient surtout à alimenter les braises. Quand les chauffe-lits étaient pleins de charbon ardent, le métal devenait extrêmement chaud ; il fallait alors le transporter jusqu'au lit et le glisser sous les draps. Si on se trouvait dans des contrées humides, on voyait souvent de la vapeur se dégager des couches.

Il faut faire attention à une chose avec ces satanées bassinoires : après une bonne soirée de gaudriole arrosée de malvoisie, de retour sur les chemins boueux de la lande bretonne, avec votre lanterne dont la lueur dévoile les portraits déformés de vos ancêtres, souvenez-vous qu'il ne faudra pas vous mettre au lit avec votre banjo incandescent. On risque de vous entendre jurer avec une grossièreté sans nom.

Très vite, on a commencé à fabriquer des trucs en zinc, en verre, en terre cuite et même en bois pour contenir de l'eau chaude. Les véritables bouillottes étaient nées et enfin, on pouvait mettre les bassinoires en métal dans un petit sac en tissu. La bouillotte a plus d'avantages que le chauffe-lit rempli de braises car on ne risque pas de se mettre le feu aux fesses quand on va se coucher. La bouillotte en grès est aussi très appréciée et elle a rapidement pris la forme allongée des vieilles bouteilles de cidre. Après l'avoir remplie d'eau chaude, on pouvait la fermer avec un bouchon à vis en pierre. Une rondelle de caoutchouc empêchait les fuites. On trouve des variantes avec une ouverture sur le côté et une petite poignée pour les transporter facilement.

La forme de la bouillotte n'a pas changé pendant des siècles et on en trouve toujours chez les antiquaires. La découverte du caoutchouc résistant a sonné le glas de la bouillotte en grès.

Le design des bouillottes modernes, celles qui ressemblent à de grosses poches colorées toutes molles écrasées par les roues d'un tracteur, a été breveté par Eduard Penkala, un inventeur croate. On ne sait pas qui détient le brevet de l'odeur particulière et inoubliable de ces choses. Penkala baptisa son invention le « Termofor ». C'est devenu une marque. Malgré l'avènement des coussins chauffants, des couvertures électriques et du chauffage central à travers le monde, on se sert encore aujourd'hui de bouillottes, surtout au Chili et au Japon. Là-bas, on les considère comme des produits écologiques et économiques. Si ça vous tente, n'oubliez pas que le caoutchouc est un conducteur de chaleur et que vous devriez essayer d'en acheter une avec une protection en moumoute. Sinon, vous pouvez toujours aller chercher le manchon de votre copine.

80 Trouver la télécommande idéale

Il n'y a pas si longtemps que ça, un mec qui aurait voulu changer de chaîne aurait dû lever ses grosses fesses du canapé, faire trois pas vers le téléviseur et appuyer sur un bouton (il aurait aussi pu le tourner). De nos jours, on peut rester allongé comme une baleine échouée et appuyer sur les touches de la télécommande.

Pourtant, tout n'est pas parfait. Il ne faut pas moins de trois manettes pour faire fonctionner toutes ces machines sophistiquées, surtout si vous avez envie de regarder un DVD. Personnellement, je m'emmêle toujours les pinceaux. D'ailleurs, l'autre jour, j'ai même essayé de changer de chaîne avec un vieux téléphone portable.

Il existe des millions de modèles dans le commerce et Marcos a bien voulu en dessiner quelques-uns. Essayez de retrouver le vôtre.

A. La capitaine
Kirk.
Les boutons
schizoïdes de cette
télécommande
peuvent vous faire
flipper, mais
c'est dur de la
lâcher à cause
de sa « taille ».

B. La Dark Vador
On la connaît aussi
sous le nom
de Nosferatu
le vampire. Cette
télécommande est
pleine d'augures
et d'horreurs
gothiques.
Toutefois, les
chiffres sont
très pratiques.

C. La King Kong
Son nom veut tout
dire : plus longue,
plus dure et plus
résistante. Vous
pouvez changer de
chaîne toute la nuit
avec cet engin.

D. La diesel
Un peu plus terre-
à-terre, celle-là.
Coléreuse. Elle
vous glisse des
doigts pour un
rien et monte
le son trop fort
pendant *La Roue
de la fortune*.

E. La planche
à repasser
Méfiez-vous de ses
formes efféminées,
en fait c'est du lourd.
Elle est surtout
efficace grâce à ses
boutons rouges.

F. *La Magnum*
Facile à vivre, mais on la prend
facilement pour un téléphone portable.
Cette télécommande serait plus du genre
à se débiner qu'à se mêler à la bagarre.

81 L'échelle de Beaufort

L'échelle de Beaufort a été inventée en 1806 par l'amiral Sir Francis Beaufort (1774-1857) pour évaluer la force des vents en mer, sans instruments. Les mesures empiriques sont observables grâce aux effets du vent plutôt qu'à sa vitesse. L'échelle va de 0 (calme) à 12 (ouragan). On s'en sert toujours aujourd'hui et elle a connu quelques changements à travers le temps. Elle a surtout été modifiée pour qu'on y ajoute des descriptions sur les états de la mer et les effets du vent sur terre. Avec son nom digne des dieux qui font la pluie et le beau temps, rendons hommage à M. Beaufort.

Force	Vitesse (en nœuds)	Description
0	Moins de 1	Calme
1	1 à 3	Très légère brise
2	4 à 6	Légère brise
3	7 à 10	Petite brise
4	11 à 16	Jolie brise
5	17 à 21	Bonne brise
6	22 à 27	Vent frais
7	28 à 33	Grand vent frais
8	34 à 40	Coup de vent
9	41 à 47	Fort coup de vent
10	48 à 55	Tempête
11	56 à 63	Violente tempête
12	64	Ouragan

État de la mer	Effets à terre
...ner est comme un miroir.	La fumée monte verticalement.
...lques rides ressemblant à des écailles de poisson, ...s sans aucune écume.	La fumée indique la direction du vent. Les girouettes ne s'orientent pas.
...uelettes ne déferlant pas. Leur crête peut avoir ...ir lisse et elles ne se brisent pas.	On sent le vent sur le visage, les feuilles bougent.
...petites vagues. Les crêtes commencent à déferler. ...me d'aspect vitreux. Parfois quelques moutons ...rs.	Les drapeaux flottent bien. Les feuilles et les brindilles sont sans cesse en mouvement.
...ites vagues, moutons assez peu fréquents.	Les poussières s'envolent, les petites branches plient.
...ues modérées, moutons, éventuellement embruns.	Les petits arbres balancent. Le sommet de tous les arbres est agité. On voit de petites vagues sur les rivières, les fleuves, les lacs.
...tes d'écume blanche, lames, embruns.	Les grosses branches bougent. On entend siffler le vent sur les fils électriques. On a du mal à utiliser un parapluie.
...nées d'écume, lames déferlantes suivant ...irection du vent.	Tous les arbres s'agitent. Il est difficile de marcher contre le vent.
...ues modérément hautes assez longues. Tourbillons ...cume à la crête des lames, traînées d'écume.	Quelques branches cassent. Difficile de marcher.
...nes déferlantes grosses à énormes, beaucoup ...cume sur les crêtes dans la direction du vent. ...bilité réduite par les embruns.	Le vent peut endommager les bâtiments. Les tuyaux de cheminée et les ardoises peuvent s'envoler.
...nditions exceptionnelles : très grosses lames ...ngue crête en panache. L'écume produite ...gglomère en larges bancs et est soufflée dans ...t du vent en épaisses traînées blanches. Dans ...n ensemble, la surface des eaux semble blanche. ...déferlement en rouleaux devient intense et brutal. ...bilité réduite.	Gros dégâts.
...nditions exceptionnelles : lames exceptionnellement ...utes (les navires de petit et moyen tonnage ...uvent, par instants, être perdus de vue). La mer est ...mplètement recouverte de bancs d'écume blanche ...ngés dans la direction du vent. Partout, le bord de ...rête des lames est soufflé et donne de la mousse. ...bilité réduite.	Très gros dégâts. Arbres déracinés.
...nditions exceptionnelles : l'air est plein d'écume et ...mbruns. La mer est entièrement blanche du fait des ...ncs d'écume dérivants. Visibilité fortement réduite.	Dégâts très importants.

82 Les prédictions les plus stupides de l'histoire

Vous avez déjà entendu parler de la cartomancienne qui était aussi contorsionniste ? Elle était capable de voir sa propre fin. Je ne sais pas quel humoriste a inventé cette blague, alors je n'irai pas faire de prédictions scabreuses sur l'identité du petit malin. Tout ça pour dire que caresser sa boule de cristal pour lire l'avenir peut apporter son lot de soucis et ceux qui sont assez imprudents pour prédire des événements risquent de se retrouver pris à leur propre piège, avec un avenir peu réjouissant. Vous allez voir ce que certains ont été capables de déclarer. Un vrai tas d'inepties.

- « Jamais une machine plus lourde que l'air ne pourra voler. » Lord Kelvin, mathématicien et physicien anglais, 1895.
- « La radio n'a pas d'avenir. » Lord Kelvin (le même), 1897.
- « L'abdomen, la poitrine et le cerveau sont à jamais interdits à l'intrusion de la connaissance et de la chirurgie humaines. » Sir John Eric Ericksen, chirurgien anglais, médecin personnel de la reine Victoria, 1873.
- « La théorie des germes de Louis Pasteur est une fiction ridicule. » Pierre Pachet, professeur de physiologie à Toulouse, 1872.
- « Le téléphone est une invention étonnante, mais qui voudra un jour se servir d'un tel appareil ? » Rutherford B. Hayes, président des États-Unis, 1876.
- « Les films parlants sont bien intéressants, mais je ne crois pas qu'ils restent à la mode. La synchronisation parfaite du son et de l'image est absolument impossible. » Louis Lumière, 1920.
- « Qui diable voudrait entendre les acteurs parler ? » Harry M. Warner, Warner Brothers, 1927.
- « Ne sait pas jouer. Ne sait pas chanter. Sait un peu danser. » Premier essai de Fred Astaire à la MGM en 1928.

- « Le marché de la Bourse semble avoir atteint un haut plateau permanent. » Irving Fisher, professeur d'économie à l'université de Yale, 1929.

- « On voudrait nous faire croire, à nous Français, héritiers de Descartes et de Voltaire, que l'on peut faire apparaître l'image d'un événement lointain sur la vitre d'un buffet de salle à manger ! Que l'on fasse croire cela aux Allemands, passe encore, mais à nous, Français ! » Édouard Herriot, à propos de la télévision naissante en 1930.

- « L'énergie atomique pourrait se révéler aussi efficace que les explosifs actuels, mais il est improbable qu'elle produise quelque chose de bien plus dangereux. » Winston Churchill, 1939.

- « La demande mondiale en ordinateurs n'excédera pas cinq machines. » Thomas Watson, fondateur d'IBM, 1945.

- « Les ordinateurs du futur ne pèseront pas moins d'une tonne et demi. » *Popular Mechanics*, 1949.

- « Il n'y a aucune raison pour qu'un individu quelconque possède un ordinateur chez lui. » Kenneth Olsen, président fondateur de Digital Equipment, 1977.

- «Nous n'aimons pas ce son, les groupes de guitare n'ont aucun avenir.» Decca Records, maison de disques ayant rejeté les Beatles, 1962.

- « Les avions sont des jouets intéressants mais sans aucune valeur militaire. » Maréchal Foch, 1911.

- « En 2000, Paris-New York se fera en navette spatiale. » Patrick Baudry, cosmonaute français, 1984.

- « À la fin du siècle, s'il y a quelque chose qui restera inchangé, ce sera le rôle des femmes. » David Riesman, sociologue à Harvard, 1967.

Portraits d'excentriques

83 John Harvey Kellogg, un barge des céréales

Le docteur américain John Harvey Kellog (1852-1943) s'était aussi spécialisé en médecine holistique. Il dirigeait un sanatorium consacré aux bienfaits des flocons de maïs, de l'exercice physique, et aux dangers de la branlette.

Après sa scolarité dans la ville de Battle Creek dans le Michigan, ce garçon brillant se rendit dans une fac de médecine à New York, le New York University Medical College, où il obtint son diplôme en 1875. Il se maria quatre ans plus tard. Lui et son épouse accueillirent plus d'une quarantaine d'enfants (au fil des ans bien sûr) et en adoptèrent sept. Les mots « gloutons » et « châtiments corporels » me viennent tout de suite à l'esprit.

Kellogg fut nommé chef de service au sanatorium de Battle Creek. La direction de cet établissement était fondée sur les principes sanitaires sévères de l'église adventiste. La gymnastique et l'abstinence étaient de rigueur. L'alcool et la viande étaient interdits sous prétexte d'améliorer la digestion et de refouler les stimulations sexuelles. On se demande ce qu'un gars dépravé peut bien faire avec une saucisse.

Les prisonniers, je veux dire les « clients » du sanatorium de Battle Creek, n'avaient pas non plus la permission de fumer. Ils étaient obligés de faire des exercices respiratoires pendant leurs satanées balades à travers la propriété pour mieux digérer.

Kellogg semblait être obsédé par les parties intimes, surtout par ce que les médecins appellent le rectum. Il mit au point une poire à lavement qui envoyait des litres d'eau dans le postérieur de ses patients. Suite à ce traitement, ils devaient avaler un grand verre de yaourt : la moitié de ce verre était ingérée par la bouche, le reste suivait un tracé plus méridional.

Des gens connus firent des kilomètres pour subir les traitements thérapeutiques de Kellogg. On vit passer un président américain, William Howard Taft, un écrivain irlandais végétarien, le célèbre George Bernard Shaw, et un pianiste australien, Percy Grainger. Même si le dictionnaire de la musique ne précise pas les circonstances de la création de « Country Gardens », il avait peut-être un demi-litre de yaourt dans les fesses quand il écrivit ses arrangements.

Il n'y a pas plus ennuyeux que des flocons de maïs au petit déjeuner, or ces céréales banales sont devenues une source de sempiternelles discordes et de batailles féroces au sein de la famille Kellogg. À la fin du XIXe siècle, John Kellogg et son frère Will commencèrent à fabriquer des flocons de maïs prophylactiques. Toutefois, les deux frères se querellèrent à propos de la quantité de sucre à ajouter. Pour finir, Will ouvrit sa propre usine, la Battle Creek Toasted Corn Flake Company, qui est devenue la compagnie Kellogg que nous connaissons aujourd'hui.

John Harvey Kellogg passa le plus clair de son temps à tenter de réprimer toutes sortes d'activités sexuelles, surtout des activités solitaires. Dans un ouvrage très ennuyeux contre la masturbation (*Plain Facts about Sexual Life*) qu'il ébaucha pendant sa lune de miel, il encourageait les gens à éviter de consommer des produits « sexuellement stimulants » ; la suite de cet opus était largement consacrée à sa marotte : le lavement au yaourt.

Kellogg était totalement obsédé par la masturbation. Pour lui, elle ne provoquerait pas seulement des crises d'épilepsie et des baisses de la vision, mais elle serait surtout mortelle. Sur le thème charmant de la mort par masturbation, il écrivit que « ce genre de victimes mourait littéralement de sa propre main ». Afin de soigner un garçon qui souffrait de ce vice solitaire, l'homme aux céréales préconisa de lui bander les mains, de placer une cage grillagée sur ses parties génitales, de coudre son membre, de pratiquer des électrochocs et de le circoncire. Sur ce point, il précisa que « l'opération devrait être effectuée par un chirurgien sans anesthésie, car la brève souffrance qu'en ressentira l'enfant aura un effet salutaire sur son esprit, en particulier si elle est reliée à l'idée de punition, ce qui pourrait bien être le cas parfois ». Les pédopsychiatres aujourd'hui ont sûrement quelques soucis avec cette approche et doivent se demander si le Dr Kellogg ne réprimait pas quelques penchants sexuels sadiques.

Le sanatorium fut vendu pendant la Grande Dépression, mais Kellogg ne se laissa pas abattre et mena la grande vie en Floride. Il porta toute son attention sur la ségrégation raciale et l'eugénisme, des théories aussi sensées que l'idée qui veut que dégorger le poireau, s'astiquer la nouille, tirer sur l'élastique, se faire reluire ou de se branlotter l'escargot rend aveugle.

Quel branque !

84 La Goulue, reine du french cancan

Le 13 juillet 1866, à Clichy-la-Garenne dans les Hauts-de-Seine, une banlieue au Nord-Ouest de Paris, Mme Weber, une jeune femme juive originaire d'Alsace, met au monde une petite fille qu'elle baptise Louise.

Enfant, Louise Weber aime danser et à l'âge de 16 ans, alors qu'elle aurait dû trimer avec sa mère au lavoir, elle fait le mur pour aller guincher dans les cabarets. Elle met les beaux vêtements coûteux des clientes de sa mère.

Très vite, elle danse dans des petits bals de banlieue. Même si elle n'est pas très belle dans sa jeunesse, elle a un côté féerique et une personnalité vive qui font d'elle un personnage charismatique. Les hommes apprécient beaucoup les danses coquines de Louise. Elle a mis au point une technique très personnelle, elle lève et fait tourbillonner le bord de sa robe pour montrer la dentelle de sa petite culotte. Elle a aussi tendance à faire voler les chapeaux des hommes de la pointe du pied. Elle a également pris l'habitude d'avaler le contenu des verres des clients quand elle passe devant leur table en se trémoussant. Cette coutume lui faut le surnom de La Goulue. Malheureusement, au fil du temps, ce sobriquet, qui lui vient d'un journaliste imprésario, Gabriel Astruc, se révèle être de plus en plus révélateur de son goût pour la boisson.

Bientôt, La Goulue s'acoquine avec le beau monde, elle fréquente Pierre-Auguste Renoir. Grâce au peintre, elle commence à poser pour des artistes, Achille Delmaet la photographie souvent, nue. Un jour, dans un parc, elle rencontre Joseph Oller, un des propriétaires du Moulin-Rouge, qui tombe aussitôt sous le charme de sa gouaille et l'engage comme danseuse. De 1889 à 1895, elle se produit tous les soirs dans ce cabaret. Grâce à son rentre-dedans coquin, elle empoche deux fois plus de pourboires que les autres. « Reine de la sensualité parisienne », elle devient la danseuse la mieux payée sur la place de Paris.

Toulouse-Lautrec est l'un des habitués du Moulin-Rouge, il l'immortalise en train de danser le french cancan dans une série d'affiches. Le cancan est une danse respectable que l'on pratique chez les ouvriers. La Goulue lui donne un côté très personnel pour aguicher la clientèle masculine. À l'origine de cette danse, les femmes portent des culottes bouffantes qu'elles montrent en levant la jambe haut, elles font le grand écart, la roue et lancent des petits cris. À la fin, elles soulèvent le bord de leur jupe pour montrer leurs jambes et leurs dessous. Souvent, La Goulue et ses copines se dispensent de sous-vêtements. Les jetés de jambe révèlent alors leurs jolis postérieurs et les autres parties de leur anatomie, je laisse ici le soin au lecteur d'imaginer la scène.

Le Guide des plaisirs de Paris de 1898 voit les danseuses comme « une armée de jeunes filles qui sont là pour danser ce divin chahut parisien, comme sa réputation l'exige […] avec une élasticité lorsqu'elles lancent leur jambe en l'air qui nous laisse présager d'une souplesse morale au moins égale ».

Même si La Goulue est une danseuse superbe, elle est loin d'être une femme d'affaires. Riche et célèbre, elle décide de quitter le Moulin-Rouge en 1895. Elle se consacre à un numéro de domptage et investit tout son argent dans une fête foraine. Toutes ses économies y passent.

Six ans après son départ du célèbre cabaret, au bord de la ruine, Louise Weber épouse un certain José Droxler et s'installe avec lui jusqu'au décès de son époux. À la fin de sa vie, en 1928, La Goulue, alcoolique, édentée, obèse et destituée, revient à Montmartre où elle vend des cacahouètes, des cigarettes et des allumettes à la sortie du Moulin-Rouge. Faisant honneur à son surnom, l'ancienne reine de Montmartre est une inconnue pour les passants qui ne la reconnaissent pas.

Un an plus tard, le 29 janvier 1929, Louise Weber meurt et est enterrée au cimetière de Pantin, en banlieue. Elle a toutefois marqué son époque et les esprits de la capitale. Ses cendres sont transférées au cimetière de Montmartre. On peut lire sur sa tombe : « Ici repose Louise Weber, dite La Goulue… créatrice du french cancan. »

85 Le recteur de Stiffkey, le *padre* des prostituées dévoré par un lion

Il vous est déjà arrivé de vous retrouver dans un pub anglais face à un serveur ébahi à qui vous avez demandé de la sauce « wassetersoeur » ? C'est bien ça qui est écrit sur l'étiquette, Worcestershire, mais en fait on dit « wostechoeur ». Ben oui, ça ne se prononce pas comme ça s'écrit. C'est pareil avec certaines villes comme Godmanchester, Ravenstruther ou Stiffkey, qui ressemblent plutôt à « Gumstoeur », « Renstray » ou « Stewky ». Et dire que tout le monde trouve que l'anglais, c'est plus facile que l'allemand. Aujourd'hui, nous allons nous concentrer sur l'histoire du recteur de Stiffkey.

Harold Francis Davidson (1875-1937) est un prêtre anglican plus connu, parmi ses ouailles, sous le sobriquet de « Little Jimmy ». Il ne mesure qu'un mètre soixante. Après des études à Oxford, Davidson parcourt la Grande-Bretagne avec son numéro de comique. Par la suite, il devient le curé de Saint-Martin-in-the-Fields de Trafalgar Square à Londres.

En 1906, il est ordonné recteur de la paroisse de Stiffkey et Morston sur la côte du Norfolk. C'est là que lui et sa femme Moyra élèvent leur famille de quatre enfants. Il est chapelain dans la marine pendant la Première Guerre mondiale. Ensuite, il passe le plus clair de son temps à Londres pour fuir sa femme de plus en plus sourde, alcoolique et infidèle. Chaque semaine, pendant plus de dix ans, il quitte son office à l'aube pour prendre le premier train pour Londres. Là, il arpente le quartier de West End et de la City pour trouver des filles qu'il veut « sauver » du péché. S'il fait chou blanc, il se rabat sur les serveuses d'un pub animé, le Lyons Corner Houses, avec lesquelles il sympathise. Il rentre juste à temps à Stiffkey pour faire son sermon du week-end, serrer la pince de son épouse et reprendre le train pour accomplir ses bonnes œuvres londoniennes. Plus tard, il notera dans son carnet qu'il a « ramassé environ... cent cinquante à deux cents filles par an ». Pas terrible comme expression.

En novembre 1930, Davidson rate son train. Visiblement, il n'est pas là pour le service annuel du jour du souvenir à Stiffkey. Le commandant Philip Hamond, un gros bonnet local qui n'apprécie pas trop notre recteur parce qu'il n'a pas voulu de lui comme bedeau dix ans plus tôt, est apparemment « rouge de colère » à cause de l'absence du saint homme. Il se plaint à l'évêque de Norwich et accuse Davidson d'immoralité en raison de ses activités dans la capitale.

L'agence de détectives Arrows engagée par l'Église anglicane, en décembre 1931, pour fouiller dans les affaires du recteur met finalement la main sur une certaine Rose Ellis, une ancienne prostituée. Elle produit un témoignage juteux (sans jeu de mots) après avoir avalé quelques verres de porto dans un hôtel. Davidson est inculpé par l'Église pour différents chefs d'accusation selon la loi épiscopale : conduite immorale avec Ellis, conduite immorale parce qu'il « a embrassé une fille dans un restaurant chinois à Bloomsbury », conduite immorale « envers une femme dans un café de Walbrook » et pour « ses habitudes immorales de s'associer avec des femmes de petite vertu ».

Le procès de Davidson commence le 29 mars 1932 à Church House, à Westminster. Les foules se pressent pour assister au défilé de témoins qui dure vingt-six jours. Les journaux se gaussent évidemment des témoignages à charge de la ribambelle guillerette de serveuses, de jongleuses, de patrons de pub et de poules. Gwendoline, âgée de 70 ans, *alias* Barbara Harris, explique comment le recteur faisait mine d'être son oncle, qu'il payait son loyer et l'avait invitée à vivre chez lui à Londres. Selon elle, il avait raté son train, le jour du souvenir, parce qu'il « n'arrêtait pas de m'embrasser ».

La torpille finale qui achève la défense de Davidson est une photographie de lui avec un collier de chien autour du cou. Sur ce cliché, il fixe Estelle Douglas, une jeune fille de 15 ans dans le plus simple appareil. La gamine tourne le dos à l'objectif et le recteur a la main posée sur son épaule dénudée, l'autre main est à quelques millimètres de son joli postérieur. À part un châle qui glisse, la donzelle est nue comme un ver. Davidson explique à la cour qu'on l'a payé pour poser afin d'aider la jeune fille à s'en sortir. Estelle raconte que les deux photographes lui ont demandé de se dévêtir pour améliorer la qualité de la photo. Elle était sûrement naïve, mais lui aurait dû se méfier, seul un aveugle insensible des mains n'aurait pas su apprécier la qualité du grain de peau de la jeune demoiselle. En tout cas, ces clichés n'étaient pas très posés.

En juillet 1932, Davidson est condamné pour tous les chefs d'accusation ; la photographie est, pour beaucoup, la preuve irréfutable de ses exactions. Il fait appel auprès de l'évêque de Canterbury, mais son appel est rejeté. Il doit donc maintenant trouver un moyen de subvenir à ses besoins. Il décide alors d'ouvrir un camp de naturistes (évident, non ?). Il a aussi la chance de poser auprès d'une baleine échouée à Hampstead Heath. En septembre, sur la promenade de Blackpool, on peut le voir installé dans une barrique, à côté d'un cirque de puces et d'un garçon à trois jambes. Son numéro comporte des scènes de grève de la faim, il se fait également « rôtir » dans un four où on peut le piquer avec une fourchette pour vérifier la cuisson. En octobre de la même année, Davidson est officiellement défroqué dans la cathédrale de Norwich. Il rate une grande partie de la cérémonie parce qu'il arrive en retard.

Maintenant considéré comme un ex-curé sans domicile fixe, il réapparaît, en 1937 pendant la saison estivale, sous les traits de « Daniel le Moderne dans la fosse aux lions » dans un parc d'attractions de Skegness. Enfermé dans une cage, la Bible à la main, il prêche toute la journée en compagnie de Freddie le lion et de Toto la lionne. C'est à cette occasion que, le 28 juillet, il marche malencontreusement sur la queue de Toto et se fait sérieusement déchiqueter par Freddie. L'ancien recteur de Stiffkey est conduit à l'hôpital, où il succombe rapidement et bizarrement à une injection d'insuline. Le médecin légiste enregistre son acte de décès, dû à ses mésaventures, un euphémisme pour tous ses déboires cette année-là.

Cependant, le *padre* des prostituées n'a pas encore fini d'en découdre. Avec éclat, le jour de ses funérailles, la police doit intervenir pour maintenir la foule des trois mille fidèles qui s'agglutinent dans le village de Stiffkey pour rendre hommage à ce joyeux prêtre turbulent.

86 Le Pétomane

Joseph Pujol naît le 1er juin 1857 au 13, rue des Incurables à Marseille. Membre d'une famille de cinq enfants, Joseph mène une enfance morne jusqu'au jour où il fait une découverte capitale. Alors qu'il se baigne dans la mer, il met la tête sous l'eau et retient sa respiration. Soudain, il se rend compte que de l'eau est en train de pénétrer par un orifice, celui qui se trouve le plus loin de la bouche et que j'éviterai de nommer. Joseph découvre qu'il peut faire ressortir l'eau en un jet puissant, à une très grande distance. Cet enfant, particulièrement intéressé par les effets de la science, s'entraîne à faire la même chose avec de l'air. Tout ça avec un vrai charme musical.

Au début de son service militaire, Pujol devient la coqueluche de la caserne grâce à ses imitations flatulentes de tout et n'importe quoi, du petit air d'une jeune fille au salut de vingt et un fusils. Ses amis, qui trouvent ses démonstrations très drôles, lui suggèrent, à la fin de ses devoirs militaires, de mettre au point un répertoire digne de ce nom.

Pujol, qui est déjà un bon trombone et a un certain talent comique, se rend compte qu'il peut attirer les foules à Marseille avec son nouveau numéro. Paris semble donc être l'étape suivante, toutefois il est prudent et préfère éprouver son tour de pets en province. Le vent dans le dos, il se met en chemin sur les routes de France et de Navarre.

Pujol se vante d'être le seul musicien à ne pas devoir payer de droits d'auteur. Cependant, malgré un large répertoire, il ne peut émettre que quatre notes : do, mi, sol et do à l'octave. Ce n'est pas grave, son numéro fait un tabac et il se rend à Paris en 1892. Il pense que les ailes du Moulin-Rouge sauront ventiler merveilleusement ses vents.

Le Pétomane, c'est le nom d'artiste qu'il se donne, reçoit un accueil chaleureux et obtient un véritable succès dès ses débuts sur la scène du célèbre cabaret parisien. Bientôt, il amasse une fortune alors qu'il ne fait que ce que nous sommes tous capables de faire. Comme l'aurait dit Platon : « Ce n'est pas ce que vous savez faire, c'est comment vous le faites. » Pujol, lui, pète comme personne, avec brio et panache.

Il se met à porter un costume impressionnant avec un manteau rouge, des hauts-de-chausses en satin qui lui montent jusqu'aux genoux, une cravate blanche, des chaussures vernies et une moustache en croc, sa signature. Pour rassurer son public, qui ne sait pas trop à quoi s'attendre et qui craint surtout pour son nez, Le Pétomane commence toujours son numéro par cette annonce : « Mes parents se sont ruinés pour me parfumer le rectum. » Son répertoire comprend des airs très appréciés comme « Une petite fille », « La Belle-mère », « Le Maçon », mais aussi « La Mariée le jour de ses noces » (une chanson douce) et, pour le lendemain de la lune de miel, « Le Couturier qui déchire deux mètres de tissu ». Cette dernière mélodie dure dix secondes, elle posséderait une aura incroyable. Ensuite viennent « Canons » et « Tonnerres ».

Après, Pujol disparaît derrière le rideau où il enfile un tube en caoutchouc d'un mètre de long grâce auquel il tire sur une cigarette et expulse un petit nuage de fumée. Pour varier les plaisirs, il joue ensuite *Au clair de la lune* au pipeau avec le même tube. Cet homme, véritable artiste ès pets, termine son show en retirant le tube pour souffler une bougie à une distance d'environ trente centimètres, il arrive aussi à éteindre des réverbères au gaz, ce qui devait demander une force herculéenne.

Les foules sont en délire, hilares, les hommes n'en peuvent plus et sont pliés en deux. Les femmes, surtout, s'évanouissent en hurlant de rire dans les allées du théâtre.

Pujol comprend qu'il doit prouver que son numéro n'est pas truqué ; il propose alors à un public essentiellement masculin d'assister à des séances privées. Là, vêtu d'un maillot de bain avec une fente au niveau du postérieur, il se baisse vers une cuvette et évacue deux litres d'eau en formant un joli jet de fontaine.

Le Pétomane a enregistré plusieurs disques pour phonographe pendant ses années de gloire où le vent n'avait pas encore tourné. Après des querelles avec la direction du Moulin-Rouge, Pujol décide de quitter le cabaret en 1895. Il continue à se produire avec son propre théâtre ambulant jusqu'au début de la Première Guerre mondiale. À la fin de la guerre, il se retire du show-business pour devenir boulanger.

Comme il se doit, sa femme a souvent un polichinelle dans le tiroir. Durant sa longue vie, Joseph Pujol a dix enfants, et bien sûr, plusieurs petits-enfants. Il meurt en 1945 à l'âge de 88 ans. La faculté de médecine offre vingt-cinq mille francs pour examiner sa dépouille. Cependant, alors que le boulanger avait accepté de son vivant, sa famille refuse d'autoriser l'examen *post mortem* de son fessier péteur.

À Marseille, la rue où il tenait sa boulangerie porte son nom en l'honneur de son don si rare.

LE GENTLEMAN
ET LES AUTRES

Amour, romantisme
et plaisirs horizontaux

87 Les dix conseils du don juan efficace

Quand j'étais aux Beaux-Arts, je voyais souvent des filles qui auraient pu être de bons modèles, mais j'étais trop timide pour leur demander de poser pour moi. Cependant, la première fois que je me suis lancé, je me suis rendu compte que ce n'était pas la mer à boire. La deuxième étape était de savoir si elles allaient accepter de poser nues. À ma grande surprise, la plupart du temps, elles étaient d'accord, ce qui prouve que si on ne demande rien, on n'obtient rien. Toutefois, il y a toute une procédure à suivre. Imaginez que vous êtes à une fête et que vous vous approchiez d'une femme qui se tient près de la cheminée. Maintenant, vous devez appliquer les techniques des gars superénervants qui repartent toujours bras dessus bras dessous avec les plus jolies filles.

1. *Soyez direct* : imaginez que ce soir, c'est votre dernière nuit sur terre. On ne tourne plus autour du pot, *on se lance.*

2. *La persévérance* : maintenez la pression. À moins qu'elle ne parte, vexée, vous devez persévérer. La confiance en soi et l'assurance sexuelle sont les clés de la réussite. Il n'est absolument pas nécessaire de ressembler à Brad Pitt. Le physique n'a pas grand-chose à voir avec tout ça.

3. *Le langage corporel* : vos façons de vous tenir, de regarder, de jouer ou non avec vos mains ont leur importance. Regardez-la droit dans les yeux, mais regardez aussi sa bouche. Dirigez votre corps vers elle, directement. Tenez-vous droit, les pieds légèrement écartés, un doigt dans la ceinture, comme un cow-boy van-

tard, les pouces tournés vers vos attributs masculins. Ces signaux primitifs sont essentiels dans l'approche de séduction.

4. *Le toucher* : saisissez l'opportunité de la toucher. Ne vous jetez pas sur elle ! Il faut plutôt essayer de frôler sa jupe, de vous amuser à serrer son bras, de souffler des confettis dans son cou ou de délicatement replacer une mèche de cheveux rebelle derrière son oreille.

5. *Les compliments* : n'exagérez pas, gardez votre salive pour plus tard et montrez-lui ce que vous pensez par le regard. Un jour, une fille m'a dit : « Comment peut-on respecter un mec qui vous flatte hypocritement ? »

6. *Le sens de l'humour* : « Femme qui rit, femme à moitié dans ton lit. » Que dire de plus ? En revanche, si vous n'êtes pas drôle naturellement, évitez l'humour.

7. *Posez-lui des questions* : ne parlez pas de vous, mais faites-la parler d'elle. « As-tu déjà trompé ton petit ami ? » peut être un bon début.

8. *Les fleurs* : toujours appréciées, si vous les offrez vous-même. Je connaissais un gars qui en avait cueilli directement d'un vase dans un hôtel, il les avait offertes à sa dulcinée en l'embrassant. Les femmes trouvent ça terriblement osé et masculin. N'achetez jamais de fleurs dans une station-service !

9. *Ne payez pas l'addition si vous n'êtes pas sûr de conclure.* Ne l'inviter à dîner ou lui offrir une place de ciné que si vous êtes certain qu'elle va s'allonger. C'est la règle d'or.

10. *Habituez-vous aux échecs.* Un de mes amis avait l'habitude de lancer aux filles avec qui il voulait sortir cette invitation très directe : « Tu voudrais pas enlever tes fringues ? » Je lui ai demandé s'il ne se faisait pas rembarrer, il m'a répondu : « Évidemment, mais ça marche aussi et je m'envoie souvent en l'air. »

88 Dites-moi comment vous dormez et je vous dirai qui vous êtes : les manières classiques de se coucher

Lyndon B. Johnson est probablement un des présidents américains les moins connus. Coincé entre les mandats de J.F. Kennedy et de Richard Nixon, il s'est surtout illustré par des saillies peu flatteuses. À propos de Gerald Ford, il disait qu'il était « si bête qu'il ne pouvait pas péter et mâcher du chewing-gum en même temps », ou alors avec encore plus de verve qu'il était « si bête qu'il n'aurait pas réussi à retirer de la merde de ses chaussures même si les instructions s'étaient trouvées sur le talon ». Il est vrai que Ford avait l'air un peu gauche le jour où il a trébuché en descendant d'*Air Force One*, ou le jour où il est tombé d'un télésiège, ou encore le jour où il s'est marié en portant une chaussure marron et une chaussure noire. Toutefois, il a eu de la chance, c'est le seul vice-président et président à ne pas avoir été élu à ces fonctions. Après la démission de Nixon en direct à la télévision, Ford, comprenant qu'il devait se mettre au boulot, est allé au lit en déclarant : « J'ai l'impression que je ferais bien d'aller me coucher. » On ignore quelle était sa position préférée, mais il s'agit peut-être d'une de celles qui suivent. Vous allez sûrement reconnaître la vôtre.

1. *L'animal* : position adoptée par les célibataires qui ne partagent leur lit qu'avec Médor. Ce n'est pas encore trop grave si le chien ne se glisse pas sous les draps. Cette position semble vouloir dire : « Je n'aime pas mon tonton Olivier, il ne sent pas bon. »

2. *Le ronfleur* : on n'adopte pas cette position naturellement. Elle est surtout le résultat d'un repas bien arrosé. Quand on commence à ronfler, la femme (que l'on ne voit pas sur cette illustration parce qu'elle est partie dormir dans la chambre d'ami) prend la fuite rapidement. On associe souvent cette position à celle du péteur (voir illustration position n° 6).

3. *Le voleur de couette* : cette position est l'une des plus courantes. Comme pour celle du ronfleur, le voleur de couette n'admet jamais ses actes jusqu'à ce que son voisin ou sa voisine le prenne en photo et lui montre les clichés qu'il ou elle refusera d'accepter comme preuve.

4. *L'accident de parachute* : c'est ce qui arrive quand vous êtes attaché à votre instructeur et que votre saut en parachute se passe mal, vous vous écrasez sur le sol à cent trente kilomètres à l'heure, face contre terre. Au lit, l'expérience est plus agréable et vous ne risquez pas de mourir.

5. *La cuillère* : on ne le supporte qu'au début d'une relation, quand on commence à partager ses nuits, et surtout à les interrompre par des relations sexuelles intenses, vigoureuses, répétées voire héroïques. Toutefois, après un certain temps, on s'en lasse. Qui veut d'une sangsue dans son lit qui vous souffle dans le cou toutes les nuits ? Cette position convient aux jeunes amoureux, elle n'est pas faite pour les vieux croûtons.

6. *Dos à dos* : pas besoin d'explications pour celle-ci, c'est le contraire de la cuillère. Tout est fini, si ce n'est les reproches, les assiettes qui volent, les discussions pour savoir qui aura la garde de l'ordinateur et du tapis persan. Appelez votre avocat dès demain matin.

7. *L'étoile de mer* : la position de l'étoile de mer est celle de l'homme qui n'a eu personne dans son lit depuis un sacré bout de temps, une sorte de revendication anti-attache. C'est mal parti pour une relation durable.

8. *Le malade mental* : toute personne qui dort avec quelqu'un qui lui fait subir cette position mérite le prix Nobel de partage du lit. N'allez jamais faire de camping sauvage en montagne avec une femme qui dort de cette manière. Vous risquez d'y perdre des plumes.

89 Comment flirter sans style ni panache

Avez-vous déjà remarqué que certains mecs draguent les femmes sans efforts apparents et qu'ils ont un charme magnétique qui marche à tous les coups ? On n'a pas besoin de s'intéresser à eux, car ce chapitre est consacré aux choses qu'il *ne faut surtout pas dire* si on ne veut pas rentrer bredouille. Il est concocté pour tous les hommes incapables de rencontrer des femmes même s'ils se retrouvent seuls sur une île déserte. En même temps, si vous avez le cheveu gras, un anorak et que vous lisiez l'*Almanach Vermot*, vous partez de loin, mais je vous assure, ces accroches minables ne vous mèneront nulle part. Elles sont un mélange de vulgarité, d'agressivité, d'épanchements sordides et de brutalité. Voyez ce que vous en pensez, je suis certain que vous ne pourriez pas faire pire.

- C'est bon, tu peux faire l'affaire.
- Tu transpires pas trop pour un gros cul.
- Tu veux voir un tour de magie que j'ai appris en prison ?

- Tu regardes quoi, là ?
- Tes yeux ont la couleur du portail doré du monde auquel j'aimerais appartenir.
- Ouah ! Ils sont vrais ?
- T'es moche, mais tu m'intrigues tellement.
- Hé ma belle, si la beauté était un animal, tu serais un éléphant.
- Tu veux voir mes horaires de train ?
- Pourquoi t'as autant de poils sur les bras ?
- Mes deux premières petites amies sont mortes parce qu'elles avaient mangé des champignons vénéneux, ma dernière petite amie est morte d'un coup sur la tête (elle refusait de manger ses champignons).
- Tu es en chaleur ?
- C'était comment le paradis quand t'es partie, mon ange ?
- Putain, que tes sourcils sont épais !
- Désolé, je pue de la gueule, mes dents se déchaussent.
- Je te paie un verre ? Ou tu veux juste garder l'argent ?
- Salut beauté, tu peux aspirer une balle de golf avec un tuyau d'arrosage ?
- Ça t'ennuie si je retire mon pantalon ?
- Je te parie dix euros que tu me jartes.
- Je peux baiser ton visage ?
- Sympa les bijoux. Ils seraient jolis sur ma table de chevet.
- Tu aimes qu'on te frappe ?
- J'aime bien les femmes plus âgées.
- De quelle couleur est ta brosse à dents ?
- Parfois, je chie dans mon froc.
- C'est fou ce que tu ressembles à ma mère.
- Bon alors, t'aimes bien les gros qu'ont pas de fric ?
- Allez viens, on se casse.
- C'est fou, t'as vraiment de petites jambes.
- Ben ouais, j'aime les filles boutonneuses.

- Tu me paies une bière, chérie ?
- Mes selles sont molles, et les tiennes ?
- Je suis homo. Tu veux bien me soigner ?
- Tu me rappelles une pute avec qui je baisais.
- Tu veux bien venir chez moi et m'attacher ?
- Salut, ça te dirait du sexe pour le sexe ?
- Les femmes m'adorent. Je suis impuissant.
- Je te parie dix euros que mon pénis n'entre pas dans ta bouche.
- Qu'est-ce qu'une traînée comme toi fait dans un endroit si classe ?
- Mes dents sont pourries à cause des bonbons que je m'enfile toute la journée.
- Salut poupée, t'as déjà joué à saute-mouton à poil ?
- Tu sens le mouillé. On va jouer ?

90 Trois grands séducteurs

Errol Flynn (1909-1959)

Errol Leslie Flynn est un acteur australo-américain de films de cape et d'épée. C'est un véritable aimant à filles, sûrement en raison d'un mélange détonant de romantisme hollywoodien, d'alcool, de cigarettes, de femmes, de cocaïne, de bagarres, de séjours en prison et de chansons. Les ancêtres de Flynn étaient d'anciens bagnards tasmaniens. Lui-même est souvent exclu de l'école pour s'être battu, mais aussi pour s'être envoyé en l'air avec la blanchisseuse de l'établissement.

Avant de devenir un sex-symbol, Flynn n'est qu'un creuseur de tranchées inconnu qui travaille dans un ranch comme égorgeur d'agnelets (son métier consiste aussi à enlever les testicules des béliers). Jeune homme, il émigre en Angleterre où il commence à jouer la comédie. Peu de temps après, il signe avec la Warner Brothers. Il s'installe alors aux États-Unis et devient citoyen américain en 1942, juste à temps pour éviter de se retrouver dans la mouise à cause d'accusations de viol de deux jeunes filles prénommées respectivement Betty et Peggy. Un groupe de fans américains prend sa défense et fonde l'American Boys' Club for the Defense of Errol Flynn (ABCDEF). Il en sort lavé de tout soupçon.

Errol Flynn a été marié trois fois mais semble avoir un léger penchant pour les très jeunes femmes. À la fin des années 1950, il rencontre Beverly Aadland, une gamine de 15 ans, et l'engage dans son dernier film, *Cuban Rebel Girls* (1959). Son intérêt pour la jeune fille n'est, semble-t-il, pas seulement professionnel. D'ailleurs, Beverly Aadland se trouve dans la voiture peu avant la crise cardiaque qui sonne le glas d'Errol à Vancouver le 14 octobre 1959. En route vers l'aéroport, il commence à se sentir mal, on le conduit donc chez un de ses amis où, évidemment, tout le monde se met à faire la fête. Flynn, qui n'a pas compris qu'il était en train de faire une attaque, raconte des blagues et fait le fou. Puis il décide d'aller s'étendre pour se reposer un peu et il meurt. Le médecin légiste déclare que son corps est tellement endommagé par les abus qu'il semble être celui d'un homme beaucoup plus âgé. On l'enterre avec six bouteilles de whisky, un petit présent de la part de ses « amis ».

Dans une biographie controversée, *Errol Flynn, l'histoire secrète* (1980), Charles Higham soutient que Flynn était bisexuel, profasciste ayant espionné pour le compte des nazis et qu'il a eu des relations sexuelles avec Howard Hughes, Tyrone Power et Truman Capote. Aucun d'entre eux n'a démenti, Power et Hughes parce qu'ils étaient déjà morts et Capote parce qu'il était l'auteur de la rumeur.

La meilleure anecdote que je connaisse à propos de Flynn concerne la farce qu'il avait faite lors du tournage des *Aventures de don Juan* (1948). Il demande à Perc Westmore, le maquilleur du film, de lui fabriquer un faux pénis. Il le met, se couche, nu, sur son sofa, seul un drap de soie cache le monstre. Il attend patiemment l'entrée de son acolyte, l'acteur Alan Hale, dans la loge. Quand Hale fait son entrée, Flynn souffle sur le drap pour le faire tomber. Sans en perdre une miette, Hale lance : « J'en voudrais une livre et demie. »

Casanova (1725-1798)

Giacomo Girolamo Casanova de Seingalt est un vrai casanova. Si on traduit son nom, ça donne Jean Maisonneuve, ce n'est pas aussi romantique que la légende qui en fait un séducteur, un érudit, un acteur et même, pour une courte durée, un abbé. Cet homme, qui se tue à la tâche, a tendance à chercher les ennuis avec les femmes, l'Église et un peu tout le monde, mais c'est aussi un grand ami de Louis XV, de quelques papes et de Mozart. Il est également écrivain. Dans *Histoire de ma vie*, il n'a de cesse de raconter combien il maîtrise l'art de la séduction. Il est vrai que, s'il n'avait pas fait son auto-promotion, son personnage serait depuis longtemps au fin fond des oubliettes.

Casanova est né à Venise. Dans sa jeunesse, il souffre de saignements nasaux qui sont soignés par une sorcière. En 1744, il devient le secrétaire d'un cardinal à Rome. Il se rend ensuite à Corfou, Naples et Constantinople. Il trouve des emplois qui lui permettent de remonter petit à petit vers Venise où il tente de s'installer. C'est là qu'il attrape ses premières maladies vénériennes. Il est alors frappé par la petite vérole (la syphilis), la blennorragie et bien d'autres maladies qui l'accableront tout au long de sa vie. En 1750, il a déjà un sacré CV, a fait office de prêtre, de secrétaire particulier, de soldat et de violoniste (pas doué) à travers le monde.

En 1749, Casanova rencontre une jeune Française, Henriette, dont, semble-t-il, il sera amoureux toute sa vie. Elle le quitte. Il se rend à Lyon où il devient franc-maçon. Toutefois, l'Église n'apprécie pas du tout son changement de cap et il est arrêté en 1755. On lui saisit tous ses biens ; il a sûrement versé une petite larme à ce moment-là. On lui confisque ses livres de magie et de positions sexuelles. Il est condamné à cinq ans de prison à la Venice Piombi, une geôle au toit de plomb à l'intérieur du palais des Doges. Il n'a que 30 ans et les choses commencent déjà à mal tourner.

Cependant, dans la nuit du 31 octobre 1756, Casanova s'échappe de sa cellule : un gardien le prenant pour un politicien le laisse sortir. Il suit le chemin de Paris où il est une vraie célébrité. En 1757, il persuade les Français de l'autoriser à organiser une loterie qui rencontre un grand succès. Il devient millionnaire. Trois ans plus tard, il doit fuir ses créanciers et se remet à arpenter les routes d'Europe. Entre 1774 et 1782, il espionne pour le compte des Vénitiens, s'acoquinant avec des femmes dès qu'il en a l'occasion.

À un âge avancé, Casanova se travestit en femme (mais c'est quoi ces gens ?). En 1789, parce qu'il s'ennuie, il décide d'écrire ses mémoires sexuelles. *Histoire de ma vie* est l'œuvre qui a fait sa renommée, mais ses anecdotes sont probablement très exagérées. Comme Casanova le disait lui-même : « Le même principe qui m'interdit de mentir ne me permet pas de dire la vérité. » Il aurait pu être un très bon politicien. Je me demande bien où il trouvait le temps de séduire toutes ces femmes.

Casanova est mort seul, dans son lit, en 1798.

Rudolph Valentino (1895-1926)

Connu sous le nom de Latin Lover, Rudolph Valentino est un des acteurs italiens les plus connus et les plus appréciés du cinéma muet des années 1920. Les femmes le trouvent, à l'époque, « d'une séduction triomphante ». Jack Dempsey, un boxeur poids lourd, disait de lui qu'« il était le plus viril et le plus masculin des hommes. Les femmes étaient comme des abeilles autour d'un pot de miel ». H.L. Mencken, qui le connaissait bien et l'appréciait, voyait en lui « de l'herbe à chat pour femmes »...

Toutefois, son apparence exotique et ses habits de dandy sont suspects aux yeux de certains journalistes qui subodorent que ses véritables préférences sexuelles ne vont pas vraiment vers le sexe faible. Le Vaselino est alors le petit sobriquet qui désigne son style capillaire gominé. En 1926, quand on trouve une machine à faire du talc dans son hôtel à Chicago, on reproche à Valentino et à ses films de donner aux mâles américains une image de tapettes. Valentino provoque un de ces pourvoyeurs de ragots en duel. Même s'il avait du style, il faut admettre qu'il était un peu maniéré, soyons honnête.

En 1919, peu après être devenu une superstar, Valentino épouse Jean Acker, une actrice qui, pour des raisons encore inexpliquées, le laisse à la porte de leur chambre le soir de la nuit de noces. Ils se séparent rapidement, sans avoir consommé leur union. Peu après, Acker commence à sortir avec une ancienne danseuse des Ziegfeld Follies, une certaine Chloe Carter, dont elle a été la « meilleure amie » tout au long de sa vie.

En 1921, pendant le tournage de *La Dame aux camélias*, Valentino rencontre Natacha Rambova, une costumière dont la carrière est largement « soutenue » par Alla Nazimova, une lesbienne notoire. Valentino et Rambova se marient au Mexique. Toutefois, il est très vite arrêté pour bigamie, selon la loi californienne, car son divorce a été prononcé moins d'un an avant sa deuxième union. De toute façon, il y a quelque chose qui cloche dans ce mariage. Ils se séparent le plus naturellement du monde. Irrité, Valentino ne laisse à Rambova qu'un dollar dans son testament.

Pola Negri est la dernière femme dans la vie de Valentino, même s'il ne l'a jamais épousée. Étrangement, comme avec les autres filles, des rumeurs de saphisme se répandent. Elles ne sont fondées que sur l'amitié extrêmement proche qu'elle entretient avec Margaret West, une artiste de vaudeville. C'est sa « meilleure amie » et elles vivent ensemble.

Malgré les cancans, les femmes continuent à tomber radicalement sous le charme de Valentino, c'est comme avec Rock Hudson. Elles dépensent des fortunes pour aller voir ses films. Malheureusement, Valentino meurt, avant l'âge de 32 ans, de complications liées à une opération de l'appendicite. Lors de ses funérailles à New York en 1926, une foule de cent mille personnes cause des émeutes pendant toute la journée.

Il n'y a aucune raison de croire que Valentino, l'immense Latin Lover, ait été un acteur homosexuel, la preuve en est faite par ses multiples mariages à l'eau de rose, annoncés à grand renfort de publicité pour donner une bonne image de lui. Cette idée est aberrante et on n'a jamais entendu de telles inepties à Hollywood.

91 Les vingt-cinq choses que les femmes détestent par-dessus tout chez les hommes

Il existe une longue liste de choses que les femmes font et qui rendent les hommes dingues : leur addiction au shopping, leur obsession pour les paires de chaussures, leur truc avec les bougies parfumées, leur problème avec les coussins qu'il faut mettre partout. Ce ne serait pas leur faire justice si je ne leur consacrais pas un chapitre, mais comme je n'ai pas la place de tout faire dans ce livre, je vais me contenter d'une liste des choses que les femmes ne supportent pas chez les hommes. Vous lirez ici le résultat d'une enquête globale, mais certainement pas exhaustive, que j'ai menée auprès d'un groupe de recherche (constitué de toutes mes copines). Voilà, il vaut mieux prévenir que guérir (les idées exprimées ici ne sont pas forcément celles du boss).

1. *Ne pas écouter les infos essentielles (surdité sélective).* Si une femme dit : « Bon, tu m'écoutes, Manu, *ne rentre pas* après le boulot parce qu'on va chez Marc et Sophie ce soir. Tu t'en souviens ? Viens me chercher à la gare à 18 heures. » Vous pouvez être certain que le mec rentre chez lui à 18 h 30 en se demandant pourquoi toutes les lumières sont éteintes. Sa femme, plantée devant la gare, dans le froid glacial, lui a déjà laissé neuf messages sur son portable, mais sa batterie est à plat. La scène de ménage n'est pas loin, mais restons-en là...

2. *Ne pas prendre en compte les conseils judicieux, surtout en voiture* : quand les hommes sont perdus, ils ne demandent jamais leur chemin. Si on leur fait des suggestions, ils les rejettent. C'est à cause du syndrome de la « passagère chiante ». Nous, au moins,

on n'a pas besoin de retourner la carte routière pour être dans le bon sens de la marche.

3. *Grogner* : « Kwaaa ? »

4. *La TPM ou tumescence pénienne matinale* : plus connue sous le nom de gaule du matin. D'après ce que j'ai compris, elle arrive toujours au mauvais moment. Au moins, ça nous empêche de rouler hors du lit.

5. *Prendre tout au premier degré*. Quand une femme dit : « J'ai essayé de réparer le robinet, mais l'eau est sortie de partout et je n'ai pas réussi à le remettre en place. J'ai passé la journée à écoper et le robinet n'est toujours pas remplacé », l'homme répond : « Tu aurais dû d'abord couper l'arrivée d'eau. » Les femmes ne veulent pas d'une solution technique à ce genre de problèmes, voilà ce qu'elles attentent comme réponse : « Oh, ma chérie. Tiens, voilà un verre de vin et un gros câlin. » Franchement, si un mec réagit de la sorte, c'est qu'il ne va vraiment pas bien. En plus, ça devrait marcher dans les deux sens. Par exemple, il est temps que les femmes comprennent que, quand elles disent à leur homme un truc du genre : « La pelouse est vraiment trop haute. Ça ne fait pas très net », leur information n'est pas assez explicite. L'homme n'a pas du tout compris qu'il fallait qu'il passe la tondeuse, même si elles pensent que tout était très clair.

6. *Penser systématiquement que les femmes ont leurs règles quand elles ne sont pas d'accord* : j'ai un de mes amis qui, à une époque, s'est retrouvé sous le même toit que sa femme et ses deux filles ado. Vraiment, il n'a rien compris à ce qui lui arrivait et il se demandait toujours ce qu'il avait fait de mal.

7. *L'obsession du sport* : ce reproche pourrait contrebalancer celui des chaussures, du shopping, des bougies parfumées et des cadres photo décorés. Il va falloir vous y faire, les filles.

8. *Le manque de compétence en matière de shopping* : si elle voulait y aller avec Vincent McDoom, elle n'avait qu'à le dire.

9. *Mater les femmes* : tous les hommes savent que le décolleté, les seins et la région des fesses des femmes sont des zones interdites. C'est comme le soleil, il ne faut jamais le regarder en face, vous risquez de vous brûler les yeux. Dès que vous en apercevez, détournez le regard, sinon vous allez finir avec un œil au beurre noir. Les tee-shirts avec des slogans comme « Toi, retrouve-moi dans ma chambre », les pulls à rayures moulants, les boucles d'oreilles qui pendouillent, les bijoux en forme de cône style années 1950 ou encore les soutiens-gorge à balconnet ne nous aident pas, les filles. On essaie vraiment de faire de notre mieux dans ces circonstances.

10. *Oublier les fêtes et les anniversaires* : être capable de se souvenir d'un score de match de foot ou des séries d'un jeu de cartes et oublier son anniversaire est digne d'un mélange explosif.

11. *Devenir la fille par procuration* : on dit souvent des hommes qu'ils font en sorte que leur petite amie ou leur femme se charge de téléphoner à leur belle-mère, de lui acheter des cadeaux, etc. Ben oui, pourquoi acheter un chien, s'il faut soi-même aboyer ?

12. *Déléguer les problèmes d'intendance (voir ci-dessus)* : les femmes se plaignent d'avoir à tout organiser, les vacances, Noël et tout le tintouin. Le problème, c'est que si vous essayez de préparer le réveillon de Noël (par exemple avec des cotillons, une bonne bouteille de vin et la télé), les femmes ne sont pas satisfaites. Vous ne gagnerez jamais à ce petit jeu-là.

13. *Éructations et flatulences chroniques* : plus connues sous le nom de rots et pets partout et à tout moment. Il est important de bien lever la jambe pour contrôler la tonalité du pet. Un petit vagissement aigu sous-entend que vous avez planqué un hamster dans votre slip.

14. *Chercher des choses avec votre bouche* : « Où sont mes clés ? » Cherchez-les ! Ce n'est pas en les appelant que vous allez les retrouver.

15. *Se comporter comme le fifils à sa maman* : il est vrai que c'est un reproche que je peux comprendre. Ces mecs qui hurlent dès qu'ils voient arriver une guêpe ou qui ont peur des vaches, ça ne le fait pas. Attention, il ne faut pas confondre avec le fait de retenir ses larmes aux funérailles de votre mère. Les femmes adorent les hommes qui savent pleurer.

16. *Les mains dans le pantalon* : apparemment, cette attitude involontaire de se fourrer les mains au chaud dans le pantalon dérange mesdames. Elles pensent qu'on est en train de se tripoter.

17. *La confusion entre la propreté et le rangement* : les femmes ne comprennent pas que les hommes soient capables de briquer leur voiture et de se moquer complètement de l'état lamentable de la cuisine ou de la salle de bains. Remettre les choses à leur place n'est pas tout à fait la même chose que nettoyer. C'est curieux.

18. *Ronfler* : tant que vous ne ronflez pas pendant qu'elle est en train de vous raconter sa journée, je ne vois pas où est le problème. Ça sert à quoi les chambres d'amis sinon ?

19. *L'humour graveleux du genre caca-boudin* : c'est drôle, alors autant en rire.

20. *Se cramponner à ses vieilles affaires* : les chaussettes avec des trous… Faut bien faire des économies.

21. *Souffler comme un bœuf pendant la projection d'une comédie romantique ou d'un programme télé destiné aux femmes.* Si vous aussi, vous réclamez le silence pendant votre documentaire sur les pilotes de Rafale, il est légitime de ne pas vous gaver de chips croustillantes et vous plaindre de ses problèmes de gonzesses.

22. *Les cadeaux radins* : les fleurs du supermarché, les chocolats dégueu ou les cadeaux pour plaisanter comme un sac de couchage en forme de momie ne feront jamais l'affaire. À éviter absolument.

23. *Croire à tort que* : le téléphone sert à communiquer des informations et non pas à bavasser pendant des heures, ou alors que

vous pouvez vous enfiler une part de quiche deux minutes avant le début de la séance au ciné. Mesdames, toutes ces croyances sont fondées.

24. *La compétitivité* : qui peut boire quinze shots de tequila en deux secondes ? Qui peut avaler le chili con carne le plus épicé ? C'est quoi le problème ?

25. *L'incapacité de lire un journal, le dimanche, sans mélanger les pages et les emmener aux cabinets (souvent les hommes pensent que c'est une annexe de leur bureau).* Ils y lisent pendant des heures. Autre problème lié aux toilettes : ne pas remplacer le rouleau de PQ (je pensais qu'il se remplaçait tout seul), ne pas relever le siège, ne pas récurer les chiottes après la grosse commission. Bon, ça va ! On attend la visite de la première dame de France ou quoi ?

Les compétences
de l'homme moderne

92 Les bébés sont-ils dangereux ?

Spaced out, the Very Best of Leonard Nimoy and William Shatner est un album sorti en 1996 dans lequel les deux stars de *Star Trek* entonnent des chansons affligeantes. Shatner, qui tenait le rôle du capitaine Kirk, marmonne les paroles, il donne l'impression d'avoir un petit coup dans le nez. Quant à Nimoy qui incarnait Spock, lui au moins, il essaie de chanter juste. C'est une expérience musicale tout à fait étrange, mon capitaine, une expérience que tout mélomane ne devrait tenter sous aucun prétexte.

Toutefois, il est vital de ne pas confondre Spock et le docteur Spock (1903-1998), un célèbre pédiatre mondialement connu grâce à son opus écrit en 1946, *Comment soigner et éduquer son enfant*. Ce best-seller traduit en trente-neuf langues s'est vendu à plus de cinquante millions d'exemplaires à travers le monde. Le point de vue du livre est là pour rassurer les mères en leur montrant qu'elles « en savent plus qu'elles ne le pensent ».

Si vous avez déjà vu un jeune père tenir son bébé dans les bras comme il tiendrait une ogive nucléaire, vous pensez sûrement que les hommes en savent beaucoup moins que ce qu'ils croient savoir, et à l'évidence, c'est déjà très peu. Les gars, le truc le plus important à retenir, c'est que les bébés ne sont pas intrinsèquement dangereux, même s'ils risquent de vous mettre dans la mouise. Voici une liste de dix conseils pour vous en sortir.

- Les bébés pleurent beaucoup. Cela ne signifie pas qu'ils sont en sucre. Ils ont peut-être faim (les saucisses, les cornichons et les restes de couscous ne conviennent pas à leur alimentation), ou alors c'est qu'il est temps de changer leur couche (voir plus bas).

- N'essayez jamais de changer la couche d'un bébé. Jamais. C'est comme si vous vouliez creuser une tranchée sur le Chemin des Dames, par temps de pluie, pendant que vous vous faites bombarder par l'ennemi.

- Le vomi du bébé ne va pas vous faire de mal. C'est bon à savoir car vous allez en essuyer pas mal.

- N'allez pas croire que vous allez pouvoir retrouver un semblant d'intimité avec votre femme avant au moins des dizaines d'années après la naissance du bébé. Les bébés sont des contraceptifs naturels. À la minute où vous voudrez faire des câlins, il va se mettre à hurler.

- Ne mettez pas votre bébé mouillé dans le micro-ondes pour le sécher plus rapidement. Ça les fait exploser.

- Les assistantes sociales peuvent vous faire du mal. Elles sont très souvent directives et n'apprécient pas trop les hommes. Enfilez-vous quelques bières si jamais vous êtes dans les parages lors d'une visite surprise.

- Les bébés sont des attrape-belle-mère. N'oubliez pas de faire le plein de bières.

- Des recherches scientifiques ont montré que les bébés rendent les hommes irritables et les fatiguent. Vous n'avez donc pas besoin d'une opération du cerveau. Allez vous chercher une autre bière, ça devrait vous calmer.

- Les bébés ne rebondissent pas, même les plus dodus. Ne les lâchez pas.

- Si votre femme donne le sein à votre bébé, vous pouvez être sûr qu'il va en prendre possession complètement et ce, pendant des mois. Même si sa poitrine a atteint une taille appréciable, il va falloir vous contenter de toucher avec les yeux.

93 L'énigme de la machine à laver

Mon oncle Roger était marin et il disait toujours : « Les femmes et les marins ne sont pas faits pour s'entendre. » Je ne sais pas pourquoi, mais ma mère blêmissait toujours quand elle entendait ça. Mon adage personnel serait plutôt : « Les hommes et les machines à laver ne sont pas faits pour s'entendre. » C'est vrai, je vous le demande, vous arrivez à comprendre la signification de tous ces pictogrammes que l'on trouve cousus à l'intérieur des vêtements, vous ? Quelle est la différence entre un triangle barré et un carré barré avec un cercle au milieu ? Et ça veut dire quoi s'il y a un voire deux petits points dans le carré avec le cercle ? Vraiment, c'est à vous rendre chèvre, si vous devez vous poser la question, bien sûr !

Heureusement, certaines étiquettes vous expliquent tout ce que vous devez faire avec des indications claires ; on les trouve, d'ailleurs, souvent en plusieurs langues. Un jour, en 2004, j'ai vu une étiquette assez amusante, sur des sacs à dos et des sacs d'ordinateur portable fabriqués par la Tom Bohn Company dans l'État de Washington aux États-Unis. Elle était rédigée en anglais et traduite en français. Après les instructions classiques : « *Do not machine dry*. Ne pas sécher à la machine », on pouvait lire deux phrases qui n'apparaissaient qu'en français : « Nous sommes désolés que notre président soit un idiot. Nous n'avons pas voté pour lui. » Tom Bohn, propriétaire de cette petite entreprise, affirme qu'il ne connaît pas l'identité de son employé facétieux. Toutefois, il a offert à cet homme, ou à cette femme, une augmentation car sa farce a donné un petit coup de pouce au service marketing. On se demande toujours si le président visé était George W. Bush ou Jacques Chirac ; ça pourrait aussi être le président de la boîte, M. Tom Bohn.

Passons. Voici des explications claires des symboles et des légendes les plus courants sur vos vêtements. On ne sait jamais, vous risquez peut-être un jour de vous retrouver seul devant la machine à laver. Bonne chance, les gars !

Les classifications générales

Quand vous regardez ces symboles pour la première fois, seuls le fer à repasser et la bassine ont une signification évidente. Les choses devraient vous paraître plus simples, avant de vous mettre à la tâche, si vous comprenez que ces symboles sont classés par groupes.

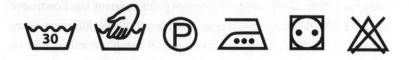

- La bassine représente le lavage.
- Le cercle dans un carré représente le séchage.
- Le fer représente le repassage.
- Le triangle représente la Javel.
- Le cercle (avec une lettre généralement) représente le nettoyage à sec.

Le principe général de tous ces symboles est que plus vous avez de points, plus la température monte. La croix signifie que vous *ne devez pas* le faire.

94 Laisser tomber la télécommande et autres comportements de l'homme moderne

Dans une étude publiée récemment dans le *Journal of Neuroscience*, des chercheurs de je ne sais où ont montré que si on fait respirer de l'oxytocine, la prétendue hormone du câlin, à un homme, elle le rendra plus empathique. Ainsi, on a constaté que s'il regarde des images d'une petite fille caressant un chat, il va se comporter comme une femme et ressentir les mêmes sentiments que l'enfant.

Bon, même si je n'ai rien à redire sur les caresses pour le chat, je ne vois vraiment pas où cette enquête veut en venir. C'est vrai ça ! Est-ce qu'on va devoir se trimbaler avec un spray nasal toute la sainte journée et s'en mettre plein les narines à chaque fois que l'on voudra un câlin ? J'ai déjà assez de trucs comme ça dans les poches de mon pantalon. Je vais en faire quoi, moi, de ma flasque et de mon petit carnet de rendez-vous ? Non, décidément, la thérapie intranasale à l'oxytocine est vraiment une idée stupide qui risquerait de provoquer l'apparition de glandes mammaires chez les hommes et de les transformer en femmes. En plus, tout ça ne sert à rien si vous suivez ces quelques conseils pour devenir un homme moderne. Avec un peu de chance, vous pourrez même éviter les reproches que peuvent vous faire les femmes comme nous l'avons vu précédemment.

Les comportements des nouveaux hommes

1. Une fois que vous avez obtenu de pouvoir regarder votre programme préféré à la télé, ce n'est plus la peine de vous accrocher à la télécommande, comme si votre vie en dépendait. Si la femme du foyer veut regarder quelque chose d'autre, expliquez-lui simplement que vous regardez *votre* émission. Ne vous inquiétez pas, elle devrait comprendre rapidement.

2. Si votre omelette n'est pas assez baveuse, pas la peine d'en faire un fromage. Vous pouvez toujours écrire la recette pour votre moitié, ça devrait lui rendre service.

3. Levez toujours les pieds quand une dame passe l'aspirateur autour de vous. Les bonnes manières n'ont pas de prix.

4. Si vous trouvez un article scientifique, politique ou sportif à faire lire à votre compagne dans le journal, faites en sorte qu'elle ne se prenne pas trop la tête. Un joli dessin plein de couleurs devrait suffire pour l'aider à tout comprendre. Si elle continue à vous poser des questions, dites-lui que ce sont des choses qui ne la

concern pas. Bientôt, elle reconnaîtra votre supériorité intellectuelle et vous fera un café.

5. Si vous êtes sur le point de lâcher un vent, la moindre des choses est de prévenir la dame.

6. Faites en sorte de ne pas être à court de balais, de lingettes et autres détergents. Si vous ne remplissez pas le placard à balais convenablement, elle risque de vous rebattre les oreilles avec ça pendant des siècles.

7. Si elle vous gâche la vie pour des broutilles – vous savez comment elles sont – souvenez-vous de cet adage très sage : « La bave du crapaud n'atteint pas la blanche colombe », en gros « cause toujours tu m'intéresses », voire « parle à mon cul, ma tête est malade ». L'idée, ici, c'est de ne pas vous rabaisser à son niveau.

8. N'oubliez pas de lui faire un compliment si elle a fait un effort vestimentaire. Il n'y a rien de mal à ce qu'elle fasse les courses, le ménage et la cuisine, et qu'elle veuille être belle pour vous quand vous rentrez le soir.

9. Aucun problème pour qu'elle prenne le café avec ses copines dans la matinée tant que vous n'êtes pas dans le coin. En revanche, il est grand temps de mettre le holà si elle commence à vouloir prendre des cours du soir ou d'autres trucs dans le genre. Il ne faudrait quand même pas qu'elle se mette à étudier. Soyez ferme !

10. Elle doit respecter le code NJDN (ne jamais dire non) au lit. Vous avez tout à fait le droit d'insister sur ce point.

L'ÉCOLE DES ROUBLARDS

Les m'as-tu-vu

95 Avaler un sabre pour s'amuser et gagner sa croûte

Tout comme cracher du feu ou marcher sur des braises ardentes, avaler des sabres est une activité périlleuse. Voici généralement comment ça se passe : un artiste de rue se trouve face à une foule de badauds en délire, il commence alors à engloutir un ou plusieurs sabres qu'il enfonce dans son gosier. On ne voit plus apparaître que les quillons, la poignée et le pommeau (tout ce qui forme la garde du sabre) ; parfois, on voit aussi une partie de la lame ressortir de sa bouche. À la fin, il fait glisser la lame avec des allers et retours, sans pour autant se blesser. Ça paraît impossible, or comme diraient Les Nuls : « Avec Hassan Cehef, tout est possible. »

Avaler des sabres n'est pas un tour de magie en soi ; ce que nous venons de décrire n'est pas tout à fait correct. Le sabre n'est pas une arme aiguisée mais un accessoire spécial avec des bords émoussés. Si l'on devait utiliser un sabre tranchant, le résultat catastrophique serait visible immédiatement : l'artiste se mettrait à saigner comme un goret. Il est toutefois avéré que le saltimbanque avale la rapière, dans le sens où elle descend dans le tube digestif (par l'œsophage), même si elle n'est pas engloutie par la bouche jusqu'à l'estomac grâce à des contractions neuromusculaires comme quand on avale un jambon-beurre. En fait, la lame glisse tout simplement dans le gosier. Cela dit, ce tour de passe-passe requiert un sacré entraînement et pas mal de dextérité. Un novice ne devrait en aucun cas tenter l'expérience.

Déjà, il est nécessaire de s'entraîner pour ne plus avoir de réflexes nauséeux et ne plus se mettre à vomir partout. Vous ne risquez pas de récolter beaucoup d'argent si vous dégobillez en faisant la manche. Selon Dan Meyer, le président de l'Association internationale des avaleurs de sabre (la SSAI ou Sword Swallowers Association International), on habitue le pharynx en y introduisant régulièrement ses doigts, des cuillères et des aiguilles à tricoter. L'artiste termine son apprentissage avec succès s'il réussit à avaler un cintre métallique. C'est tellement romantique !

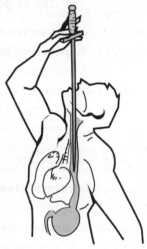

On raconte qu'avaler des sabres est une pratique qui trouve son origine en Inde aux alentours de 2000 av. J.-C. Elle s'est ensuite répandue en Chine, dans la Grèce antique et à travers tout l'Empire romain, jusqu'au Japon et dans l'Europe médiévale où elle est devenue très populaire grâce aux jongleurs et autres fakirs ridicules. À la fin du XIXe siècle, des médecins américains, George M. Gould et Walter L. Pyle, décrivent son processus ainsi que ceux de l'éternuement sexuel et d'autres curiosités dans un ouvrage de 1898 intitulé *Anomalies and Curiosities of Medicine* (curiosités et anomalies médicales). Dans ce livre, les auteurs expliquent ce qui suit.

L'instrument entre dans la bouche et le pharynx, puis dans l'œsophage ; il traverse la partie haute de l'estomac puis y pénètre jusqu'à l'antre, une sorte de cul-de-sac dans l'estomac. Normalement, chez l'adulte, ces organes ne sont pas droits, mais le passage du sabre les aligne. D'abord, les avaleurs de sabre mettent la tête en arrière afin que la bouche se place dans le prolongement de l'œsophage. Les courbes naturelles de l'organe disparaissent, ou du moins s'atténuent lors du déplacement du sabre. L'angle que l'œsophage forme avec l'estomac n'existe plus. Pour finir, l'estomac est complètement distendu, l'entrée devient verticale et les courbes internes disparaissent afin de permettre à la lame de traverser la partie la plus grande de l'estomac.

Voilà donc l'explication de ce mystère. Ça doit vous racler la gorge, tout ça.

96 Harry Houdini : petit mais costaud

Qui se souvient des films du réalisateur hollywoodien George Marshall ? À part peut-être *Femme ou démon* (1939), ou alors un autre film sans vraiment d'envergure, *Houdini le grand magicien,* dans lequel on retrouve le grand maître de l'art de l'évasion, charmeur et populaire, toujours fringant sous les traits de Tony Curtis. Parmi les diverses inexactitudes concernant cette supposée biographie édulcorée, on peut compter le portrait d'Houdini. Contrairement à un Tony Curtis spirituel, avec son sourire de demi-dieu grec, le vrai Harry Houdini est un vantard à l'allure de crapaud qui ne paie pas de mine. Avec ses jambes arquées, sa voix haut perchée de castrat et ses manières de rustre, il a tellement la grosse tête que tous les magiciens de l'époque le détestent. Il n'y a qu'une seule chose juste dans le film : les muscles hypertrophiés de ses cuisses.

Le petit prestidigitateur au large clapet a vu le jour à Budapest le 24 mars 1874. Ehrich Weiss, c'est son vrai nom, a toujours soutenu qu'il était né à Appleton dans le Wisconsin. Quatre ans après la naissance du petit Ehrich, la famille part pour les États-Unis où son père devient rabbin. Ils finissent par s'installer à New York.

Ehrich commence une carrière de trapéziste à l'âge de 9 ans. Avec le temps, il devient magicien et choisit Harry Houdini comme nom de scène en l'honneur de son héros, le très distingué Jean-Eugène Robert-Houdin. Ehrich fait une belle erreur d'appréciation en ne prenant que le nom de Houdin : il n'a pas compris que le nom de famille du magicien français est Robert-Houdin. Il a sûrement pensé que son prénom devait être Bobby. En même temps, Harry Robert-Houdini, ce n'est pas très efficace comme nom de scène.

Comme tous les débutants, Houdini commence au bas de l'échelle en faisant des petits tours de cartes dans les cabarets. Il se présente lui-même comme le « roi des cartes ». Il a un certain culot car, en réalité, son tour de passe-passe n'est pas très au point. Plus tard, Houdini se vante auprès de ses collègues magiciens d'être capable de comprendre n'importe quel tour de prestidigitation s'il le voit exécuté trois fois. Dai Vernon, un jeune prestidigitateur génial, le prend au mot et lui montre un tour dans lequel il fait visiblement glisser la carte supérieure au milieu du paquet. Agressif, Houdini fixe les mains du magicien qui fait apparaître le dos de la carte sur le haut du paquet, sans aucun effet de manche. Vernon s'y reprend à sept fois car Houdini insiste lourdement pour qu'il recommence. Finalement, il se rend à l'évidence quand l'assistance lui signifie qu'il est temps de laisser tomber parce qu'il s'est fait avoir. Pendant des années, Vernon se servira de ce sous-titre sur ses affiches publicitaires : « L'homme qui a trompé Houdini ».

Harry se consacre de plus en plus aux évasions, qui correspondent tout à fait à son style artistique, fruste et pompeux. En 1899, à l'âge de 25 ans, il est engagé dans une tournée de vaudeville. C'est un véritable succès. En 1900, baptisé « Roi des menottes », il traverse l'Atlantique. Il devient aussi populaire en Europe. Le public apprécie particulièrement son évasion de Scotland Yard.

Houdini a un sens étrangement sophistiqué de l'importance de la publicité. Il sait exactement ce qui va plaire à la presse. Son badinage incessant avec les journaux est la véritable clé de son succès. Il a compris qu'il valait mieux sauter d'un pont très connu, les mains menottées, entouré de photographes, ou encore se faire balancer dans les eaux froides de l'East River, encore menotté, enfermé dans une cage lestée et bien scellée, que sortir d'un sac en se trémoussant dans un cabaret miteux sans avoir été annoncé. Il a l'intuition que les défis attirent les journalistes, alors pourquoi ne pas impliquer la presse directement ? Ainsi, prenons l'exemple du défi des menottes du *Daily Mirror* de Londres en 1909 ; Houdini propose sournoisement au journal de le mettre à l'épreuve, il leur précise, non moins sournoisement, le type d'accessoires à fournir (si on peut appeler ça des accessoires) avant le lancement du tour et la réalisation de l'exploit proprement dit, à grand renfort de publicité.

La presse, le public, Houdini, tout le monde est content et l'argent afflue rapidement dans les poches du prestidigitateur. Il gagne maintenant une petite fortune en réalisant à peu près les mêmes performances que celles qu'il exécutait dans les petits théâtres à trois sous. Il s'offre une belle maison au 278 W. 113th Street à Harlem pour la somme de vingt-cinq mille dollars (les prix ont un peu gonflé depuis le temps, il faudrait y ajouter quelques zéros).

À l'aube du vingtième siècle, Houdini enlève ses menottes, s'échappe de caisses placées dans l'eau, de différentes prisons, et il sort de camisoles de force alors qu'il est suspendu dans les airs au bout d'une corde. Un jour, il se délivre d'un bidon de lait cadenassé rempli d'eau. Un autre jour, il s'échappe de draps mouillés, de sacs postaux ainsi que d'une grande enveloppe que des membres du public ont scellée avec un cachet de cire. Il fait disparaître un éléphant, traverse un mur solide construit par des maçons devant les spectateurs. Une nuit, il est menotté et enfermé, la tête à l'envers, dans une cellule dans laquelle il subit le supplice chinois de la goutte d'eau. Malgré ce qui se passe dans le film de George Marshall, ce truc n'a rien à voir avec le décès d'Houdini. Il est, en fait, beaucoup plus trivial.

Malheureusement, il ne peut pas s'échapper de toutes les situations. On raconte souvent, dans le cercle peu fermé des prestidigitateurs, qu'un jour Houdini, alors qu'il passait un coup de téléphone dans une cabine d'un hôtel américain, s'est fait enfermer par un petit malin. Cloîtré bien au chaud dans son cagibi, Houdini, rouge de colère, se met à hurler toutes les insultes qu'il connaît en secouant sa cellule. Finalement, on le libère, mais il apprécie peu la plaisanterie.

Le xxe siècle lui offre de nouvelles perspectives artistiques avec ses gratte-ciel, ses avions (qu'il a appris à piloter), son cinématographe. Il participe d'ailleurs à quelques films muets. À le voir se faire attacher à une chaise avec une corde très longue et ensuite se tortiller dans tous les sens, ou à le regarder pendant des plombes se tordre sur le sol dans une camisole de force, on se demande comment ces mises en scène peu spectaculaires ont pu intéresser les gens. C'est évident, les chaînes porno n'existaient pas encore.

En 1926, Houdini met au point un numéro pour sa prochaine saison, dans lequel il doit se faire enterrer vivant et s'échapper avec fracas. Il a déjà son cercueil en bronze. Cependant, en octobre, après une conférence à l'université McGill de Montréal, un étudiant, J. Gordon Whitehead, et deux de ses comparses se rendent dans la loge d'Houdini. Pour vérifier qu'il est bien capable d'encaisser les coups sans avoir mal, ils lui envoient plusieurs crochets dans le ventre, sans le prévenir.

Bien qu'il souffre beaucoup de ses blessures, Houdini continue ses numéros. Très mal en point, il donne sa dernière représentation le 24 octobre 1926, à Detroit dans le Michigan. On le transporte à l'hôpital où on lui retire son appendice éclaté. Il meurt d'une péritonite une semaine plus tard, le 31 octobre, le jour d'Halloween. Il n'a que 52 ans.

Plus de deux mille fidèles se rendent à ses funérailles le 4 novembre. Il est enterré dans le cercueil de bronze qu'il avait fait construire pour son numéro de la grande évasion. Cette fois, évidemment, il n'en sort pas.

97 Un petit truc avec une pièce avant d'aller se coucher

Si vous avez déjà essayé de déplacer une machine à laver ou d'arrêter la terre de tourner avec votre pied, vous allez mieux comprendre le principe de l'inertie. Ce principe de base veut que les choses qui bougent ont tendance à continuer à bouger (pensez aux planètes) et que les choses qui ne bougent pas ont tendance à rester immobiles, à moins de les pousser très fort (pensez à une voiture en panne). Voici un petit tour sympa qui utilise le principe de l'inertie. C'est éducatif, amusant et facile à faire avant de se mettre au lit. Vous avez simplement besoin d'une ou plusieurs pièces de monnaie identiques, d'un lit et d'un coude.

Méthode

1. Déshabillez-vous, laissez traîner vos vêtements par terre ou accrochez-les, selon vos habitudes. Mettez votre pyjama, si vous en portez un, et allez vous brosser les dents. La dernière recommandation n'est pas obligatoire et n'affectera pas ce tour de passe-passe. Toutefois, une bonne hygiène buccale est essentielle si l'on souhaite être un vrai gentleman.

2. S'il y a une femme (ou quelqu'un d'autre) dans votre lit, demandez-lui de se cacher sous les draps ou d'aller vous faire un lait chaud dans la cuisine.

3. Sortez une ou plusieurs pièces de votre poche et placez-vous en face du lit. Les pièces les plus grandes sont les meilleures pour ce tour, parce qu'elles sont plus lourdes et ne risquent pas de s'envoler. Au début, il est préférable d'apprendre ce truc avec une seule pièce et d'intégrer de nouvelles pièces au fur et à mesure, quand vous serez plus aguerri.

4. Soulevez votre bras le plus fort dans la position que l'on peut voir sur l'illustration. Avec votre autre main, placez la pièce sur le coude tendu à environ deux centimètres et demi ou cinq centimètres de la partie pointue du coude.

5. Maintenant, étirez rapidement votre bras. Au même moment, refermez votre main en formant une sorte de coupelle. En raison du principe d'inertie, la ou les pièces vont essayer de rester où elle(s) se trouve(nt) même si le coude qui les maintient en place n'est plus là. Avant que la force de gravité n'ait eu le temps de l'attirer ou de les attirer vers le centre de la Terre, vous aurez eu la possibilité de l'attraper ou de les attraper avec votre main. Bon maintenant, je me rends compte que je n'aurais pas dû mélanger les singuliers et les pluriels.

6. Plus vous vous entraînerez, plus vous progresserez, mais vraiment, vous ne devriez pas mettre longtemps à devenir expert. Faites dix fois ce petit tour tous les soirs avant d'aller vous coucher, et en un mois, vous serez devenu un vrai pro. Au début, vous allez sûrement vous retrouver avec des pièces volantes qui vous échapperont de la main à grande vitesse pour atterrir dans le miroir vénitien de votre copine ou dans sa collection de vernis à ongles et autres mascaras. L'art requiert quelques sacrifices. Toutefois, le lit est là pour retenir les pièces récalcitrantes, c'est pour cela qu'il est important de réaliser ce petit numéro à l'heure du coucher.

7. Dès que vous arrivez à en attraper plus qu'à en perdre, il est temps d'ajouter d'autres pièces. En un rien de temps, vous serez

capable d'impressionner votre femme/maîtresse ou toute autre personne qui partage votre lit par votre capacité d'attraper toute une pile de pièces. Ainsi, la prochaine fois que vous vous sentirez l'âme romantique, vous pourrez demander à une fille accrochée à un comptoir : « Vous avez envie de voir le miracle incroyable que je peux réaliser avec de l'argent ? » Comment pourrait-elle refuser ?

Canulars et escroqueries

98 Le bonneteau expliqué

Le bonneteau, aussi connu sous le nom de *find the lady* (trouvez la dame) en anglais ou *trijy korty monte* (le coup des trois cartes) en lituanien, est un jeu très pratiqué par les attrape-touristes qui sévissent autour des lieux typiques et animés des capitales. Le joueur montre à un parieur deux cartes noires (n'importe lesquelles) et une reine rouge pour ensuite les retourner sur la table et les faire tourner, face cachée. Les parieurs qui réussissent à retrouver la reine doublent leur mise. Sauf qu'ils n'y arrivent jamais, parce que l'arnaqueur manipule les cartes discrètement afin de garder la main sur la fameuse reine.

Un jour, je bavardais avec Bobby Bernard, un magicien qui m'a raconté que, quand il était jeune, dans les années 1950, il regardait un homme faire son tour de passe-passe sur un vieux carton, dans un quartier touristique de Londres. Comme il était déjà magicien, Bobby, qui connaissait toutes les ficelles du tour, s'est décidé à parier. Ensuite, au lieu de laisser l'escroc soulever la carte qu'il avait désignée, le jeune homme a tendu la main pour le faire. Avant même qu'il n'ait pu y toucher, un grand gaillard qui se trouvait à côté de lui lui a enfoncé un cigare brûlant dans l'oreille en le menaçant : « Tu as déjà fait ton pari, mon gars. Maintenant dégage ! » Visiblement sa bobine valait davantage que les cinq livres qu'il avait pariées.

L'homme au cigare est ce qu'on appelle en argot, dans le monde des lascars, un « larron » ou un « baron », un complice qui encourage les badauds à jouer et qui, parfois, parie lui-même et remporte de grosses mises. Pour organiser une arnaque au bonneteau, il faut être trois ou plus, une équipe soudée avec un des membres qui fait le guet et qui surveille l'arrivée de la police. À la vue du moindre uniforme, la vigie

277

hurle un truc du genre « les carottes sont cuites » et ils disparaissent tous, en laissant derrière eux le carton, les cartes et un groupe de naïfs au porte-monnaie allégé.

Le concept du bonneteau réside dans l'idée d'attirer des joueurs incrédules et, comme dans toutes les arnaques, de les embobiner en titillant leur envie d'être plus royaliste que le roi et leur velléité de battre le meneur. On voit très bien comment la psychologie du jeu fonctionne : les gens sont contents, les joueurs (les barons) n'arrêtent pas de « gagner » et le jeu a l'air facile, il y a une chance sur trois de trouver la bonne carte. Les joueurs malchanceux qui se lancent dans une partie gagnent parfois au premier tour. Ils partagent souvent les risques en jouant moitié-moitié avec un « mec sympa » parmi la foule (un baron) qui leur offre de partager ses gains. Il n'y a rien de tel que de gagner pour vous rendre accro. Des paris bien plus importants ont tendance à faire couler l'argent à flots et, surtout, à vider la bourse de nos malheureux joueurs.

Le boniment (le bon y ment) du manipulateur, qu'on appelait jadis bonneteur, tient une place importante dans l'arnaque. On peut commencer par flatter le public : « Je prends les paris de n'importe qui, les pauvres, les vieux, les moches, les orphelins. » On peut aussi lire dans un livre de Jean-Eugène Houdin intitulé *Comment on devient sorcier*, un classique du genre :

Mais que verra-t-on chez vous, allez-vous me demander ?

Ce que vous verrez, messieurs, c'est ce qui n'a pas de précédent et n'aura jamais d'imitation. Ce que vous verrez, ce sont des merveilles, des impossibilités, des miracles enfin ! Le détail en est indescriptible. Je vous dirai seulement : entrez, et vous serez non seulement satisfaits, mais ivres de joie, transportés d'admiration, abasourdis.

On a bien l'impression que tout est permis dans la joie et l'allégresse, mais ce n'est qu'une arnaque. Pendant son boniment, le manipulateur montre les cartes au joueur et les rabat. Quand on le regarde faire, on n'a aucun doute, on sait où est la reine. Or, quand il place les cartes sur la plaque de jeu, il peut les mettre où il veut. Il peut même retirer la carte et introduire une « carte étrangère », une carte toujours perdante. Avec ces trois cartes truquées, le joueur n'a aucune chance de gagner.

Je ne vais pas vous expliquer toutes les chicanes de ce tour, ça prendrait des heures et il faudrait que je fasse beaucoup de dessins. En plus, ce n'est pas parce qu'on sait comment ça marche et comment ce tour a été inventé qu'on gagne. Au bonneteau, même quand on trouve la reine, on perd, et parfois plusieurs dents de devant. Vraiment, le secret pour éviter de perdre, c'est de ne pas parier. Vous pouvez, bien sûr, ignorer totalement mes conseils et tenter le diable. Il existe une expression pour ça : « bonne poire ».

99 L'opération Mincemeat

À la fin de l'année 1942, les Alliés ont l'intention d'envahir la Sicile, un objectif stratégique tellement évident que Winston Churchill déclare : « N'importe quel idiot verrait que c'est la Sicile. » Il faut donc trouver un plan pour camoufler l'endroit exact de l'invasion et faire en sorte que les Allemands se retirent de Sicile pour se rendre au mauvais endroit.

Le capitaine de corvette Ewen Montagu, membre des services de renseignement de la Royal Navy, reprend l'idée du lieutenant Charles Cholmondeley de la RAF pour duper les Allemands et leur faire croire, avec beaucoup de chance, qu'ils sont capables de mettre la main sur des documents top secret contenant des informations sur des plans d'invasion alliés. Avec Cholmondeley, lui aussi membre des services secrets, Montagu décide de falsifier plusieurs documents remplis de fausses informations. Ils les placent sur un homme apparemment mort noyé dont ils débarquent le corps sur les côtes espagnoles. L'Espagne, censée être neutre, est notoirement connue pour coopérer avec les services secrets allemands, l'Abwehr.

Montagu fait en sorte que le mort soit la victime d'un crash aérien en mer, dans un coin où les marées sont susceptibles de rejeter le corps sur le rivage. Il est certain que les Espagnols vont donner aux agents allemands sur place toutes les informations qu'ils trouveront sur le macchabée. Les autorités approuvent l'opération et on lui donne le nom de code *Operation Mincemeat,* littéralement « opération chair à pâté ».

Sir Bernard Spilsbury, un pathologiste reconnu, aide Montagu à choisir le corps qui convient le mieux. Le corps du noyé, au moment de sa découverte, doit avoir l'air d'avoir passé plusieurs jours en mer. Le médecin légiste de Saint-Pancras trouve le cadavre approprié, celui d'un certain Glyndwr Michael, un clochard gallois de 34 ans qui s'était suicidé en ingérant de la mort-aux-rats. Il est mort le 28 janvier 1943 à l'hôpital de Saint-Pancras, son corps n'a aucune marque visible de la cause de son décès.

Maintenant qu'ils ont leur cadavre, Montagu élabore une identité plausible pour ce messager. Il devient William Martin, un capitaine des Royal Marines nommé major à titre provisoire. Montagu choisit le nom de Martin car plusieurs officiers du même rang et du même nom servent dans la marine à cette époque. Il offre à Martin une nouvelle date de naissance : il est né en 1907, il a donc deux ans de plus que le vrai cadavre. Il lui laisse sa nationalité galloise et le fait naître dans la même ville de Cardiff.

Le contenu des poches du défunt doit apporter des indices sur sa personnalité et sa vie. Un trousseau de clés, une lettre de son père et de vieux billets de théâtre montrent qu'il a une vie après le travail. On trouve aussi une photo de Pam, sa fiancée (en réalité, c'est celle de Jean Leslie, un agent du MI5), accompagnée de deux lettres d'amour. Il a aussi, dans ses poches, un justificatif d'hébergement de quatre nuits dans son club, une facture pour une bague de fiançailles et une lettre incendiaire du directeur de la Lloyds Bank exigeant la régularisation d'un découvert. Apparemment, le major Martin a l'air d'un homme qui vit à crédit.

Le major Martin se voit confié une mallette contenant plusieurs documents soigneusement contrefaits, telle qu'une lettre du lieutenant général Sir Archibald Nye, vice-chef du General Imperial Staff, destinée à Sir Harold Alexander, commandant du 18e régiment en Algérie et en Tunisie. On trouve parmi les sujets « délicats » abordés dans cette missive persuasive des indications, qui peuvent paraître plausibles, sur l'opération Husky (le vrai nom de l'invasion de la Sicile) concernant l'invasion de la Grèce et une attaque prévue de la Sardaigne, tout cela pour cacher la véritable cible : la Sicile.

Le major Martin détient aussi une lettre pour l'amiral Cunningham, le commandant des forces alliées en Méditerranée, de la part de l'amiral Mountbatten, comte de Birmanie et oncle maternel du prince Philippe, le mari d'Elizabeth II. S'ils avaient l'intention d'épater les Allemands avec tous ces titres ronflants, ils avaient visé juste. La lettre de Mountbatten contient un jeu de mots sur les sardines créé par Montagu pour faire, prétendument, référence à la Sardaigne.

Mais comment faire pour que toutes ces lettres ne s'égarent pas lorsque le corps serait en mer ? L'équipe décide d'attacher la mallette au cadavre avec une chaîne, comme celles que l'on utilise pour les convoyeurs de fonds. Même si les messagers dans l'armée ne se servent jamais de ce genre d'accessoires, ce n'est qu'un détail. Le 15 avril 1943, on explique les éléments de cette ruse à Winston Churchill alors qu'il se trouve dans son lit, en train de fumer un cigare. L'idée l'intéresse. C'est ainsi qu'avec l'accord des plus hautes instances, les documents dans une valise, les lettres et les petits accessoires en poche, le corps du malheureux clochard est sorti de son frigo, nettoyé, tondu et habillé à la mode martiale. Il est ensuite enfermé dans une caisse en acier remplie de dioxyde de carbone solide (de la glace carbonique). Ce procédé produit suffisamment de gaz carbonique pour élimer l'oxygène et éviter l'accélération de la décomposition. Cholmondeley et Montagu emmènent la boîte et son contenu à Holy Loch en Écosse et l'embarquent à bord d'un sous-marin, le *HMS Seraph*. Le vaisseau part le 19 avril, ; le commandant du vaisseau, le lieutenant Bill Jewell, explique à ses hommes que la boîte contient un instrument secret de prévisions météorologiques.

Onze jours plus tard, le 30 avril, le sous-marin refait surface à environ un mille des côtes du Sud-Ouest de l'Espagne, près de la ville de Huelva. La boîte est remontée et tous les membres de l'équipage, à part les officiers, sont renvoyés à fond de cale. Le commandant Jewell explique rapidement à ses trois officiers les détails intéressants à propos du contenu de la caisse et leur dit ce qu'ils doivent faire. Ils l'ouvrent, mettent un gilet de sauvetage sur le corps et attachent la mallette. Comme il semble évident que le major n'aurait pas gardé la menotte à son poignet pendant un long vol en provenance de Londres, ils bouclent la chaîne autour de la ceinture de son imper. Après avoir récité un petit psaume (le numéro 39), les quatre marins déroulent Glyndwr Michael de sa couverture et il tombe à l'eau. Ils font ensuite couler la caisse.

Aux environs de 9 h 30, le lendemain matin, le noyé est retrouvé par un pêcheur du coin, un certain José Antonio Rey Maria. Quelques jours plus tard, le corps, son attaché-case intact et ses lettres toujours scellées sont rendus au vice-consul britannique. La mallette est renvoyée aux services secrets et le 4 mai, le « major Martin » est enterré à Huelva avec tous les honneurs militaires dus à son rang. L'opération aurait-elle échoué ?

En réalité, l'opération Mincemeat fonctionne exactement comme prévu, les Espagnols n'ont pas chômé. Ils ont vite compris l'importance de leur trouvaille et ont transmis les informations, assez intelligemment, à l'agent allemand de l'Abwehr de Huelva. Puis ils ont inspecté le contenu de la mallette. Avec brio, ils retirent les lettres mouillées de leur enveloppe scellée à la cire en glissant une longue pince avec deux rangées de dents qu'ils font tourner autour du sceau ; ils réussissent à sortir les lettres par le trou qu'ils ont fait en soulevant les enveloppes. Les lettres sont séchées sous une lampe et le chef de l'Abwehr de Madrid n'a qu'une heure pour les recopier. Il transmet le contenu à Berlin par radio.

Les documents sont soigneusement remis à leur place, plongés dans de l'eau de mer et renvoyés aux Britanniques. Quand les gars des services secrets les récupèrent, ils voient clairement qu'on les a examinés de près et ils imaginent bien qu'ils ont été lus. Winston Churchill, qui se trouve alors aux États-Unis, reçoit un message étrange : *Mincemeat swallowed whole*, soit « hachis entièrement avalé ».

Non seulement les Allemands ont lu les lettres, mais elles ont surtout été transmises à Hitler en personne, qui, persuadé de leur véracité, ordonne immédiatement que « les opérations concernant la Sardaigne et le Péloponnèse deviennent des priorités ». Les forces allemandes sont retirées de Sicile pour être envoyées en Grèce, en Sardaigne et en Corse. Ce déplacement facilite l'invasion de la Sicile par les Alliés le 9 juillet 1943. De plus, pendant deux semaines, les Allemands continuent à se tenir prêts pour repousser d'éventuelles attaques contre la Sardaigne et la Grèce ; leurs forces vitales restent là, à se tourner les pouces.

Grâce à une planification fine, à beaucoup de soin, d'intelligence, de culot et à une bonne dose de chance, l'opération Mincemeat est un véritable succès et ils se congratulent tous pendant un sacré bout de temps. Toutefois, le temps a aussi été particulièrement long pour reconnaître la participation involontaire mais essentielle pour la réussite de cette opération de feu Glyndwr Michael. Pendant des années, Montagu soutiendra que le corps utilisé avait été volontairement donné par la famille à la condition que l'identité du défunt ne soit jamais révélée. En réalité, les parents du vagabond gallois étaient morts bien avant lui et il n'avait pas d'autre famille connue. Ce n'est qu'en 1996, plus d'un demi-siècle après les événements, que Roger Morgan, un historien amateur, révèle l'identité de Glyndwr Michael.

Deux ans plus tard, en janvier 1998, la commission des cimetières de guerre du Commonwealth ajoute discrètement une inscription sur la plaque de la tombe du major Martin enterré à Huelva. On peut simplement lire : « Glyndwr Michael a servi en tant que major William Martin RM. »

100 Le roi du canular

En 1999, un documentaire intitulé *Private Dicks: Men Exposed* passe sur la chaîne de télévision américaine HBO. Il met en scène un homme d'âge moyen grassouillet prénommé Bruce. Assis et ne portant que son slip, l'homme parle de son pénis qui, il l'admet, est plus petit qu'un mégot de cigare « quand il est en *érection* ». Après l'émission, on se rend compte que le Bruce en question est un farceur notoire, Alan Abel, un homme très craint dans le monde médiatique pour sa grande capacité troublante à mettre au point des canulars tellement séduisants que les journalistes tombent systématiquement dans le panneau.

Prenons l'exemple de Jim Rogers, un membre actif du comité faisant campagne contre l'allaitement. Il est interviewé des centaines de fois en 2000, prétextant que l'on devrait bannir l'allaitement en raison de son caractère « incestueux » qui mène tout droit « à la cigarette et à l'alcoolisme, comme l'atteste Monica Lewinski qui a été élevée au sein jusqu'à l'âge de 4 ans ». Beaucoup de journalistes à l'air pincé regardent les attitudes moyenâgeuses de M. Rogers de haut. Bien sûr, Alan Abel est derrière le masque de ce monsieur. Même après avoir révélé son canular, des animateurs télé lui demandent encore longtemps de faire des apparitions dans leurs émissions.

Abel est né en 1930, il a obtenu un diplôme en sciences de l'éducation avant de devenir écrivain, réalisateur et percussionniste de jazz. Son point fort reste, toutefois, l'arnaque aux médias. Énervé par l'hypocrisie et les niaiseries bêtifiantes dont la télé et les journaux abreuvent les consommateurs endormis, Abel sait quels canulars vont bien marcher, comme le lancement d'un quatuor à cordes seins nus ou alors quand, sous les bons auspices des Imposés anonymes, il demande à voir les comptes du gouvernement en exigeant qu'on lui apporte tous les chèques annulés chez lui. Il se présente également au Congrès, en insistant pour qu'on installe un détecteur de mensonges à la Maison Blanche mais surtout qu'on ajoute du « sérum de vérité » dans les distributeurs d'eau du Sénat. Plus tard, Abel fonde une entreprise qui fabrique des échantillons d'urine enveloppés dans des paquets cadeaux. Le porte-parole de cette entreprise est M. Stoidi Puekaw. Si on le lit à l'envers, cela donne *wake up idiots*, en gros « réveillez-vous bande d'idiots », un slogan qui résume en un mot ses convictions sousjacentes.

Alan Abel meurt en 1979 des suites d'une crise cardiaque pendant un séjour au ski. Quand sa veuve veut contacter le *New York Times* pour annoncer son décès, les journalistes font bien attention de vérifier cette information avant de la publier. Un reporter va même jusqu'à téléphoner aux pompes funèbres où se trouve le corps. Le journal publie sa nécrologie le 2 janvier 1980. Le lendemain, Abel tient une conférence de presse pour déclarer que l'annonce de sa mort est vraiment très exagérée. Le numéro de téléphone des pompes funèbres, distraitement donné au *New York Times* par la veuve déboussolée, est celui d'un complice.

Toutefois, le canular d'Abel qui a le plus duré est l'un de ses premiers. En mai 1959, le magazine *Today Show* traite d'un sujet concernant une association contre l'indécence des animaux nus, la SINA (Society for Indecency to Naked Animals), dont le slogan est : « Un cheval nu est un cheval obscène ». En regardant le nom de cette association de près, on se rend compte que quelque chose cloche ; ça paraît insensé, mais pourtant tout le monde se fait avoir. En un sens, ils n'ont pas marché, ils ont couru droit dans le mur.

Le président de l'association SINA, un homme totalement imaginaire, G. Clifford Prout Jr (incarné par un inconnu, Buck Henry), souligne que les vaches qui broutent dans les champs « meurent de honte parce qu'elles sont obligées de vivre comme des nudistes dans un monde où tout le monde est habillé ». Il explique que les chevaux, les vaches, les chiens, les chats et les autres animaux domestiques qui mesurent plus de dix centimètres de haut et quinze centimètres de long devraient porter des vêtements pour des raisons de bienséance. Beaucoup envoient des dons qui leur sont systématiquement renvoyés. Cinq longues années après le début de cette campagne, le magazine *Time* dévoile enfin le canular. Abel explique que son but était de dénoncer la censure, de se moquer des petites manies et des peurs des gens, et de se gausser des « pitoyables champions autoproclamés de la démocratie qui manquent d'humour, qui se fourvoient ».

Alan Abel prétend qu'il est toujours en vie, mais comment en être vraiment sûr ? Si c'est le cas, je lui tire mon chapeau. En fait, je retire tous mes vêtements pour le saluer. Il mérite bien une médaille.

Pour poursuivre votre éducation, nous vous recommandons :
211 idées pour devenir un garçon génial, de Tom Cutler
et pour vos amies, sœurs, cousines :
211 idées pour devenir une fille brillante, de Bunty Cutler
tous deux parus aux éditions Marabout.

Achevé d'imprimer en septembre 2011 sur les presses de Rodesa, Espagne.

ISBN : 978-2-501-07424-7

41-0049-1/01

Dépôt légal : octobre 2011